Derniers adieux

Lisa Gardner

Derniers adieux

ROMAN

Traduit de l'anglais (États-Unis)
par Cécile Deniard

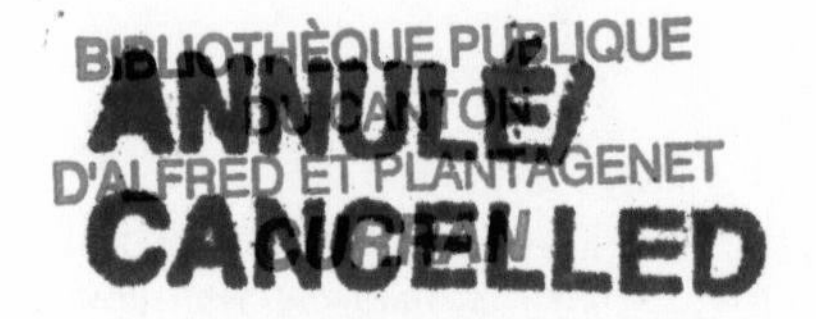

Albin Michel

COLLECTION « SPÉCIAL SUSPENSE »

Édition originale américaine :
SAY GOODBYE
Publiée en 2008 par Bantam Books, New York.

Prologue

« Aux États-Unis, les espèces dangereuses comprennent la veuve noire et l'araignée violoniste. »

Tiré de *Spiders and Their Kin*, Herbert W. et Lorna R. Levi, St. Martin's Press, 2002

IL GÉMISSAIT, un râle du fond de la gorge, et ses doigts resserraient leur étreinte dans les cheveux de la fille. Celle-ci retroussa ses lèvres au-dessus de ses dents et accentua la pression. Les hanches du garçon se soulevèrent et il se mit à proférer le flot habituel d'inepties que les hommes aiment murmurer dans ces moments-là :

« Seigneur… Oh, mon Dieu. Continue. Tu es trop belle. OhmonDieu, OhmonDieu. Tu es la meilleure ! Oh, Ginny, Ginny, Ginny. Ma Ginny chérie… »

Elle se demanda s'il s'entendait parler, s'il avait la moindre idée de ce qu'il racontait. Du fait qu'il la comparait parfois à une sainte. Qu'il lui disait qu'elle était sublime, une beauté, une rose noire de Géorgie. Qu'il avait un jour été jusqu'à lui dire qu'il l'aimait.

Ils diraient n'importe quoi dans ces moments-là.

Le levier de vitesse lui rentrait dans la hanche et commençait à lui faire mal. Elle leva la main droite vers le haut du jean du garçon pour le descendre plus bas sur les cuisses. Encore un léger changement de position, et il hoquetait maintenant, comme à l'agonie.

« Bon sang ! C'est bon, Ginny. Ma toute belle. Chérie… jolie… adorable… tu veux me tuer ! Tu veux me tuer ! TU VEUX ME TUER ! »

Oh, allez ; pensa-t-elle, *finissons-en.* Encore quelques manœuvres, un peu plus de pression de la bouche, puis un peu plus de pression de la main…

Tommy haletait, l'heureux garçon.

Et la petite Ginny allait enfin avoir droit à une gâterie.

Elle se réfugia de l'autre côté de la voiture en tournant légèrement la tête pour qu'il ne la voie pas s'essuyer la bouche d'un revers de la main. La bouteille de Jim Beam se trouvait là où ils l'avaient laissée rouler au sol sous ses pieds. Ginny la ramassa, but un coup, la tendit à Tommy.

Il avait encore le pantalon entortillé autour des jambes et, sur son visage de capitaine de l'équipe de foot du lycée, une expression hébétée.

« Merde, Ginny, *là*, tu essaies vraiment de me tuer. »

Elle rit, prit elle-même une autre gorgée, si grosse que ses yeux la brûlèrent, et elle se dit que c'était le whisky et rien d'autre.

Tommy commença à se rhabiller. Il remonta d'abord son slip blanc, puis son jean, avant de boucler sa ceinture. Il agissait avec naturel, sans l'ombre de la gêne que les filles ressentent en général. C'était pour ça que Ginny préférait tailler une pipe sur le siège avant plutôt que de faire l'amour sur la banquette arrière, ce qui prend plus de temps et demande plus d'organisation. Une pipe en revanche, ça reste simple et, avec la plupart des mecs, rapide.

Tommy voulait le bourbon maintenant. Elle lui donna la bouteille. Regarda sa pomme d'Adam monter et descendre au-dessus de son blouson de l'équipe de foot pendant qu'il buvait. Il se passa la main sur la bouche et lui rendit la bouteille.

« Sexe et whisky. Que demander de plus ? dit-il avec un grand sourire.

– Pas mal pour un mardi soir », concéda-t-elle.

Il se pencha vers elle pour glisser une main sous son chemisier et prendre son sein. Ses doigts trouvèrent son téton gauche et le pincèrent, pour voir.

« Tu es sûre… ? »

Elle chassa sa main d'une tape. « Pas moyen. Je dois rentrer. Ma mère m'a prévenue que la prochaine fois que je ne respectais pas le couvre-feu, elle m'enfermait dehors.

– Ta mère ? Ce serait pas un peu l'hôpital qui se fout de la charité ? »

Ginny ne releva pas. « D'ailleurs, tu n'es pas censé aller retrouver tes potes ? Ou faire un petit tour chez *Darlene* ? Je suppose que mademoiselle ne peut pas s'endormir si elle n'a pas vu son chéri une dernière fois. »

Elle avait commencé sur un ton badin, mais terminé d'une voix crispée. Ce n'est pas parce qu'on connaît sa place dans le monde qu'on doit s'en satisfaire.

À côté d'elle, Tommy ne disait plus rien. Il tendit la main vers elle, lui caressa la joue du pouce. C'était un geste étrange de sa part. Presque tendre.

« J'ai quelque chose pour toi », dit-il tout à coup en retirant sa main pour fouiller dans la poche avant de son jean.

Elle le regarda avec irritation. Évidemment qu'il avait quelque chose pour elle. C'était la règle du jeu : la petite paumée baisait à mort avec le beau quarterback plein aux as qui, en échange, lui offrait de jolies choses qui brillent. Parce que si tous les garçons ont des besoins, tous ne peuvent pas les satisfaire avec leur copine coincée.

Tommy la dévisageait. Avec un temps de retard, Ginny regarda sa main ouverte et découvrit avec une réelle stupeur qu'il lui tendait sa chevalière de lycée.

« Mais qu'est-ce que c'est que ça ? » lâcha-t-elle.

Tommy eut un mouvement de recul, mais se reprit sans tarder. « Je sais que tu es surprise…

– Darlene va te découper le cœur à la petite cuillère si elle me voit porter ça.

– Darlene ne compte plus.

– Depuis quand ?

– Depuis que j'ai rompu avec elle samedi soir. »

Ginny ouvrit de grands yeux. « Mais pourquoi tu ferais une connerie pareille ? »

Tommy se rembrunit. Il ne s'attendait manifestement pas à une telle réaction mais, une fois encore, il persévéra. « Ginny chérie, je crois que tu ne comprends pas…

– Oh, que si. Darlene est belle. Darlene a de jolis vêtements, l'argent de son papa et un rouge à lèvres impeccable qu'elle ne veut évidemment pas abîmer en suçant son petit copain canon.

– Tu n'es pas obligée de présenter les choses comme ça, répondit Tommy avec raideur.

– Présenter les choses comme ça ? Que la précieuse petite Darlene refuse d'avaler ? Et que donc tu t'es fourré dans le crâne que tu es amoureux de Miss Paumée ?

– Ne dis pas ça…

– Dire quoi ? La vérité ? Je sais qui je suis. Le seul dans cette voiture qui ait de la merde à la place du cerveau, c'est toi. Et puis, je voulais un collier en or et tu m'avais promis !

– Alors c'est ça ? Tout ça, c'est à cause du collier ?

– Évidemment. »

Il l'observa, la mâchoire crispée. « Tu sais quoi ? Trace a voulu me prévenir à ton sujet. Il m'a dit que tu avais un mauvais fond, une âme de serpent. Je lui ai dit qu'il se trompait. Tu n'es pas ta mère, Ginny. Tu pourrais être… tu es quelqu'un d'extraordinaire. À mes yeux, en tout cas, conclut-il en bombant le torse.

– Mais c'est quoi, ton problème ! »

C'en était trop pour elle. Elle ouvrit la portière, sortit d'un bond de la voiture. L'entendit se hâter de descendre de l'autre côté, peut-être dans l'idée qu'il ferait mieux de l'arrêter avant qu'elle ne commette une bêtise.

Ils étaient garés au bord d'une piste de débardage dans la forêt, l'endroit était désert, le sol ferme et inégal sous ses pieds. Un instant, elle fut prise d'une envie irraisonnée de courir. Elle allait tout simplement s'élancer et dévaler le long tunnel bleu qui filait entre les grands pins des marais.

Elle était jeune et forte. Une fille comme elle pouvait courir longtemps. Dieu sait qu'elle avait eu de l'entraînement.

« Ginny, parle-moi. »

La voix de Tommy derrière elle. Toujours attentionné, sans pour autant se montrer intrusif. C'était bien sa chance : il avait sans doute pris des cours de poésie ou alors il s'était mis à écouter les ballades de Sarah McLachlan ou une connerie du genre. Tout le monde prêtait de la profondeur à tout le monde ces temps-ci. Ils ne se rendaient donc pas compte que les clichés sont beaucoup plus faciles à manier ?

Elle prit une grande inspiration, leva la tête, regarda les étoiles. *Si la vie te donne des citrons,* se dit-elle, *fais-en de la citronnade.* L'absurdité même de cette réflexion lui donna envie de rire, ou peut-être de pleurer. Alors elle fit ce qu'elle faisait le mieux : elle serra les poings et joua finement sa partie. Quoi qu'en pensent les gens, les filles comme elle ne peuvent pas se permettre d'être faciles.

« Écoute, Tommy, déclara-t-elle. Faut que je sois honnête : je ne m'attendais pas à ça.

– Ben, ouais. Moi non plus, je ne m'y attendais pas. Ce n'est pas comme si j'avais *décidé* que ça arrive.

– Ça va te faire du tort, tu sais. Si je porte cette chevalière, les mecs du lycée, ils en sortiront des vertes et des pas mûres.

– Tant pis.

– D'ici quatre mois, tu seras diplômé, tu auras fini. Voyons, Tommy, tu n'as pas besoin de ces conneries.

– Ginny… », commença-t-il, à nouveau pressant.

Elle posa un doigt sur les lèvres du garçon. « Je vais prendre ta chevalière, Tommy.

– Vraiment ? »

Plein d'espoir à présent. De sincérité. Foutue Sarah McLachlan.

« Tu as apporté le collier ?

– Ben, oui, juste au cas où, mais…

– File-le-moi. Je porterai la chevalière accrochée dessus, sous mon chemisier. Ce sera notre secret, un truc qu'on sera les seuls à savoir, au moins jusqu'à la fin des cours. Je n'ai pas besoin de grandes démonstrations pour savoir que tu tiens à moi. Déjà, juste là, ce que tu as réussi à faire… » Sa voix se tendait à nouveau. Elle se força à conclure sur une note plus enjouée : « Ça représente beaucoup que tu aies eu l'idée de faire ça. »

Le visage de Tommy s'illumina. Il fouilla dans sa poche et finit par sortir un tout petit sachet plastique qui contenait le collier. Il l'avait probablement acheté au Wal-Mart. Quatorze carats : ça lui ferait verdir la peau du cou.

Merde, tout ça pour ça ?

Elle prit la chaîne, la fit passer dans l'anneau de la chevalière, adressa à Tommy un sourire rassurant.

Il l'attrapa pour l'embrasser violemment. Elle se laissa faire. Mais ensuite, il recommença à la peloter, dans l'évidente intention de cimenter leur nouvelle relation par un coït dans les bois.

Bon sang, ce qu'elle était fatiguée.

Non sans effort, elle le repoussa, luttant contre quatre-vingt-dix kilos de testostérone. « Tommy, le sermonna-t-elle, hors d'haleine. Le couvre-feu, tu te souviens ? On ne va pas commencer notre nouvelle relation avec moi qui serais privée de sortie. »

Il sourit, rouge comme une pivoine. « Ouais, d'accord, j'imagine que non. Mais zut, Ginny…

– Ouais, ouais, ouais. En voiture, mon grand. On va voir si tu sais rouler vite. »

Tommy savait. Malgré tout, il était déjà onze heures dix lorsqu'ils arrivèrent chez Ginny. La lumière du perron était allumée, mais rien ne bougeait derrière les stores.

Avec un peu de chance, sa mère était sortie et n'en saurait jamais rien. Après la soirée qu'elle avait passée, Ginny trouvait qu'elle méritait des vacances.

Tommy voulait attendre qu'elle soit bien en sécurité à l'intérieur de la maison. Elle lui assura que cela ne ferait qu'empirer les choses, que sa mère risquait de sortir, de leur faire une scène. Encore quelques câlineries. Au prix de cinq précieuses minutes supplémentaires, il finit par s'en aller.

Mon héros, songea-t-elle avec ironie avant de se diriger vers sa maison.

Celle-ci était petite et grise, sans un brin d'herbe. Triste à l'extérieur, encore plus triste à l'intérieur. Mais, bon, c'était chez elle, comme on dit. Au moins, ce n'était pas un village de mobile homes. C'est que Ginny avait eu un père autrefois. Et il était grand et beau, avec un gros rire tonitruant et des bras puissants et épais dont il se servait pour la lancer en l'air lorsqu'il rentrait après une longue journée de travail.

Un jour, son père était mort. Alors qu'il rentrait chez lui après un chantier où il avait posé du placo, ses roues avant avaient attrapé une plaque de verglas. L'argent de l'assurance avait payé la maison.

Sa mère s'était orientée vers d'autres activités pour payer le reste.

Ginny essaya la porte. Verrouillée. Philosophe, elle haussa les épaules, fit le tour jusqu'à la porte de derrière. Verrouillée, elle aussi. Elle essaya les fenêtres, tout en sachant déjà qu'elles ne bougeraient pas d'un millimètre. Sa mère aimait fermer à double tour. Leur quartier avait peut-être été un quartier ouvrier à une époque, mais dix années et une crise économique étaient passées par là.

Ginny frappa à la porte. Appuya sur la sonnette. Pas le moindre store ne frémit.

Sa mère avait osé : Ginny n'avait pas respecté le couvre-feu et sa fichue mère, apparemment persuadée qu'elle pourrait mieux faire pour peu qu'elle s'achète une conduite, l'avait enfermée dehors.

Putain de merde. Elle allait faire un tour. Peut-être que d'ici une heure ou deux, sa mère déciderait que le message était passé.

Ginny descendit la rue plongée dans l'obscurité, passa devant une kyrielle de petites maisons. Des gens qui, par le passé, gagnaient leur vie. Et qui, pour beaucoup, ne la gagnaient plus.

Elle venait d'atteindre l'intersection avec le chemin vicinal quand le 4 × 4 noir passa en trombe. Elle vit les feux de stop s'embraser, comme des yeux de dragon, lorsqu'il s'immobilisa dans un crissement de pneus vingt mètres plus loin. Une tête sortit côté conducteur, trop noire pour distinguer vraiment autre chose que les contours d'une casquette. Une grosse voix masculine demanda : « Je vous dépose quelque part ? »

Il ne fallut qu'un instant à Ginny pour se décider. La voiture semblait luxueuse, la voix grave. On aurait dit que sa soirée se présentait enfin sous un meilleur jour.

Ginny comprit son erreur cinq minutes plus tard. Après être montée dans le 4 × 4 ronflant et avoir caressé le cuir tanné et doux. Après avoir ri nerveusement et raconté au type, un homme d'âge moyen, soigné, qu'elle était tombée en panne d'essence. Après avoir, avec un autre rire nerveux, suggéré qu'il pourrait lui faire faire un tour dans le quartier.

Il n'avait pas répondu grand-chose. S'était contenté de tourner encore une fois à gauche, une fois à droite, avant de s'arrêter net derrière l'immense entrepôt et de couper le moteur.

Ginny fut alors parcourue d'un premier frisson. Avec un parfait inconnu, il y a toujours un instant, au début, où l'on a presque peur. Avant de se souvenir qu'on n'a plus de raison d'avoir peur parce qu'aucun connard ne peut plus rien vous prendre que vous n'ayez déjà donné.

Mais alors il se tourna vers elle et elle se retrouva face à un visage plat, sans sourire. Une mâchoire dure et carrée, des lèvres serrées, des yeux comme des trous d'eau démesurés et d'un noir insondable.

Et ensuite, presque comme s'il connaissait d'avance sa réaction, comme s'il voulait savourer cet instant où l'expression passerait sur le visage de Ginny, il releva lentement le bord de sa casquette et lui montra son front.

Dans la poche de sa veste en jean, les doigts de Ginny se refermèrent sur la chevalière de Tommy. Car il lui avait suffi d'un regard sur ce que l'homme avait fait pour comprendre plusieurs choses en même temps : que sa mère n'aurait plus à s'inquiéter du couvre-feu ; et que le jeune et libidineux Tommy n'aurait jamais à avoir honte devant ses amis.

Parce que jamais au grand jamais cet homme ne la laisserait rentrer chez elle.

Certaines filles sont intelligentes. D'autres rapides. D'autres fortes. Ginny, la pauvre Ginny Jones, avait déjà appris quatre ans auparavant, quand le petit ami de sa mère avait pour la première fois fait irruption dans sa chambre, qu'elle n'avait qu'un seul moyen de se sauver.

« D'accord, dit-elle vivement. Ne tournons pas autour du pot : pourquoi vous ne me dites pas exactement ce que vous voulez que je fasse et je commencerai à me déshabiller. »

1

VOILÀ LES CHOSES que personne ne te dira, qu'il faut avoir vécues soi-même pour les connaître :

Ça ne fait mal que les toutes premières fois. Tu cries. Tu cries, encore et encore, jusqu'à en avoir la gorge à vif, les yeux bouffis, un drôle de goût au fond de la bouche, une substance comme un mélange de bile, de vomi et de larmes. Tu appelles ta mère. Tu implores Dieu. Tu ne comprends pas ce qui se passe. Tu ne peux pas croire que ça arrive.

Et pourtant si.

Alors, peu à peu, tu te tais.

La terreur ne dure pas indéfiniment. C'est impossible. Ça demande trop d'énergie de l'entretenir. Et, à vrai dire, la terreur naît de la rencontre avec l'inconnu. Mais quand c'est arrivé un nombre suffisant de fois, quand tu as été systématiquement violenté, battu, soumis, ce n'est plus l'inconnu, n'est-ce pas ? Le même geste dont la perversité t'a un jour choqué, blessé, humilié, devient la norme. Voilà ce que sont désormais tes journées. Voilà la vie que tu mènes. Voilà ce que tu es devenu.

Un spécimen de la collection.

2

« Les araignées sont en permanence à l'affût de proies, mais des prédateurs sont aussi à l'affût des araignées. Celles-ci se mettent à l'abri du danger par d'habiles camouflages et des fuites rapides. »

Tiré de *Spiders and Their Kin*, Herbert W. et Lorna R. Levi, St. Martin's Press, 2002

« On a un problème.

– Sans rire. La production de crystal à grande échelle, une classe moyenne qui décroche de plus en plus, sans parler de tout ce cirque à propos du réchauffement climatique…

– Non, non, non. Un *vrai* problème. »

Kimberly soupira. Trois jours à présent qu'ils travaillaient sur cette scène de crime. Assez pour qu'elle ne remarque plus l'odeur de kérosène brûlé et de corps calcinés. Elle était frigorifiée, déshydratée et elle avait un point de côté. À ce stade, et de son point de vue, il en faudrait beaucoup pour faire figure de vrai problème.

Elle siffla la fin de la bouteille d'eau, puis se détourna du village de tentes qui abritait actuellement le poste de commandement pour faire face à son collègue : « Okay, Harold. Quel est le problème ?

– Han-han. Il faut le voir pour le croire. »

Sans attendre sa réponse, Harold s'éloigna à petites foulées, ne laissant d'autre choix à Kimberly que de le suivre. Il longea le périmètre de la scène de crime autour de ce qui avait autrefois été une prairie bucolique en lisière d'une épaisse forêt. La moitié des arbres étaient désormais décapités et le pâturage présentait une profonde et irrégulière balafre de terre qui aboutissait à un fuselage noirci, un tracteur John Deere écrabouillé et une aile droite tordue.

Dans l'éventail des scènes de crime, les accidents aériens sont particulièrement complexes. Ils s'étendent sur de grandes superficies, présentent des contaminations biologiques, sont piégés par des morceaux de métal déchiquetés ou du verre brisé. Le genre de scène susceptible de désarçonner même le spécialiste du prélèvement d'indices le plus aguerri. En cet après-midi du troisième jour, l'équipe de Kimberly, chargée des constatations, avait enfin dépassé le stade du par-où-on-commence-bordel pour rejoindre tranquillement la phase du bien-bossé-suis-à-la-maison-demain-soir-pour-le-dîner. Tout le monde s'envoyait moins d'Advil derrière la cravate, s'accordait des pauses-déjeuner plus longues.

Rien de tout cela n'expliquait pourquoi Harold entraînait Kimberly loin du poste de commandement, du ronronnement du groupe électrogène, de l'effervescence de dizaines d'enquêteurs qui travaillaient en même temps sur la scène…

Harold continuait au petit trot en ligne droite. Cinquante mètres, cent mètres. Huit cents mètres…

« Mais qu'est-ce qu'on fout, Harold ?

– Encore cinq minutes. Tu peux le faire. »

Harold pressa l'allure. Kimberly, qui n'était pas du genre à s'avouer vaincue, serra les dents et suivit. Ils arrivèrent au bout du périmètre de la scène de crime et Harold tourna à droite dans le petit bosquet qui avait provoqué tout ce carnage et dont les plus grands arbres tendaient leurs pics blancs en dents de scie vers le ciel d'hiver nuageux.

« Y a intérêt que ça vaille la peine, Harold.

– Ouais.

– S'il s'agit de me montrer une mousse rare ou une espèce de graminée en voie de disparition, je te tue.

– Je n'en doute pas. »

Harold se faufilait entre les arbres fracassés, se frayait un chemin au milieu des épaisses broussailles. Quand enfin il s'arrêta, Kimberly faillit lui rentrer dedans.

« Regarde là-haut », ordonna-t-il.

Elle obtempéra. « Oh, merde. On a un problème. »

L'agent spécial du FBI Kimberly Quincy avait tout pour elle : belle, intelligente et de noble extraction, puisqu'elle était la fille d'un légendaire ancien profileur du FBI dont le nom était associé à ceux des Douglas et autres Ressler dans les amphithéâtres de l'Académie. Elle avait des cheveux blond cendré mi-longs, des yeux bleu vif et des traits fins et aristocratiques – héritage de sa mère décédée, laquelle était à l'origine de la deuxième série de rumeurs qui devaient suivre Kimberly jusqu'à la fin de sa carrière.

Avec son mètre soixante-dix et sa constitution svelte et athlétique, Kimberly était connue pour sa résistance à la fatigue, sa maîtrise des armes à feu et sa profonde aversion pour les contacts physiques. Si elle ne faisait pas partie de ces collègues qui provoquent le coup de foudre, elle inspirait assurément le respect.

À l'aube de sa quatrième année au sein du bureau du FBI à Atlanta, alors qu'elle avait enfin été affectée au service de police judiciaire et nommée à la tête d'une des trois équipes de relevé d'indices que comptait la ville, sa carrière était sur de bons rails – du moins jusqu'à ces cinq derniers mois. Quoique ce n'était pas non plus tout à fait exact. Hormis le fait qu'elle ne participait plus aux exercices de tir, rien n'avait changé. Après tout, le FBI d'aujourd'hui se voulait une administration éclairée. Tout pour l'équité, la justice et l'égalité des sexes. Comme les agents se plaisaient à le dire pour la charrier, ce n'était plus le FBI de papa.

Dans l'instant présent, Kimberly avait de plus gros problèmes à résoudre. À commencer par la jambe sectionnée qui se balançait dans un rhododendron géant trois mètres *à l'extérieur* du périmètre de leur scène de crime.

« Mais comment tu as bien pu voir ce truc-là ? demanda-t-elle en regagnant le poste de commandement au pas de charge avec Harold Foster.

– Les oiseaux. J'en voyais tout le temps une volée s'enfuir de ce bosquet. Du coup, je me suis dit qu'il devait y avoir un prédateur dans les parages. Et du coup, je me suis demandé ce qui pouvait attirer un prédateur dans un endroit pareil. Et là... tu sais ce que c'est », conclut-il, laconique.

Kimberly acquiesça, même si, étant elle-même une fille de la ville, elle ne savait pas vraiment ce que c'était. Harold, en revanche, avait grandi dans une cabane en rondins et travaillé pour l'Office national des forêts. Il savait suivre un lynx à la trace, dépouiller un cerf et prédire la météo en observant la répartition de la mousse sur un arbre. Avec son mètre quatre-vingt-dix pour quatre-vingt-cinq kilos, il tenait plus du poteau télégraphique que du bûcheron, mais marcher trente kilomètres n'était pour lui qu'une promenade de santé et lorsque les équipes de relevé d'indices d'Atlanta avaient travaillé sur l'affaire Rudolph (le poseur de bombes du parc olympique), Harold avait réussi à rejoindre son campement isolé une heure avant le reste de la troupe qui s'échinait encore à gravir la pente boisée à quarante-cinq degrés.

« Tu l'annonces à Rachel ? demanda Harold. Ou il faut que je le fasse ?

– Oh, je crois que tout le mérite devrait te revenir.

– Non, non, vraiment, c'est toi, le chef d'équipe. Et puis elle ne s'énervera pas contre toi. »

Il insista plus que nécessaire sur cette dernière phrase. Kimberly voyait ce qu'il voulait dire. Et, bien sûr, il avait raison.

Elle se massa le côté et fit comme si cela ne la contrariait pas.

Tout avait commencé le samedi, lorsqu'un 727 avait décollé de l'aéroport de Charlotte en Caroline du Nord à 6 h 05 du matin. Avec trois membres d'équipage à son bord et le ventre plein de courrier, il devait arriver à Atlanta à 7 h 20. Le temps était humide et brumeux, avec risque de verglas.

L'origine exacte du drame restait encore à déterminer par l'aviation civile. Mais, peu après 7 h 15, pendant la première phase d'approche de la piste, le 727 avait perdu de l'altitude, accroché le sommet d'un bosquet dense avec son aile droite et était venu donner de la bande dans un champ, où il avait accompli une sorte de roue et embouti une moissonneuse-batteuse, deux camionnettes et un tracteur, le tout en répandant des débris métalliques sur une glissade de près d'un kilomètre qui s'était achevée par l'embrasement du fuselage.

Le temps que les secours arrivent, les membres d'équipage avaient péri et il ne restait plus qu'une toute petite formalité à accomplir : analyser une traînée d'un kilomètre de débris, parmi lesquels trois cadavres, un avion, quatre engins agricoles et une avalanche de lettres. Les gars de l'aviation civile étaient arrivés pour superviser les opérations. Et en vertu du « protocole d'accord » passé entre l'aviation civile et le FBI, les trois équipes de relevé d'indices d'Atlanta étaient mobilisées pour les assister.

Le premier geste du coordinateur des équipes du FBI, Rachel Childs, avait été de définir un périmètre. Règle numéro 1 en matière d'explosions et d'accidents d'avion : le périmètre est établi à cent cinquante pour cent de la distance entre l'épicentre de l'explosion et l'indice le plus éloigné. Autrement dit, si l'indice le plus éloigné se trouve à cent mètres de l'explosion, le périmètre est à cent cinquante mètres. Or, dans le cas présent, le périmètre s'étendait sur quatre kilomètres de long et huit cents mètres de large. Pas franchement une scène de crime classique du type : silhouette tracée à la craie sur le plancher de la bibliothèque, là où le majordome a tué un homme avec un chandelier.

Mais une scène absolument idéale pour le dernier joujou high-tech du FBI : le tachéomètre électronique.

Mis au point à partir de l'instrument d'arpentage classique employé par les équipes d'entretien des routes, le tachéomètre électronique était un laser relié à un logiciel spécial scène de crime. Grâce à lui, le relevé des données se faisait littéralement d'une pression sur un bouton, après quoi il crachait des modélisations en 3D dernier cri sur lesquelles les enquêteurs pouvaient méditer à chaque changement d'équipe.

La procédure était relativement simple, mais le travail intense. Pour commencer, des dizaines de techniciens de scène de crime procédaient aux constatations, plaçant un signal sur chaque indice avant de le classer (débris d'avion, reste humain, effet personnel). Puis celui qui avait été désigné « jalonneur » installait un prisme réflecteur sur chaque indice étiqueté. Enfin l'« opérateur » visait le prisme et appuyait sur le bouton pour entrer l'indice dans la base de données du logiciel jusqu'à des distances de cinq kilomètres, tandis que le « préparateur/greffier » supervisait les opérations en inventoriant et numérotant chaque objet entré dans le fichier.

Tout le monde travaillait d'arrache-pied et, en un clin d'œil, un chaos de débris tentaculaire était réduit à une jolie maquette numérique qui donnait presque un sens aux vicissitudes du destin. Il y avait là de quoi satisfaire n'importe quel maniaque du contrôle – description qui allait comme un gant à Kimberly. Elle adorait être jalonneur, mais, cette fois-ci, elle avait dû se contenter de tenir les registres.

Ils étaient en vue du poste de commandement. Kimberly aperçut un petit peloton en chemise blanche et uniforme bleu marine (les représentants de l'aviation civile, penchés sur un gigantesque plan du 727 originel) ; puis un groupe vêtu de bleu électrique (une demi-douzaine de techniciens de scènes de crime, encore en tenue de protection) ; et enfin une tête d'épingle d'un cuivré flamboyant : Rachel Childs, rousse, patronne des équipes de relevé d'indices et perfectionniste jusqu'au bout des ongles.

Kimberly et Harold passèrent sous le ruban de la scène de crime.

« Bonne chance », murmura Harold.

L'agent spécial coordinatrice Childs était partie pour devenir une célèbre architecte à Chicago lorsqu'elle avait finalement décidé d'entrer au FBI. Elle s'était retrouvée assistante d'un des plus grands sorciers de Chicago en matière de recherche d'indices et le sort en avait été jeté : Rachel avait trouvé sa vocation. Son attention aux détails, son aptitude à dessiner des croquis à l'échelle et son obsession de la paperasse s'étaient révélées bien plus précieuses pour la collecte d'indices que pour l'embellissement du paysage urbain de Chicago.

Tout cela remontait à quinze ans et elle avait définitivement tourné la page. Du haut de son mètre cinquante pour cinquante-deux kilos, c'était une petite tornade passionnée à la Nancy Drew. Qui était à deux doigts de commettre son premier meurtre.

« Mais comment vous avez pu passer à côté d'un truc aussi énorme qu'une *jambe* ? » rugissait-elle.

Kimberly, Harold et elle s'étaient éloignés de la foule pour gagner l'abri relatif d'un groupe électrogène bruyant. Rachel ne passait de savon à ses équipiers qu'en privé. Son équipe était sa famille. Elle pouvait savoir qu'ils étaient des tocards. Elle pouvait le leur dire. Mais cela ne regardait qu'eux.

« Ben, la jambe se trouve dans un arbuste, osa enfin Harold. Sous un arbre. Pas trop facile à voir.

– On est en février. Il y a longtemps que les feuilles sont tombées. Ça aurait dû être visible.

– C'est dans une pinède, répondit Kimberly. Harold m'y a emmenée direct et même comme ça, je n'ai rien vu avant qu'il me montre. Franchement, je suis bluffée qu'il ait vu quoi que ce soit. »

Harold lui lança un regard plein de gratitude. Kimberly haussa les épaules. Il avait raison : Rachel ne serait pas trop dure avec elle. Autant en faire profiter les autres.

« Fait chier, bougonna Rachel. À J3, on devrait être en train de boucler, pas de reprendre les recherches. Avec ces erreurs d'amateur…

– Ça arrive. Oklahoma City, le crash aérien de Nashville. Des scènes de cette ampleur, c'est même étonnant qu'on arrive à en faire le tour, intervint à nouveau Kimberly.

– Quand même…

– On rectifie le périmètre. On concentre nos recherches sur le flanc ouest. Ça nous coûtera une journée supplémentaire, mais avec un peu de chance, il ne nous manquait qu'une jambe égarée. »

Rachel semblait pourtant de plus en plus contrariée. « Attendez une minute : vous êtes sûrs que c'était une jambe ?

– Ce n'est pas la première fois que j'en vois, répondit Harold.

– Moi non plus », confirma Kimberly.

Mais Rachel s'était brusquement pris la tête entre les mains. « Oh, fait chier ! Il ne nous manque aucun membre ! On a sorti trois corps de la cabine de pilotage intacte juste ce matin. Et vu que j'ai dirigé l'opération, je suis bien placée pour savoir qu'on avait les six jambes. »

Harold regarda les deux femmes. « Je t'avais dit qu'on avait un problème. »

Ils emportèrent un appareil photo, des lampes torches, des gants, un râteau et une bâche. Un mininécessaire de relevé d'indices. Rachel voulait voir la « jambe » par elle-même. Peut-être qu'ils auraient de la chance : on s'apercevrait qu'il s'agissait d'un morceau de tissu, du bras arraché d'un mannequin grandeur nature ou, mieux encore, du jarret postérieur d'un chevreuil qu'un chasseur aurait habillé juste pour rire. On avait déjà vu plus bizarre en Géorgie.

Comme il ne restait que deux heures avant la tombée de la nuit, ils agirent rapidement mais efficacement dans le bosquet.

Ils commencèrent par passer le sol au peigne fin pour s'assurer qu'ils ne piétinaient rien. Puis, en plissant les yeux, Harold et Kimberly prirent l'objet dans les faisceaux croisés de leurs lampes torches, l'illuminant parmi les ombres des arbustes luxuriants. Rachel prit une demi-douzaine de clichés numériques. Puis vint le tour du mètre et de la boussole, pour noter la taille approximative de l'arbuste, sa situation par rapport au point fixe le plus proche, sa distance du périmètre actuel.

Enfin, quand ils eurent tout consigné sauf le hululement d'une chouette effraie et le vent qui leur chatouillait la nuque, comme un frisson qui s'apprêterait à se glisser sous leurs combinaisons en Tyvek, Harold souleva précautionneusement l'objet dans la nacelle que formaient les dents de son râteau. Rachel se hâta de déplier la bâche. Harold déposa sa trouvaille au milieu d'un océan de plastique bleu. Ils l'examinèrent.

« Fait chier », commenta Rachel.

C'était bel et bien une jambe, cisaillée au-dessus du genou et dont le sommet du fémur luisait, blanc sur la bâche bleue. À en juger par la taille, sans doute un homme, en jean.

« Tu es sûre que les trois corps étaient intacts ? » demanda Kimberly. Elle n'avait pas pu participer au relevé des indices, cette fois-ci. Elle préférait se dire que cela ne l'ennuyait pas, mais si. Surtout maintenant qu'on avait, semblait-il, laissé passer un truc évident. « Parce que, vu comme le cockpit a cramé, les corps ne pouvaient pas être en excellent état.

– En fait, le cockpit s'était séparé du fuselage principal. Il était roussi, mais pas anéanti ; il n'a pas été assez éclaboussé de kérosène pour que la température monte à ce point.

– Ce n'est pas un pilote, constata Harold. Les pilotes ne portent pas de jean.

– Un fermier ? Un ouvrier agricole ? s'interrogea Kimberly. Peut-être qu'au moment où l'avion a télescopé le tracteur... ? » Mais elle sut que c'était faux au moment même où elle le disait. Le fermier en question était déjà venu examiner les dégâts et pleurer sur son matériel. S'il lui avait manqué un employé, ils en auraient entendu parler à l'heure qu'il était.

« Je ne comprends pas. » Rachel reculait, observait les bois alentour. « Nous sommes au milieu des arbres que l'avion a percutés tout au début. Regardez ça. » Elle montrait les cimes blanches et acérées d'arbres déchiquetés juste à quelques mètres plus au sud. « Premier impact avec le bout de l'aile. L'aile droite est brutalement tirée vers le bas, l'avion vacille, mais le pilote corrige. Il corrige trop, en fait, puisque, à cent mètres de là », continua-t-elle en pivotant pour désigner un endroit hors de leur vue, dans la terre au bord du champ, « nous trouvons la profonde entaille laissée par le bout de l'aile gauche qui est descendue, s'est enfoncée...

– Et a fait partir l'avion dans une vrille fatale, conclut Kimberly. Autrement dit, à ce moment-là, à cet endroit...

– L'avion ne devait pas encore être en vrille et les jambes de l'équipage ne devaient pas tomber du ciel. Vous imaginez ça : nous sommes à un kilomètre et demi du cockpit. Même si ce foutu avion avait explosé (et nous savons que ce n'est pas le cas), comment est-ce qu'on retrouverait une jambe jusqu'ici ? »

Harold décrivait un petit cercle en scrutant le sol. Alors Kimberly fit ce qui s'imposait : elle recula, leva la tête et inspecta les arbres.

La chance voulut qu'elle fût la première à le découvrir. Juste à cinq mètres de là, pratiquement à hauteur des yeux, de sorte qu'elle fut fière de ne pas avoir hurlé. L'odeur l'avait prévenue – une odeur de rouille, âcre. Puis elle avait repéré le premier lambeau orange fluorescent. Puis un autre, et un autre encore. Jusqu'à finalement...

Il n'y avait plus de tête. Ni de bras ni de jambe gauches, si bien qu'il ne restait qu'une forme étrange, voûtée, encore accrochée aux branches d'un arbre.

« Je crois qu'on ne rentrera pas à la maison demain, commenta Kimberly lorsque Rachel et Harold la rejoignirent.

– Un chasseur ? s'étonna Rachel, incrédule. Mais la saison est finie depuis des mois pour les cervidés...

– Elle est finie depuis fin janvier pour les cervidés, précisa obligeamment Harold. Mais elle se prolonge jusque fin février pour le petit gibier. Et puis, il y a les sangliers, les ours, les alligators. Hé, on est en Géorgie. Il y a toujours moyen de tirer sur quelque chose.

– Pauvre vieux, murmura Kimberly. Tu imagines ? Tu es là assis dans un arbre, à guetter...

– Un opossum, une grouse, une caille, un lapin, un écureuil, compléta Harold.

– Tout ça pour être décapité par un 727. Quelle est la probabilité ?

– Quand ton heure a sonné, ton heure a sonné », reconnut Harold.

Rachel avait encore l'air franchement irritée. Mais, après un dernier soupir, elle se reprit : « Bon, il nous reste quelque chose comme une heure avant la tombée de la nuit. Ne la gaspillons pas. »

En fin de compte, l'aviation civile ne s'intéressa pas trop à la présence d'une jambe dans les bois. Dans les milieux aéronautiques, la mort d'un chasseur s'apparentait à un dommage collatéral ; on pouvait laisser ça au FBI.

Rachel passa quelques coups de fil, réclama un nouveau véhicule de l'Identité judiciaire et suffisamment d'agents et de volontaires des forces de l'ordre expérimentés pour faire une battue. Un quart d'heure plus tard, un groupe d'adjoints du shérif et d'agents du FBI était dûment rassemblé dans les bois. Harold distribua de fines sondes à chacun des volontaires et leur donna des instructions sur l'importance de regarder en l'air et au sol. En tant que chef de ligne, il ferait de son mieux pour que tout le monde reste bien en rang, ce qui s'avérait souvent difficile sur ce type de terrain.

D'après le shérif du coin, on avait signalé le matin même la disparition d'un certain Ronald Danvers, dit « Ronnie ». Ronnie, vingt ans, était parti à la chasse trois jours plus tôt. Lorsqu'il n'était pas rentré, sa petite amie avait pensé qu'il était allé voir des copains. Mais ce matin-là, quand elle avait fait un tour là-bas pour l'engueuler, elle avait enfin compris son erreur.

« Il lui a fallu trois jours pour comprendre qu'il avait disparu ? s'étonna l'agent Tony Coble. C'est beau, l'amour.

– Il semblerait qu'ils avaient des problèmes, expliqua Harold. La petite copine est enceinte et apparemment sujette aux sautes d'humeur. »

Harold regarda tout sauf Kimberly en disant cela. Comme il se doit, les autres se tournèrent vers elle.

« Hé, je n'ai pas de sautes d'humeur, dit-elle. J'ai toujours été chiante. » La crampe de son côté gauche s'était finalement calmée, laissant derrière elle une sensation toute différente, comme un petit hoquet sous sa dernière côte. Cette sensation était encore nouvelle et miraculeuse pour elle. Sa main restait posée sur le bas de son ventre, dans un geste on ne peut plus maternel, mais c'était plus fort qu'elle.

Le reste de son équipe la regardait avec un sourire jusqu'aux oreilles. Ils avaient déjà posé une cigogne sur la cloison au-dessus de son bureau. La semaine précédente, en revenant du déjeuner, elle avait trouvé sa corbeille de courrier pleine de tétines. Les agents du FBI sont censés être des durs à cuire mais, ces derniers temps, il suffisait qu'elle pousse un profond soupir pour que quelqu'un se précipite et lui apporte un verre d'eau, une chaise, des cornichons. Quelle bande de nigauds ! Mais il fallait reconnaître qu'elle les adorait tous jusqu'au dernier, même Harold Je-Sais-Tout.

« Voilà ce qui se passe, expliqua Rachel. On croyait qu'on aurait le luxe de rentrer chez nous ce soir ou, pour ceux d'entre nous qui ne rentrent jamais chez eux, de faire au moins un saut au bureau pour expédier les affaires courantes, mais ce ne sera pas le cas. Il nous reste une heure, peut-être deux. Il faut qu'on cartographie les lieux, qu'on relève les indices et qu'on les rapporte au poste de commandement, où on pourra les examiner sous les projecteurs extérieurs. Autrement dit, vous pouvez une nouvelle fois me remercier pour tous ces bons moments que vous passez grâce à moi. »

Les volontaires maugréèrent.

Rachel se contenta de sourire. « C'est bon, les gars. Trouvez-moi la tête de Ronnie. »

3

« L'araignée violoniste tisse une toile irrégulière de taille moyenne dont l'entrelacs de fils s'étend dans toutes les directions sans motif ni plan précis. »

Tiré de *Biology of the Brown Recluse Spider*,
Julia Maxine Hite, William J. Gladney,
J.L. Lancaster Jr. W.H. Whitcomb,
Service d'entomologie, département d'agriculture,
université d'Arkansas, Fayetteville, mai 1966

KIMBERLY RENTRA CHEZ ELLE peu après minuit. Elle se déplaçait dans l'obscurité de la maison avec l'aisance d'une femme habituée aux heures tardives et à la pénombre. Sac, manteau et chaussures déposés sur le banc de l'entrée. Brève pause dans la cuisine pour boire un verre d'eau, jeter un œil au répondeur.

Mac avait laissé la lampe du bureau allumée. Dans le petit rond de lumière, il avait empilé le courrier qu'il avait coiffé d'un Post-it violet avec ce message manuscrit : ☺

Une boîte à pizza vide indiquait qu'il avait dîné à la maison. Elle regarda dans le frigo s'il y avait des restes, trouva une demi-pizza au fromage et étudia les différentes possibilités qui s'offraient à elle. Yaourt allégé à la vanille, pizza au fromage froide. Il n'y avait pas vraiment photo.

Elle avala la première part de pizza debout au milieu de la cuisine en dépouillant le courrier. Elle découvrit le catalogue de vêtements pour enfants Pottery Barn et mangea la deuxième part en louchant sur tous les articles en vichy rose.

Kimberly était convaincue d'attendre d'une fille. D'abord, elle ne connaissait rien aux petits garçons, alors une fille, ce serait plus logique. Et puis un psychopathe lui avait enlevé sa mère et sa grande sœur dix ans plus tôt. À ses yeux, Dieu lui devait quelque chose et, clairement, c'était une fille.

Mac en tenait pour un garçon, naturellement, qu'il avait l'intention de nommer d'après Dale Murphy des Braves d'Atlanta et d'habiller de pied en cap en tenues de la première division de base-ball.

Kimberly pensait que sa petite fille (*Abigail, Eva, Ella ???*) pouvait flanquer la pile au petit garçon de Mac, sans problème. Et ils ne s'arrêtaient jamais. Résultat des courses quelque part aux alentours du 22 juin.

Kimberly et Mac s'étaient rencontrés presque cinq ans plus tôt à l'académie du FBI. Elle suivait la formation destinée aux nouvelles recrues, lui les cours de l'école nationale en tant qu'agent spécial du GBI – Georgia Bureau of Investigation. La première fois qu'ils s'étaient croisés, elle l'avait poursuivi un couteau à la main ; il avait réagi en essayant de lui voler un baiser. Cela résumait assez bien leur relation depuis lors.

Ils étaient mariés depuis un an à présent. Assez pour avoir résolu les problèmes logistiques de base (qui s'occupait des poubelles, des courses, de la pelouse), tout en étant encore suffisamment jeunes mariés pour se pardonner les petites erreurs et inévitables oublis.

Mac était le romantique des deux. Il lui offrait des fleurs, se souvenait de sa chanson préférée, l'embrassait dans le cou juste comme ça. Elle était l'archétype du bourreau de travail. À chaque jour son programme, à chaque heure sa tâche à accomplir. Elle se surmenait, ne compartimentait pas assez son existence et tomberait sans doute en dépression avant la quarantaine – sauf que Mac ne le permettrait jamais. Il était son roc ; tandis que, très probablement, elle était son ticket d'entrée au paradis.

Aucun doute là-dessus : Mac ferait une très bonne mère.

Kimberly soupira, se resservit un verre d'eau. Son premier trimestre s'était bien passé. Un peu de fatigue, mais rien d'insurmontable. Un peu de nausée, mais rien qui résiste à une crème dessert. Une femme normale aurait pris quinze kilos ; heureusement, avec son physique d'athlète et son métabolisme de nerveuse, Kimberly en avait à peine pris cinq et c'était seulement maintenant, à vingt-deux semaines, que sa grossesse commençait à se voir.

Elle se portait bien, son bébé aussi et son beau brun de mari était sur un nuage.

Ce qui expliquait sans doute pourquoi, les soirs comme celui-ci, Kimberly se demandait s'ils n'avaient pas fait une énorme bêtise.

Ils n'avaient pas grand-chose à voir avec un couple marié traditionnel. Ils s'étaient rencontrés sur une scène de crime et avaient commencé à sortir ensemble alors qu'ils traquaient un tueur en série. Au cours des dernières années, c'était encore sur une affaire, dans l'Oregon, qu'ils avaient passé le plus de jours consécutifs ensemble : l'enlèvement de la belle-mère de Kimberly.

Ils ne sortaient pas le vendredi soir. Profitaient même rarement des câlins du dimanche matin. Le bip de Kimberly sonnait. Ou bien celui de Mac. L'un d'eux partait et l'autre comprenait simplement que ce serait son tour la prochaine fois. Tous deux adoraient leur boulot, accordaient à l'autre une certaine liberté et ça marchait comme ça.

Seulement Kimberly avait entendu dire que les bébés ont absolument besoin qu'on s'occupe d'eux le vendredi soir, qu'on leur fasse des câlins le dimanche matin et qu'on leur consacre beaucoup, beaucoup de temps entre les deux.

Qu'est-ce qui allait céder du terrain ? Son boulot ? Celui de Mac ? À moins qu'ils puissent s'en sortir avec l'aide de la mère de Mac ? Cela dit, quel était l'intérêt d'avoir un enfant si c'était pour en confier le soin à quelqu'un d'autre ?

Depuis peu, Kimberly faisait des cauchemars, des rêves terriblement saisissants dans lesquels Mac mourait dans un accident de voiture, se faisait descendre en mission ou renverser en allant chercher des burgers au Chick-Fil-A. À la fin du rêve, elle se voyait toujours le combiné du téléphone à la main (*Nous avons l'immense regret de vous apprendre le décès de votre mari*), tandis qu'au bout du couloir retentissaient les vagissements aigus d'un nourrisson.

Elle se réveillait, trempée de sueur et tremblante de terreur. Elle qui s'était un jour retrouvée dans une chambre d'hôtel avec le pistolet d'un tueur sur la tempe comme le baiser d'un amant.

Elle était forte, intelligente, solide. Et elle savait, elle avait la certitude absolue qu'elle ne pourrait pas y arriver toute seule.

Ces nuits-là, elle se détournait du corps chaud et ferme de son mari. Elle se recroquevillait, une main sur le ventre. Elle regardait fixement le mur sombre à l'autre bout de la chambre et regrettait sa mère.

Kimberly termina le catalogue, posa son verre d'eau, passa dans la salle de bains pour invités où elle se brossa les dents en silence. Ses cheveux sentaient toujours le kérosène, ses vêtements et sa peau empestaient le barbecue graisseux. Elle balança ses vêtements dans la buanderie, puis, toute nue, descendit le couloir à pas de loup jusqu'à la grande chambre.

Mac avait laissé la lampe de chevet allumée. Désormais habitué à leurs rythmes respectifs, il ne broncha pas lorsqu'elle ouvrit la douche, puis fouilla dans les tiroirs à la recherche de son pyjama.

Lorsque enfin elle se glissa toute fraîche sous les draps, il se tourna vers elle et leva un bras groggy pour l'accueillir.

« Ça va ? murmura-t-il.

– On a retrouvé la tête de Ronnie.

– Chouette. »

Elle se blottit dans la chaleur du corps de Mac, lui prenant la main pour la presser sur son flanc, où les coups donnés par le bébé produisaient maintenant comme des battements d'ailes de papillon qui lui remplissaient le cœur.

Bruits de voix :

« Écoute, Sal : je suis sûr que tu peux faire mieux. Il est trois heures du matin, bon sang. À tous les coups, la fille n'a même jamais rencontré Kimberly. Elle veut juste son bon de sortie de prison. Tu sais comment ça se passe. »

En entendant son nom, Kimberly s'extirpa des limbes du sommeil. Elle ouvrit les yeux et découvrit Mac à l'autre bout de la chambre, en pleine conversation sur son portable. À la seconde où il remarqua qu'elle avait les yeux ouverts, il rougit d'un air coupable.

Puis, très ostensiblement, il lui tourna le dos tout en continuant à protester : « Quelle information précise t'a-t-elle donnée qui justifierait la visite personnelle d'un agent du FBI ? Ouais. Ben voyons. On ne va pas aller loin avec ça. D'ailleurs, ça doit être au GBI de jouer dans cette affaire, pas au FBI. »

Kimberly était maintenant bien réveillée. Et de plus en plus énervée.

Mac se passait la main dans les cheveux. « De toi à moi, tu crois que c'est du sérieux ou juste une gamine qui se sent piégée ? Ouais, je sais que ce n'est pas à toi d'en juger. Mais fais-le quand même ! »

Mais Sal refusait de jouer à ce petit jeu, apparemment. Mac soupira. Se passa à nouveau la main dans les cheveux. Puis se retourna à contrecœur vers sa femme, le portable sur l'épaule, l'air résigné.

Avant qu'elle puisse amorcer sa tirade, il lança une frappe préventive : « C'est l'agent spécial Salvatore Martignetti du GBI. Les flics de Sandy Springs ont arrêté une prostituée qui prétend être ton informatrice. Elle n'a pas ta carte et ne semble rien savoir sur toi, mais elle refuse d'en démordre. Comme ces policiers collaborent avec Sal sur VICMO, ils l'ont appelé et lui m'a passé un coup de fil. »

Le programme VICMO (Violent Crimes and Major Offenders) se donnait pour objectif de mettre en réseau les policiers de tout l'État afin d'identifier les modes opératoires récurrents. En réalité, il s'agissait de la tentative d'un bureaucrate quelconque pour obtenir que les multiples forces de l'ordre collaborent.

« Hé, si Sal a des infos pour moi, il devrait m'appeler directement. Est-ce que ce n'est pas le but de toutes ces équipes plurijuridictionnelles ? On forme tous une grande famille et on a les numéros les uns des autres en mode préenregistré. »

Mac lui décocha un regard appuyé. « Ne commence pas. La fille prétend s'appeler Delilah Rose. Ça te dit quelque chose ?

– À part que c'est manifestement un pseudo ?

– Tu n'as pas à y aller. Bon sang, ça fait trois heures que tu es rentrée et je suis sûr que tu retourneras à l'accident d'avion pour six heures du matin.

– Qu'est-ce qu'elle a comme info ?

– Elle refuse de leur donner le moindre détail. Elle dit que ça ne regarde que toi.

– Mais Sal a un avis. »

Mac haussa les épaules. « Je crois qu'elle dit posséder des informations sur une autre prostituée qui aurait disparu. »

Kimberly s'étonna. « Et pour ça, ce serait *au GBI de jouer*, comme tu le formules si joliment ? demanda-t-elle, sarcastique.

– C'est ce que j'ai lu dans le code, oui.
– Pas si le crime suppose de franchir les frontières de l'État, répondit Kimberly en repoussant les couvertures pour sortir du lit.
– Kimberly...
– Je vais parler à une fille, Mac, pas biner les champs de coton. Crois-moi, même une femme enceinte peut faire ça. »

Après toutes ces années, Mac savait quand il avait perdu la bataille. Il retourna au portable. « Sal ? Tu as entendu ? Ouais, elle va venir voir la fille. Tu veux me rendre un service ? Assure-toi qu'il y a plein de bouteilles d'eau dans le commissariat.
– Oh, je t'en prie, lança Kimberly par-dessus son épaule. Pourquoi tu ne lui demandes pas de faire des provisions de cornichons, tant qu'on y est ? »

Sal avait dû entendre ça aussi. « Non, non, non, corrigeait déjà Mac. Mais si tu veux une confidence : tu obtiendras tout ce que tu veux d'elle en échange d'une crème dessert à la vanille. J'en ai toujours en stock dans ma voiture. C'est sans doute la seule raison pour laquelle je suis toujours en vie. Oh, et n'oublie pas les petites cuillères en plastique, sinon c'est affreux à voir. Ouais, merci, vieux. Salut. »

Lorsque Kimberly ressortit de la salle de bains, elle s'était passé de l'eau froide sur le visage et était complètement réveillée. Mac avait regagné leur grand lit double, mais restait assis à la regarder d'un air sombre. Elle sortit du placard un pantalon propre et l'enfila. Il ne prononçait toujours pas un mot.

Le conflit durait déjà depuis trois mois et n'était pas près d'être résolu. Kimberly assumait une sacrée charge de travail, même à l'aune du FBI. Dans le monde de l'après 11 septembre, les services criminels de la maison avaient été décimés pour assurer la sécurité nationale. À Atlanta, les effectifs du département de police judiciaire étaient passés de seize à seulement neuf agents et les semaines de travail de cinquante heures s'étaient muées en marathons de soixante-dix heures. Il n'était pas rare que les journées commencent à neuf heures pour se prolonger jusqu'à des heures indues.

Comme si cela ne suffisait pas, et en plus de ses obligations de service, Kimberly avait rejoint la brigade de relevé d'indices, ce qui lui ajoutait encore quarante ou cinquante interventions par an, sur des situations aussi stressantes que catastrophes aériennes, braquages de banques, prises d'otages, enlèvements et autres barouds d'honneur d'un gourou de secte. Pour ces activités facultatives, les agents recevaient une formation gratuite, mais aucune rallonge de salaire. L'agent était au service de l'administration, le travail gratifiant en lui-même.

Kimberly n'était enceinte que depuis quatre semaines lorsque Mac avait commencé à remettre en cause le fait qu'elle ait besoin de travailler autant pour se sentir gratifiée. Peut-être qu'elle pourrait rejoindre les services de la délinquance en col blanc ou, mieux encore, se faire muter à la brigade antifraude à la sécurité sociale aux côtés de Rachel Childs. Rachel ne traitait que cinq dossiers par an. Certes, ces affaires exigeaient un maximum de paperasse, mais elles offraient des délais beaucoup plus importants et donnaient une certaine souplesse permettant, dans le cas de Rachel, de chapeauter les équipes de relevé d'indices ou, dans le cas de Kimberly, de faire un bébé.

Lutter contre la fraude à la sécu était un travail utile. D'ailleurs, comme Mac se plaisait à le dire quand il s'échauffait vraiment, la lutte antifraude était l'âme du FBI.

Kimberly avait proposé d'entrer dans le contre-terrorisme et de passer six mois en Afghanistan. Cela avait cloué le bec de Mac pour un jour ou deux.

Au FBI, tout tournait autour des « besoins du Bureau ». Pourquoi les nouvelles recrues n'étaient-elles pas autorisées à choisir leur première affectation et pourquoi, de fait, un nouvel agent originaire de Chicago avait-il plus de chances d'être envoyé dans l'Arkansas, alors même que l'antenne de Chicago avait davantage besoin de renforts ? Parce que les autorités voulaient d'emblée s'assurer que tout le monde comprenait bien cette règle simple : les besoins du Bureau passaient avant tout. Vous étiez au service de l'État, vous protégiez la nation, et le FBI accordait à cette mission autant de poids que n'importe quelle division des forces armées.

Le FBI avait besoin de Kimberly au département de police judiciaire. Elle était bonne à ce poste, expérimentée sur le terrain. D'ailleurs, demander une mutation maintenant serait faire affront à ses collègues masculins dont la plupart avaient eux aussi des enfants.

Elle avait enfilé sa chemise, puis une veste noire classique qu'elle ne pouvait plus boutonner, mais qui passait encore si elle la laissait ouverte. Elle inspecta son reflet dans le miroir. De face, on n'aurait jamais deviné qu'elle était enceinte. Mais si elle se mettait de profil...

Un autre battement d'ailes. Sa main se posa au creux de sa taille. Sa façon à elle de faire un sourire contrit, parce que, autant elle adorait son boulot, autant il fallait reconnaître qu'elle adorait déjà ça aussi.

Elle s'approcha du lit et embrassa Mac sur la joue.

« J'ai raison, tu as tort, l'informa-t-elle.

– Tu n'as pas entendu un mot de ce que j'ai dit.

– Oh que si ! »

Il posa une main sur la nuque de Kimberly, l'attira à lui pour un baiser plus sérieux. Ils savaient tous les deux combien il est important de ne jamais quitter la maison en colère.

« Les choses ont changé maintenant, dit-il doucement.

– Je sais que les choses ont changé, Mac. C'est moi qui porte des pantalons à taille élastique.

– Je me fais du souci.

– Eh bien, tu ne devrais pas. D'après l'examen de la semaine dernière, maman et bébé se portent comme un charme. » Elle poussa un soupir, s'adoucit un peu. « Encore huit à douze semaines, Mac. C'est tout ce que je demande – ce dernier petit créneau avant que je devienne carrément obèse et que je sois obligée de t'obéir au doigt et à l'œil parce que je n'arriverai plus à enfiler mes chaussures toute seule. »

Elle lui donna un dernier baiser, sentit sa résistance à la crispation de sa mâchoire. Elle se redressa et se dirigea vers la porte.

Elle entendit aussi ses derniers mots. La phrase qu'il ne prononçait jamais et ne prononcerait sans doute jamais, mais qui restait en suspens entre eux.

Le père de Kimberly aussi avait fait passer les besoins du FBI avant tout le reste. Et cela avait eu raison de sa famille.

4

« La morsure elle-même est généralement indolore. »

Tiré de *Brown Recluse Spider*,
Michael F. Potter, entomologiste urbain,
Département d'agriculture de l'université du Kentucky

SANDY SPRINGS se trouvait à vingt-cinq kilomètres au nord d'Atlanta, au croisement de la nationale 285 et de la Georgia 400. Zone urbaine de première importance, elle comptait quatre hôpitaux, plusieurs entreprises classées parmi les cinq cents premières du pays et, comme son nom l'indiquait, une source d'eau douce. Mais si Sandy Springs s'efforçait de se bâtir une réputation de ville familiale, elle restait plus connue pour sa vie nocturne, ses bars ouverts jusqu'à quatre heures du matin et sa pléthore de « salons de massage » toujours avides de nouveaux clients. Que vous soyez jeune ou vieux, homme ou femme, ivre ou sobre, il y avait toujours moyen de passer du bon temps à Sandy Springs.

Ce qui commençait à agacer sérieusement les résidents qui, en juin 2005, votèrent à une écrasante majorité en faveur de la fusion de la zone en une seule et même agglomération qui devint du jour au lendemain la septième de l'État. Première mission du tout nouveau conseil municipal : créer son propre service de police pour sévir contre les éléments les plus indésirables de la région. Eh oui, mon petit gars, Sandy Springs avait pris le train de la rénovation urbaine en marche, jusqu'à voir fleurir les restaurants hyper branchés.

Kimberly n'avait encore jamais travaillé avec cette police municipale. Elle supposait que ses agents seraient soit des bleus, soit des cinquantenaires retraités de la police d'État qui se la couleraient douce en entamant une deuxième carrière dans une ville bourgeoise. Elle eut un peu des deux.

Le gamin qui l'accueillit à la porte n'aurait sans doute pas besoin de se raser avant encore quelques années. Le brigadier de nuit, en revanche, avec ses cheveux clairsemés et son bedon proéminent, avait manifestement vu du pays. Il lui serra la main avec chaleur et, après un signe de tête vers le gamin, adressa à Kimberly un regard qui voulait dire : *Vous voyez un peu le blanc-bec qu'on a mis sous mes ordres ?* Au cas où ça n'aurait pas suffi, il lui fit un clin d'œil en souriant.

Kimberly ne lui rendit ni le clin d'œil ni le sourire et le brigadier Trevor finit par renoncer.

« Nous avons ramassé la fille peu après une heure du matin, expliqua-t-il. Elle travaillait à la gare de banlieue…

– À la gare ? » ne put s'empêcher de l'interrompre Kimberly.

Pour une raison quelconque, elle avait supposé que la fille s'était fait pincer au cours d'une descente dans un salon de massage. Les prostituées qui faisaient le trottoir étaient l'apanage des quartiers chauds comme Fulton Industrial Boulevard. En théorie, Sandy Springs était trop… « hype » pour des méthodes aussi voyantes.

« Ça arrive, répondit Trevor. Surtout depuis qu'on multiplie les descentes en boîte. Certaines pensent pouvoir se fondre dans la masse des clubbers, vous voyez, sauf que les putes sont légèrement *plus* habillées. Quant aux autres… soit elles sont trop défoncées pour en avoir quelque chose à foutre, soit elles sont en service commandé pour recruter d'autres poulettes, ce genre de choses. Il faut repeupler le poulailler, vous voyez. »

Trevor bomba le torse, manifestement désireux d'impressionner la fédérale. Avant d'occuper ce poste, il avait sans doute été agent de sécurité, estima Kimberly. N'importe quel boulot qui lui permette de porter un uniforme.

Le gamin s'était éclipsé. Kimberly soupçonna que c'était aussi sur ordre de Trevor : il voulait tenir la vedette. Elle se pinça l'arête du nez ; elle aurait préféré retourner à la catastrophe aérienne.

Elle demanda à Trevor son procès-verbal de l'arrestation. Il l'imprima, elle jeta un œil aux détails. Heure, lieu, autre activité. La situation semblait limpide. La fille avait été prise avec un gramme de crystal en poche et c'était désormais la prison qui l'attendait. Alors, évidemment, Delilah Rose soutenait qu'elle était informatrice pour la police fédérale.

« Je vais lui parler, dit Kimberly.

– Une affaire de drogue ? laissa échapper Trevor. Elle va donner un dealer, peut-être un réseau d'approvisionnement ? Bon sang, le crystal est en train d'envahir tout l'État. Arrangez-vous pour qu'elle vous balance un gros poisson. Pas du menu fretin. Il faudrait un gros coup de filet dans cet État.

– Je tâcherai de m'en souvenir, lui assura ironiquement Kimberly. Elle est où ? »

Trevor la conduisit à une salle d'interrogatoire ; c'était l'autre avantage de se faire passer pour un mouchard : au lieu d'attendre en cellule, Delilah avait droit à une petite pièce carrée rien que pour elle et une canette de Coca Light. Ça valait le coup.

Kimberly marqua un arrêt devant la porte. À travers le miroir sans tain, elle vit pour la première fois la soi-disant informatrice. Elle la jaugea d'un coup d'œil, sans rien laisser paraître.

Delilah Rose était blanche, ce qui était surprenant dans un État où la majorité des prostituées étaient noires ou, notamment dans les salons de massage, asiatiques. Elle paraissait avoir la vingtaine, avec le teint brouillé et les cheveux blond sale d'une femme qui vivait trop fort, trop vite.

Pendant que Kimberly se tenait là, la fille leva un visage belliqueux et regarda droit vers le miroir. Des yeux bleu vif, une mâchoire dure. Farouche. Lucide.

Bien.

« Je m'en occupe, dit Kimberly à Trevor. Merci de m'avoir appelée.

– À votre service. Vous nous tiendrez au cou…

– Merci de m'avoir appelée », répéta Kimberly avant de bousculer le brigadier replet pour entrer dans la petite salle.

Kimberly prit son temps. Ferma la porte. Tira une chaise en plastique dur. S'assit.

De la poche de sa veste, elle sortit un dictaphone. Puis un petit carnet à spirale et deux stylos. Enfin, elle consulta sa montre d'un geste théâtral et nota l'heure en haut du calepin.

Après quoi, elle posa son stylo, s'adossa à sa chaise et, croisant les mains sur son ventre, entreprit de dévisager Delilah Rose. Une minute s'écoula, puis deux ou trois. Kimberly se demanda si le brigadier Trevor observait de l'autre côté du miroir. Nul doute qu'il s'impatienterait très vite de cette absence de spectacle.

La fille était douée, mais Kimberly meilleure. Delilah craqua la première, prit son Coca, s'aperçut que la cannette était vide et la reposa nerveusement sur la table.

« Vous en voulez un autre ? demanda tranquillement Kimberly.

– Non, merci. »

Ah, les bonnes manières. La plupart des suspects, informateurs, drogués, essaient de voir ce qu'elles donnent sur la police, se raccrochant peut-être à cette promesse qu'on fait aux enfants : il n'y a qu'à dire le mot magique… Ils sont très polis. Du moins au début.

Kimberly redevint silencieuse. La fille s'éclaircit la voix, puis commença à faire tourner la cannette vide du bout des doigts.

« Vous essayez de me déstabiliser, dit-elle enfin d'un ton boudeur, légèrement accusateur.

– Vous êtes défoncée, Delilah Rose ?

– Non !

– La police dit qu'on vous a prise avec du crystal.

– Je ne me drogue pas ! Jamais. Je gardais seulement le sachet pour un ami. Comment j'étais censée savoir que c'était du crystal ?

– Vous buvez ?

– Des fois… mais pas ce soir.

– Je vois. Et qu'est-ce que vous faisiez ce soir ?

– Putain, répondit-elle (le naturel revenait au galop), je faisais trop *que dalle* ce soir. Je suis juste passée dans une boîte danser un peu. Et j'allais choper le train pour me rentrer. Depuis quand c'est un crime de prendre les transports en commun ? »

Kimberly examina la tenue de Delilah. Sous un blouson bleu marine trop fin pour la saison, cette fille était une publicité ambulante pour le Lycra. Une mini-jupe brillante couleur aubergine. Un haut dos nu noir de jais, tellement serré que ses seins sortaient par les côtés. Et puis il y avait les talons aiguilles de dix centimètres.

Kimberly entrevit ce qui ressemblait à une toile d'araignée tatouée autour du nombril avant que Delilah, gênée, ne tire sur son haut. Un deuxième tatouage apparut sur sa nuque, une araignée qui grimpait vers ses cheveux.

« Qui a dessiné ça ? demanda Kimberly en montrant le cou de Delilah.

– J'ai oublié.

– Jolie toile sur votre ventre. Qu'est-ce que c'est, l'anneau dans votre nombril ? Une araignée pour aller avec la toile ? Pas bête. »

La fille ne répondit rien. Releva le menton d'un air belliqueux.

Kimberly lui accorda encore une minute, puis décida que ça suffisait. Elle se redressa, attrapa son dictaphone, le carnet à spirale, le premier stylo.

« Mais qu'est-ce que… ? s'écria Delilah.

– Je vous demande pardon ? demanda calmement Kimberly en rangeant le dictaphone dans sa poche.

– Mais où vous allez ? Vous ne m'avez même pas encore posé de questions. Vous bossez pour le FBI, oui ou non ? »

Kimberly haussa les épaules. « Vous avez dit que vous ne faisiez rien. Vous affirmez que la drogue ne vous appartient pas. Alors très bien. Vous êtes la Sainte Vierge et moi, je retourne me coucher. »

Kimberly tendit la main vers son deuxième stylo. La fille lui attrapa le poignet. Pour une petite chose mal nourrie, Delilah Rose était forte. Kimberly connaissait cette force-là. C'était celle du désespoir.

Très lentement, Kimberly rencontra le regard trop brillant de la fille. « Je ne vous connais pas. C'est la première fois que nous nous voyons. Moyennant quoi, vous n'êtes pas mon informatrice et, en ce qui me concerne, les gars de Sandy Springs peuvent faire de vous ce qu'ils veulent. Maintenant lâchez mon poignet ou vous allez le regretter très vite.

– Il faut que je vous parle.

– Ça fait six minutes que je suis là. Vous n'avez rien eu à me dire.

– Je ne veux pas que cet abruti de brigadier écoute. »

La fille avait lâché le poignet de Kimberly. Elle lança un regard vers le miroir sans tain.

« Le brigadier Trevor n'est pas votre problème. C'est moi, votre problème, et vous ne m'avez toujours pas donné de raison de rester. »

Kimberly prit le stylo et le rangea.

« Il va me tuer.

– Le brigadier Trevor ?

– Non, non. L'homme… je ne connais pas son nom. Enfin, pas son vrai nom. Il se fait appeler M. Dinechara. Avec les filles, on l'appelle l'homme aux araignées.

– M. Dinechara ?

– Vous savez, comme arachnide. C'est un… comment on appelle ça ? Un anagramme.

– Oh, pitié », ne put s'empêcher de répondre Kimberly.

Elle regarda à nouveau l'accoutrement de la fille en levant un sourcil sceptique.

« Il n'est pas comme les autres.

– Ouais, ouais », dit Kimberly qui repoussait déjà sa chaise en plastique dur et se levait.

« Ce n'est pas pour du sexe qu'il paie. Du moins pas au début, expliqua Delilah d'une voix qui se faisait plus pressante. L'homme aux araignées paie les filles pour, comment, pour qu'elles jouent avec ses bestioles. Dix dollars si on touche la mygale, vous voyez. Trente si on la laisse monter sur son bras. Des trucs glauques comme ça.

– Jouer avec ses bestioles ?

– Oh, le venin d'une mygale n'est pas assez puissant pour vous faire du mal, vous savez, expliqua Delilah, qui semblait sincère. Elles sont très timides en fait et, comment dire… fragiles. Il faut les manipuler avec douceur. Sinon, on peut les blesser. »

Kimberly ne disait plus rien, essentiellement parce qu'elle ne voyait pas quoi répondre.

Delilah, en revanche, était enfin lancée : « Alors, au début, vous voyez, ce qu'il veut, c'est des trucs avec ses bestioles. Mais ensuite il ne veut pas simplement que ses araignées marchent sur votre bras. Il veut les voir marcher à d'autres endroits. Et puis ça, ben, ça l'excite pas mal. Alors ensuite, il veut faire d'autres trucs et, ouais, peut-être que c'est un peu différent et que ça ne branche pas toutes les filles, mais bon, d'un autre côté, il paie pas mal.

– C'est quoi, pas mal ?

– Cent pour une branlette, cent cinquante pour une pipe. Deux cents si on laisse l'araignée regarder.

– *Regarder ?*

– Depuis sa cage, évidemment. Parce qu'on ne peut pas laisser une mygale se promener en liberté sans surveillance. On risquerait de l'écraser.

– Tout juste ce que je craignais », murmura Kimberly. Pile au moment où on croyait avoir tout entendu, un pervers repoussait encore les limites. « Okay, donc Dinechara et vous faites vos petites affaires ensemble », dit Kimberly en lorgnant à nouveau les tatouages de la fille. « Pour être franche, on dirait que vous êtes faits pour vous entendre, tous les deux, et, comme vous dites, il paie bien. Alors qu'est-ce que vous foutez là ? »

Delilah détourna les yeux. Le charme qui l'avait fait parler était rompu, elles étaient de retour dans le monde du silence. « Quelque chose a mal tourné, marmonna-t-elle enfin.

– Sans blague. Allez, on n'a pas toute la nuit. Pourquoi vous avez demandé à me voir ? »

Les lèvres de la fille se mirent à trembler. « À cause de Ginny. Ginny Jones. Elle est partie avec lui. Et personne ne l'a revue depuis. »

Kimberly se rassit. Sortit son calepin et son stylo, mit le dictaphone en marche. La fille regarda l'appareil avec nervosité, mais ne protesta pas.

« Je veux une protection, lâcha-t-elle.

– Une protection ? Comme quoi, par exemple ?

– Qu'on me mette en lieu sûr. Qu'on me donne une protection policière. Tous ces trucs qu'on voit à la télé.

– Delilah, c'est de la télé. Dans la vraie vie, ça ne marche pas comme ça. Il faut payer pour jouer.

– Payer pour jouer ? Qu'est-ce que ça veut dire ? »

Kimberly ne plaisantait pas. « Ça veut dire qu'il faut donner une vraie information sur un vrai crime. Des éléments précis et détaillés. Si je suis en mesure de les confirmer, alors on pourra discuter des possibilités.

– Précis comment ?

– Commençons par un nom. Ginny Jones : vrai nom ou pseudo ?

– Virginia, murmura la fille. Son vrai nom, c'était Virginia Jones, mais tout le monde l'appelait Ginny. Elle était sympa. Elle ne prenait pas de drogue, tous ces trucs qu'on voit. Seulement... je ne sais pas. Il lui était arrivé quelque chose quelque part. C'est toujours comme ça que ça se passe, non ? demanda-t-elle avec un pauvre sourire.

– Quand l'avez-vous vue pour la dernière fois ?

– Il y a plusieurs mois. Un mercredi. Peut-être un jeudi. Je ne sais plus bien. Elle était déjà allée avec lui. C'était, hum, c'était elle qui m'avait parlé de lui. Quand elle a vu mes tatouages, vous voyez. Elle m'a dit qu'il y aurait peut-être ce type, un peu zarbi, mais à vue de nez rien d'insurmontable pour moi et puis quoi, ça gagnait bien...

– Donc Ginny connaissait Dinechara ?

– Ouais, j'imagine. Enfin, oui.

– Et les spectatrices à huit pattes ne lui posaient pas de problème ? »

Delilah haussa les épaules. « Ginny disait que les araignées ne la dérangeaient pas. Elle m'expliquait souvent qu'elle n'avait peur de rien. Plus maintenant, en tout cas.

– Quand est-ce que vous l'avez vue pour la dernière fois, donc ?

– Il y a un moment.

– Delilah.

– Heu, ça doit faire trois mois vers une heure et demie du matin. Dinechara était passé dans son 4 × 4.

– Décrivez le véhicule.

– Noir. Intérieur chrome. Luxueux. Un Toyota, je crois, mais une version améliorée. Vous savez comme ils les arrangent, des fois ? Celle-là, elle avait des jantes en métal, des sièges en cuir. Une série limitée.

– Immatriculation ?

– Je ne sais pas », répondit immédiatement la fille.

Kimberly prit un moment pour l'observer à nouveau. La réponse était trop rapide, surtout à notre époque où les putes aussi regardent *Les Experts* et connaissent la valeur des informations. « Elle était immatriculée en Géorgie ?

– Ouais, bien sûr.

– Les premières lettres ?

– Je sais pas. Sérieux, dit-elle, davantage sur la défensive à présent. J'essaie de ne pas en savoir trop, d'accord ? Les filles qui rentrent là-dedans... C'est chercher les ennuis.

– Décrivez l'homme. »

Delilah baissa les yeux. Se mordilla la lèvre inférieure. « Heu, blanc. D'âge moyen. Brun. Un peu sec peut-être, comme un charpentier, quelqu'un qui travaille de ses mains. Il a une odeur aussi. Un genre de produit chimique. J'ai toujours pensé qu'il avait un boulot quelconque, mais je ne lui ai jamais demandé.

– Des signes particuliers ?

– Comme quoi ?

– Cicatrice, tatouage, tache de vin.

– Ben, vous savez, il prend pas franchement le temps de se déshabiller...

– Sur son visage, alors ? »

Mais Delilah se contenta de hausser les épaules. « Sais pas. Ils se ressemblent tous pour moi.

– Ils ?

– Les mecs, les michetons, les clients, je ne sais pas comment vous voulez les appeler. Ils sont tous pareils. »

Kimberly lui lança un regard dubitatif.

Delilah s'anima finalement. « Hé, il y avait bien un truc : sa casquette. Il porte toujours une casquette de base-ball rouge. Je ne l'ai jamais vu sans. Il ne l'enlève même pas quand... enfin, vous voyez. Donc une casquette de base-ball rouge. C'est quelque chose, non ?

– C'est quelque chose, concéda Kimberly en le notant consciencieusement. Ses autres vêtements ?

– Des jeans, répondit Delilah. Des chemises à manches longues. Un peu le genre Eddie Bauer. Des tenues sport, mais classe. Je crois qu'il est friqué.

– Qu'est-ce qui vous fait dire ça ?
– La voiture, les vêtements, le tarif horaire. Ce n'est pas à la portée de n'importe quel prolo.
– Décrivez sa voix.
– Heu, une voix d'homme ?
– Un accent ? »
Delilah réfléchit à la question. « Du Sud. Traînant, mais pas trop prononcé.
– Vous êtes d'où, Delilah ? »
Mais la fille refusa de répondre.
« Accent ? Vocabulaire ? Vous pensez qu'il a fait des études ?
– Il est très calé sur les araignées.
– Vous aussi. »
Delilah rougit. « Mon frère en avait une à la maison, il y a longtemps. Il l'avait appelée Ève. Je l'aidais à attraper des criquets pour elle. Elle était vraiment mignonne. Pour l'homme aux araignées... ce ne sont pas seulement des animaux de compagnie. Il a une araignée blanche, par exemple. Un jour, j'ai dit que c'était une mygale et ça l'a carrément foutu en rogne : "C'est pas la première mygale venue, c'est une *Grammostola rosea*..." – une espèce de mygale qui vient du Chili ou je ne sais quoi. Ça l'a vraiment mis en colère que je ne fasse pas la différence. Il m'a un peu...
– Il vous a un peu quoi ?
– Il m'a foutu les jetons.
– Comment ?
– Juste l'expression de son visage. Je sais pas.... Pendant un instant, j'ai pensé... que j'étais peut-être un spécimen, moi aussi. Une *Putassa prostituosa.* »
Delilah sourit faiblement de sa propre plaisanterie, mais le cœur n'y était pas.
« Est-ce qu'il vous a menacée ?
– Non. Pas besoin. Ça se lisait sur son visage. Il y a des types comme ça, vous savez. Ils veulent que vous les voyiez venir. »

Kimberly ne fit aucun commentaire. Elle travaillait depuis suffisamment longtemps dans la police pour savoir que Delilah était dans le vrai. « Et comment il aborde les filles ? Dans sa voiture ?

– Pas toujours. Enfin, dans le quartier, c'est pas vraiment le plan racolage-au-coin-de-la-rue. C'est plutôt : on va dans les bons endroits, on traîne et peut-être qu'on rencontrera celui qu'il faut.

– Vous allez en boîte, traduisit Kimberly. Vous faites un pas, il en fait un. Et ensuite, qu'est-ce qui se passe ?

– On le suit. Dans une voiture ou dans un endroit… plus tranquille. On se met d'accord sur les détails en chemin. On prend le fric d'avance, on fait ce qu'on a à faire et en deux temps trois mouvements, c'est plié et on se tire.

– Et dans le cas de M. Dinechara, où vous emmenait-il ?

– Dans son 4 × 4.

– Il vous est arrivé d'avoir du mal à en sortir ?

– Non, mais je ne traînais pas. Quand on se fait payer d'avance, on peut se tirer pendant qu'il est encore… sur un nuage. On s'enfuit plus facilement.

– En résumé, s'étonna Kimberly, vous prenez la tangente pendant que le type a encore le pantalon aux chevilles.

– C'est radical.

– Donc vous connaissez M. Dinechara et Ginny Jones aussi. Mais qu'est-ce qui vous fait penser que M. Dinechara a un rapport avec la disparition de Ginny ?

– La dernière fois que je l'ai vue, elle était avec lui. Je les ai vus marcher dans la rue, à la sortie d'une boîte. Ça m'a fait un peu chier, faut dire. C'est vrai, quoi, il payait l'équivalent d'une demi-nuit de travail.

– Et ?

– Et c'est la dernière fois que j'ai vu Ginny. »

Kimberly prit un instant pour mettre de l'ordre dans ces informations, préparer sa phrase. « Delilah, tout cela est fort intéressant, mais je ne peux rien en faire.

– Pourquoi ?

– Rien ne prouve qu'il y ait eu crime. »

La fille lui jeta un drôle de regard. « Vous ne me croyez pas ? Je dis la vérité. Ginny était mon amie. Il lui a fait du mal. Il faut qu'il paye !

– Au cours de ces trois derniers mois, lui demanda Kimberly sans ménagements, avez-vous revu l'homme aux araignées ? »

Le regard de Delilah se déroba. « Possible.

– Avez-vous fait affaire avec lui ? »

À peine un chuchotement à présent : « Possible.

– Comme vous dites, marmonna Kimberly, ça gagnait bien. Delilah, vous êtes encore prête à vous retrouver en tête à tête avec lui. Il ne peut pas être bien méchant ? »

La fille ne répondit pas avant un long moment. Lorsqu'elle finit par le faire, Kimberly dut se pencher vers elle pour saisir ce qu'elle disait. « La dernière fois que j'étais avec lui, j'étais à genoux. En train de faire vous savez quoi. Et quand ça a été presque fini, il a brusquement mis ses mains autour de ma gorge et serré. Je ne pouvais plus respirer. Je suffoquais, je le frappais. Et je l'ai entendu… je l'ai entendu murmurer : *Ginny*. Ensuite il a brutalement lâché mon cou et je me suis tirée en vitesse.

» Le truc, c'est qu'il ne sait pas qu'il a dit ça, je crois. Je pense que c'était dans la fièvre du moment. Seulement, je ne suis pas sûre. Peut-être qu'il s'en est rendu compte après coup. Peut-être qu'il sait que je sais. Je ne peux pas… j'ai un peu honte de ce qui s'est passé maintenant. Et s'il avait vraiment fait du mal à Ginny ? S'il l'avait étranglée comme ça ? Et si j'étais la seule à pouvoir faire le lien entre eux ? Faut que vous m'aidiez. Il ne s'agit pas seulement de Ginny. Il y a moi, aussi. Il me faut une protection policière. »

Kimberly soupira, se frotta l'arête du nez. « Vous voulez que je vous fasse confiance ? Commencez par me donner votre vrai nom.

– Delilah Rose. Vous pouvez vérifier, les policiers l'ont fait.

– Nom, date de naissance.

– Pourquoi est-ce qu'on en revient toujours à moi ? Il faut encore et toujours que je donne des preuves. Je viens de vous servir un pervers sur un plateau d'argent. Peut-être que vous devriez me prouver des choses à moi aussi, pour changer.

– Ce qui m'amène à ma deuxième question : pourquoi m'avoir appelée ? Comment connaissiez-vous mon nom ? »

Delilah ne fut pas aussi prompte à répondre, cette fois-ci. D'un seul coup, Kimberly lui trouva l'air plutôt retors. « C'est vous qui avez coincé l'Eco-Killer. J'ai vu ça aux infos. La toute nouvelle recrue, et une fille en plus. Je me suis dit que si l'homme aux araignées avait tué Ginny, c'est vous qui pourriez arranger ça.

– Je ne peux pas arranger ça, Delilah. Il n'y a aucune preuve de l'existence d'un crime et, même dans ce cas, ce ne serait pas de mon ressort. C'est à la police municipale de Sandy Springs que vous devez vous adresser.

– Non. Il faut que ce soit vous. Vous avez coincé l'Eco-Killer, vous aiderez Ginny.

– Delilah...

– J'ai quelque chose. »

Kimberly se figea, regarda la fille d'un œil plus méfiant. « C'est quoi, quelque chose ?

– Ce soir-là, quand il m'a étranglée, j'ai remarqué ça par hasard sur le plancher, sous le siège. Je l'ai ramassé pendant qu'il avait le dos tourné. »

Delilah jeta un regard autour de la pièce, comme pour s'assurer qu'elles étaient bien seules, puis elle passa la main dans son haut et sortit du bonnet gauche de son soutien-gorge une lourde chevalière en or.

« C'est celle de Ginny, murmura-t-elle en la laissant tomber sur la table avec un bruit métallique. Elle la portait à une chaîne autour du cou. Elle ne l'enlevait jamais. Mais vraiment *jamais*. Alors, vous voyez, ça prouve bien que Ginny se trouvait dans la voiture de l'homme aux araignées. »

Kimberly parut sceptique, mais elle rapprocha la bague en se servant du bout de son stylo et en prenant soin de ne pas la toucher. Ça avait tout l'air d'une chevalière de lycée. La pierre centrale était bleue. On devinait une inscription à l'intérieur, mais les couches de crasse en rendaient la lecture difficile.

« Qui d'autre a vu Ginny porter cette bague ? »

Delilah haussa les épaules. « Aucune idée. Je n'ai jamais demandé.

– Vous a-t-elle dit d'où elle la tenait ? »

Nouvelle dénégation.

« Quelqu'un d'autre sait-il que vous l'avez trouvée dans la voiture de M. Dinechara ?

– Jamais de la vie ! Vous voyez, c'est le genre de trucs qui peuvent vraiment amener des emmerdes à une fille…

– Ouais, ouais. J'avais saisi. » Kimberly fit la moue, examina la chevalière. Fit encore la moue. Puis elle se cala dans sa chaise. « Je peux l'emporter ?

– Ouais, c'est clair, c'est pour ça que je l'ai apportée. Vous avez de quoi ouvrir une enquête maintenant, non ?

– Pas tout à fait. »

Au tour de Delilah de faire la tête. « Hé, vous avez demandé une preuve, je vous en ai donné une !

– Delilah, cette chevalière n'est pas à proprement parler une preuve. Aucune traçabilité, ce qui signifie qu'elle ne tiendrait jamais la route devant un tribunal. Le fait qu'elle appartienne à Ginny n'est pas confirmé. Le fait qu'elle ait été retrouvée dans la voiture de tel individu est tout aussi nébuleux. Pour l'instant, c'est simplement une chevalière de lycée très sale.

– Je n'aime pas votre attitude.

– Croyez-moi, c'est réciproque. » Kimberly frappa trois petits coups rapides sur la table avec la pointe de son stylo. « Voilà ce qu'on va faire, Delilah. Vous vous souvenez de ce que j'ai dit ? Il faut payer pour jouer. Nous allons considérer cette bague comme un acompte. » Elle sortit une carte de visite, entoura le numéro du standard du FBI sur le recto. « Donnez-moi plus d'infos. Des dates, des lieux, voire d'autres personnes qui peuvent attester que Ginny travaillait dans le coin, qu'elle portait cette chevalière et qu'elle a maintenant disparu. Peut-être que si vous avez de la chance, vous pourrez trouver assez d'éléments pour que la police locale ouvre une enquête. Je vous guiderai, mais je dois être franche : au jour d'aujourd'hui, cette affaire concerne les agents municipaux, pas le FBI. »

Elle recommença à rassembler ses affaires. Cette fois-ci, Delilah n'essaya pas de l'en empêcher et croisa les bras sur sa poitrine avec un air de résignation peinée.

Ce ne fut que lorsque Kimberly se leva que Delilah prit à nouveau la parole.

« Vous en êtes à combien ?

– Pardon ? »

La fille regardait le ventre de Kimberly. « C'est pour quand ? »

L'espace d'un instant, Kimberly resta interloquée. Puis elle se ressaisit ; elle en était maintenant au stade où les gens ne pouvaient manquer de le remarquer. Elle répondit : « Pour cet été.

– Vous vous sentez bien ?

– Parfaitement bien, merci.

– Les odeurs me gênent, continua la fille, impassible. Et puis je suis fatiguée. Mais je ne touche pas à l'alcool ni aux drogues. Ce n'est pas parce que je gagne ma vie sur le trottoir que je ne souhaite pas mieux pour mon bébé. »

La fille laissa son blouson s'entrouvrir et, pour la première fois, Kimberly vit son abdomen tendu et arrondi, pas très différent du sien. Delilah prit le dictaphone de Kimberly.

« Je peux emporter ça ?

– Non. Propriété de l'administration. Faudra vous en acheter un. »

Delilah le reposa. « Mais si je me débrouille pour que l'homme aux araignées me donne plus d'infos, mettons si j'arrive à l'enregistrer en train de parler de Ginny, vous m'aiderez ? »

Kimberly regardait toujours le ventre de la fille. Elle regrettait brusquement d'être venue au commissariat de Sandy Springs. Elle ne voulait pas s'occuper d'une jeune prostituée enceinte et très vulnérable.

Sa carte de visite se trouvait encore sur la table. En fin de compte, elle la prit pour noter son numéro de portable au verso.

« Si vous arrivez à l'enregistrer, passez-moi un coup de fil à ce numéro », dit-elle avant d'ajouter, et dans son esprit ce n'était pas vraiment secondaire : « Delilah, soyez prudente. »

5

MON GRAND FRÈRE me disait : « Fais ce que je dis ou le Burgerman viendra te chercher !

– Il n'existe pas, le Burgerman, je rétorquais.

– Bien sûr que si, il existe. Il est immense, il mesure deux mètres dix et il s'habille tout en noir. Il entre au milieu de la nuit dans la chambre de tous les méchants garçons, il les enlève dans leur lit, il les emporte dans son usine et il les broie pour en faire des burgers qu'il revend aux magasins. Tu vois, toute la viande brune pas chère au rayon boucherie ? Ce sont des steaks de méchants garçons. Demande à qui tu veux. »

Je ne le croyais pas jusqu'à cette nuit où je me suis réveillé et où le Burgerman se dressait au pied de mon lit.

« Chut, a-t-il dit. Pas un mot et peut-être que je laisserai la vie sauve à ta famille. »

J'étais incapable de parler. De crier. De bouger. Je regardais cette énorme silhouette imposante, presque deux mètres dix, tout en noir. Je n'en revenais pas que mon frère ait eu raison. Puis j'ai été pris de tremblements, mon cœur s'est emballé et je crois que j'ai mouillé mon lit.

« Bouge-toi, m'a dit le Burgerman rudement. Si tu veux sauver ta famille, petit, tu ferais mieux de sortir ta carcasse du lit. »

Mais j'étais incapable de bouger. Je ne pouvais que frissonner de manière incontrôlable.

Il a rejeté les couvertures. M'a attrapé et tiré par terre ; ses doigts s'enfonçaient dans le haut de mon bras. Il m'a tordu l'épaule et j'ai eu mal.

Mes jambes l'ont suivi de leur propre chef, je jure que ça s'est passé comme ça parce qu'en aucun cas je ne pouvais vouloir *aller avec un homme comme lui.*

Dans le couloir, il s'est arrêté comme pour prendre ses repères. Je voyais la porte entrouverte de la chambre de mon frère, juste à deux pas de là. J'entendais les ronflements de mon père dans la chambre d'à côté.

Crie, *me suis-je dit.* Voilà. Fais quelque chose.

Dans l'obscurité, je sentais le Burgerman me jauger. Il ne semblait pas paniqué ni même inquiet.

Au contraire, il a souri, un éclair blanc dans le noir.

« Tu vois, petit. Tu vois comme ils tiennent à toi ? Je suis sur le point de briser ta petite vie de merde et ta famille ne se donne même pas la peine de se réveiller. Souviens-toi de ça, petit. Tu n'es rien pour eux. À partir de maintenant, ils n'existent plus.

» Tu m'appartiens. »

Il m'a déshabillé. Jeté à plat ventre sur le lit. J'ai résisté autant qu'un enfant de neuf ans peut le faire, le visage enfoncé dans le matelas, les poumons privés d'air. J'ai cru qu'il allait me tuer. J'ai peut-être prié pour qu'il le fasse quand il aurait fini.

Mais il a roulé sur le côté. A fumé une cigarette.

Je ne savais pas quoi faire, à plat ventre, mouillé de partout.

Je me suis endormi.

Il m'a réveillé, battu, crié dessus jusqu'à ce que je fasse ce qu'il voulait. Après ça, encore des cigarettes et puis tout a recommencé.

J'ai perdu la notion du temps. Je vivais hagard et nu, les entrailles brûlantes, la peau glacée. Il ne voulait pas me permettre d'avoir ne serait-ce qu'une couverture.

De temps à autre, il m'apportait de la nourriture. Des hamburgers, des pizzas. La première fois que j'ai mangé, j'ai vomi. Il a rigolé et affirmé que je m'habituerais. Puis il m'a tendu une cuillère et, montrant le tas, expliqué que si je voulais manger encore, je ferais mieux de me mettre au boulot.

Et ça a continué encore et encore. La vie avec le Burgerman qui réduisait le méchant garçon en bouillie.

Un jour, il a ouvert la porte de la chambre d'hôtel. Le soleil m'a aveuglé. J'ai dû m'abriter les yeux. L'air sentait la pluie et, inconsciemment, j'ai pris une grande inspiration. La pluie était la première chose qui n'avait pas un goût de cendre sur ma langue.

Le Burgerman a ri : « Tu vois, petit, même après tout ça, tu as encore envie de vivre. Faut croire que tu as un peu aimé ça en fin de compte. »

Il m'a balancé des vêtements. Pas mes anciens, mais des nouveaux qu'il s'était procurés quelque part. Il m'a ordonné de m'habiller. « Montre un peu de fierté, nom d'un chien, petit, arrête de te promener comme ça le cul à l'air. Qu'est-ce que tu veux, me tenter encore ? »

Je me suis précipité pour m'habiller, mais je n'ai pas été assez rapide.

Cette fois-là, quand il s'est relevé, il a grommelé : « Tu vois, petit, je t'avais bien dit que tu aimais ça. »

Il m'a emmené dans un autre hôtel. Il portait un costume. Moi un jogging bleu marine tout raide, de deux tailles trop grand. Je me sentais mince, petit, fantomatique. Je devais ressembler à un réfugié d'une guerre étrangère, épuisé, les yeux vitreux, vidé.

La réceptionniste m'a dévisagé d'un air inquiet.

Le Burgerman s'est penché vers elle. « Je travaille pour les services sociaux, lui a-t-il confié à mi-voix. Je viens de le retirer à sa famille. Un cas très, très pénible. Ce que ses parents lui ont fait… Il aura connu des débuts difficiles, mais si Dieu le veut, je vais le confier à une bonne famille et sa vie va vraiment commencer.

– Oh, pauvre chou », a dit la fille.

Et alors, sans prévenir, je me suis mis à crier. J'ai crié et crié à en perdre haleine, raconté au monde mon cauchemar dans chaque hurlement déchirant. Il me semblait que mes poumons allaient jaillir de ma poitrine, ma tête éclater sous cette terrible pression.

« Je vous l'ai dit, ses parents étaient des monstres, a expliqué le Burgerman.

– Oh, pauvre chou », a répété la fille.

Pour finir, il m'a emmené dans un petit appartement. Il y avait le téléphone, mais il ne fonctionnait qu'avec une carte de crédit. Le Burgerman a posé un verrou à double entrée sur la porte et il était le seul à en détenir la clé.

Au moins, il me laissait enfin seul, parfois des heures d'affilée. J'ai regardé Bugs Bunny, jusqu'au jour où je me suis mis à détester cette crapule de lapin ; alors j'ai éteint la télé et je n'ai plus rien regardé du tout. Je regardais simplement le mur gris miteux. Perdu dans ma contemplation, je me sentais devenir tout petit.

Ça a été la première fois que j'ai remarqué une araignée. Je l'ai attrapée. Je l'ai mise dans une tasse et j'ai observé ses tentatives d'évasion désespérées.

J'imagine que le Burgerman avait raison, tout compte fait.

J'avais dû aimer ça finalement.

6

« Les araignées violonistes sont difficiles à maîtriser, principalement à cause de leur habitude de se cacher. »

Tiré de *Brown Recluse Spider*,
Michael F. Potter, entomologiste urbain,
Département d'agriculture de l'université du Kentucky

RITA N'ARRIVAIT PAS À DORMIR. C'était un des petits paradoxes de la vie : maintenant qu'elle avait enfin le temps de se reposer, elle en avait perdu la faculté. On aurait dit que toutes les nuits suivaient la même longue trajectoire grise. Elle regardait le clair de lune parcourir le mur du fond de la chambre. Surprenait le frémissement des rideaux lorsque le vent froid se coulait dans les interstices des fenêtres vétustes. Écoutait craquer sa vieille petite maison dont l'hiver maltraitait les jointures en bois autant qu'il maltraitait ses articulations de chair et de sang.

À l'heure où le soleil paraissait enfin au-dessus des montagnes, elle se demandait pour la énième fois pourquoi elle ne partait pas en Floride comme tant de ses amis l'avaient fait. Ou alors en Arizona. Moins d'humidité. Plus de chaleur. Elle pensait que l'Arizona lui plairait.

Elle n'irait nulle part et elle le savait. Elle était née dans cette maison, à l'époque où la sage-femme venait à domicile et où un accouchement n'était pas une raison de voir un médecin. Elle avait gambadé sur ces collines avec ses quatre sœurs et ses trois frères, grimpé à ces arbres, piétiné les fleurs du jardin si cher à leur mère.

Il ne restait plus qu'elle à présent. Une vieille femme desséchée que tout le monde s'attendait à voir disparaître dans une maison de retraite, comme sa mère l'avait fait. Mais Rita était d'une autre trempe. Elle avait échappé au diabète, au cholestérol et aux tumeurs du cerveau qui avaient emporté tant des membres de sa famille. Elle tenait bon, maigre comme une trique, à peine quelques grammes de plus qu'un oiseau, mais encore capable de fendre ses quatre stères de bois chaque automne en prévision de l'hiver. Elle binait elle-même son jardin. Écossait ses haricots, balayait sa terrasse, battait ses tapis.

Elle continuait vaille que vaille, dans l'attente de quelque chose qu'elle-même ne s'expliquait pas. Peut-être en raison de son âge, l'attente était à peu près tout ce qui lui restait.

Jadis, son amour de lycée l'avait emmenée vivre à la grande ville, Atlanta. Donny voulait voir le monde. Il avait surtout vu l'espace aérien au-dessus de l'Allemagne avant d'être abattu par un nazi et Rita était passée du statut de jeune épouse à celui de jeune veuve en moins de deux ans. Elle n'avait pas vraiment été la seule dans son cas. Bien d'autres jolies demoiselles sanglotaient au-dessus de leur café ou, plus vraisemblablement, au-dessus de leur liqueur de l'après-midi. Mais la fin de la guerre avait vu le retour d'une flopée d'hommes séduisants qui avaient entraîné la plupart de ces jeunes filles dans une frénésie érotique née du soulagement d'être en vie.

Rita avait considéré les options qui s'offraient à elle. À vingt ans, elle était trop jeune pour rester tous les soirs à la maison et, même si elle appréciait son travail de secrétaire, la bougeotte de Donny avait peut-être un peu déteint sur elle. Elle avait déjà coupé le cordon ombilical une fois. Autant aller voir ce qu'il y avait à voir. Rencontrer un solide gaillard. Vivre une aventure.

Cela ne marcha pas. À l'arrivée, elle ne fut ni grisée, ni euphorique, ni, à vrai dire, tellement intéressée par les relations sexuelles maladroites sur les banquettes arrière. Rita voulait simplement être Rita. Elle s'installa donc dans la petite maison qu'elle avait achetée avec le capital décès de Donny. Cultiva son jardin. Construisit une terrasse couverte à l'avant de la maison. Et lorsque la solitude commença à lui peser, elle fit la dernière chose au monde qu'on attendait d'elle : elle devint famille d'accueil.

Pendant près de vingt ans, elle recueillit des enfants, depuis des nourrissons braillards jusqu'à des gamins de dix ans maussades. Elle venait les chercher au fast-food du coin ; tous leurs biens sur cette terre tenaient dans un simple sac poubelle noir qu'elle jetait sans effort à l'arrière de la voiture. Elle leur offrait une citronnade, puis elle les ramenait chez elle et leur expliquait comment ça marchait.

Elle adhérait à des règles simples. Si on les suivait, les choses se passaient relativement bien. Si on désobéissait, on était puni. Certains enfants se coulaient facilement dans le moule. D'autres apprenaient à leurs dépens.

Il y en avait eu certains qui lui avaient fait peur, mais elle préférait croire qu'ils n'en avaient jamais rien su. Et d'autres qu'elle avait réellement aimés. Mais là encore, elle se plaisait à penser qu'ils ne l'avaient pas su. La vie est assez difficile comme ça sans s'imaginer qu'une mère d'accueil peut à elle seule changer le cours des choses.

Elle donnait à ces enfants un toit au-dessus de leur tête, trois repas consistants par jour, un lieu où se sentir en sécurité et, avec un peu de chance, des bases pour le jour où ils échapperaient enfin au système et mèneraient leur barque tout seuls. Elle espérait qu'il y avait, éparpillés dans tout Atlanta, des gens qui souriaient encore en se rappelant le temps où ils vivaient chez une femme qui repassait jusqu'aux napperons et qui les obligeait à faire leur prière tous les soirs, et que ces gens, s'ils lui en avaient voulu à l'époque, la comprenaient aujourd'hui. Et peut-être qu'ils allaient jusqu'à l'aimer un peu, même s'il convenait évidemment qu'elle n'en sût jamais rien.

Croire qu'on peut changer le cours d'une vie en devenant famille d'accueil était pure niaiserie sentimentale, évidemment. De la trentaine d'enfants que Rita avait connus à l'époque, au moins cinq étaient morts. Drogue, violence, suicide, comportements à risque. Était-ce important ?

Donny était mort. Ses enfants étaient morts. Et puis, l'un après l'autre, son père, sa mère, ses frères, ses sœurs, jusqu'à ce qu'elle se retrouve là, de retour dans la maison de son enfance, à une semaine de son quatre-vingt-dixième anniversaire, avec une conscience aiguë de la lenteur du temps qui passe et de la présence bien réelle des fantômes.

Elle sortit du lit ; le ciel était d'un gris à peine plus pâle, mais c'était suffisant pour appeler cela le matin. Elle passa les pieds dans de gros chaussons bleus, attrapa son peignoir en épais tissu-éponge et l'enfila sur son long pyjama de coton. Elle portait un bonnet de nuit, pas du tout à la mode mais très utile quand on a la peau plus fine que du papier et une circulation tellement lente qu'il vous arrive de prendre froid alors que vous êtes debout devant le radiateur chaud du petit salon.

Elle descendit au rez-de-chaussée, sans hâte. Dans la cuisine, elle fit chauffer l'eau pour une tasse de thé. Puis elle alla chercher des œufs dans le réfrigérateur. Elle prenait deux œufs brouillés tous les matins avec un toast. Grâce aux protéines, elle restait robuste et ce petit-déjeuner ne manquait jamais de lui rappeler sa jeunesse.

En ce moment même, elle entendait une lame de parquet craquer derrière elle : son frère Joseph, encore mal luné. Joseph avait toujours aimé jouer des tours, comme de reculer sa chaise juste avant qu'elle ne s'assoie.

« Voyons, voyons, Joseph, le gronda-t-elle sans se retourner. Je deviens trop vieille pour ces jeux-là. La dernière fois, ça a failli me coûter une hanche ! »

Un autre craquement. Elle aperçut une ombre, qui filait sur le mur. Elle pensa que c'était Michael, ou peut-être Jacob. Ils passaient souvent, appréciant sans doute autant qu'elle la cuisine familière de leur enfance.

Elle voyait moins ses parents, sa mère le plus souvent, penchée au-dessus de l'évier, qui fredonnait distraitement en lavant les légumes ou en préparant le dîner. Une fois, elle avait rencontré son père, debout à fumer la pipe au milieu du petit salon. Mais à peine était-elle entrée qu'il avait disparu, l'air presque gêné.

D'après les gens de la région, c'était à cause de l'or et des cristaux enfouis dans les collines que les fantômes étaient aussi actifs. Un chaman indien avait expliqué dans le journal que l'or était la substance terrestre qui émettait le plus de vibrations, qu'il activait les choses, concentrait les énergies. Partout où se trouvent de l'or et des cristaux en grande quantité, disait-il, vous avez le cocktail idéal pour les esprits.

Rita avait pris cette explication au pied de la lettre. Sa maison avait près de cent cinquante ans et elle avait abrité cinq générations de sa famille. Évidemment qu'elle était hantée.

Quant à savoir pourquoi sa mère voudrait passer l'éternité à faire la cuisine… eh bien, Rita se disait qu'elle le découvrirait bien assez tôt.

Ses œufs étaient prêts. Son toast de pain d'avoine. Son thé Earl Grey. Elle disposa le tout sur la petite table en bois, une chose après l'autre. Puis, après un dernier regard pour s'assurer que Joseph n'avait pas touché à sa chaise, elle s'assit.

Le soleil s'était déployé sur le magnifique panorama des Blue Ridge Mountains, teintant de rose pâle tout ce qu'il touchait. Elle se dit que c'était une belle matinée.

Ce qui signifiait qu'il était temps de faire ce qu'il y avait à faire. Elle se leva, gagna à petits pas la porte du jardin. Il lui fallut tirer d'un coup sec à deux ou trois reprises pour obtenir qu'elle bouge. Lorsque la porte fut enfin ouverte, elle passa une tête dehors et dit d'une voix ferme que trente enfants placés avaient appris à ne jamais contredire : « Tu peux venir maintenant, mon garçon. »

Rien.

« Je sais que tu es là, bonhomme. Inutile d'avoir peur. Si tu as envie de discuter, montre-toi simplement poli et dis bonjour. »

Après toutes ces années passées en compagnie de fantômes, Rita fut presque aussi surprise que n'importe qui lorsqu'un enfant en chair et en os se matérialisa sur la terrasse couverte à l'arrière de sa maison. Blond-roux, il ne devait guère avoir plus de huit ou neuf ans, avec ses épaules chétives voûtées pour lutter contre la gelée du matin, sa tête baissée, son air manifestement peu sûr de lui. Il y avait deux semaines qu'il faisait des apparitions dans son jardin. Mais chaque fois qu'elle avait croisé son regard, il avait pris ses jambes à son cou. Cette fois-ci, du moins, il ne broncha pas.

« Bonjour, murmura-t-il.

– Dieu du ciel, mon garçon, tu vas attraper la mort avec ce froid. Entre donc. Ferme la porte. Je ne paye pas pour chauffer dehors. »

Il hésita à nouveau, mais alors son regard se posa sur le petit-déjeuner de Rita et elle vit la faim passer comme un spasme sur son visage. Il entra, referma soigneusement la porte derrière lui. Ce mouvement révéla des omoplates aussi affilées que des lames de rasoir.

« Comment t'appelles-tu, mon garçon ?

– Je ne...

– Comment t'appelles-tu ?

– On m'appelle Scott.

– Eh bien, Scott, c'est ton jour de chance. Je m'appelle Rita et je m'apprêtais justement à préparer d'autres œufs. »

Il ne protesta pas, mais s'assit dans la douillette cuisine chaude qui sentait les œufs brouillés et le pain fraîchement grillé.

Rita cuisina. Nourrit. Cuisina encore. Enfin, quand la panse du garçon fut rebondie et tendue sous sa chemise à rayures jaunes décolorées, il repoussa son assiette vide.

« Rita, dit-il enfin. Qu'est-ce que tu penses des araignées ? »

7

« Au moment où l'araignée commence à tisser la soie, celle-ci est liquide mais durcit rapidement pour former un fil parfois plus solide que l'acier. »

Tiré de *Freaky Facts About Spiders*,
Christine Morley, 2007

L'AGENT SPÉCIAL SAL MARTIGNETTI attendait Kimberly devant le commissariat. À la seconde où elle sortit, il fit un appel de phares. Elle jeta un œil vers sa voiture banalisée, puis consulta ostensiblement sa montre. Elle était fatiguée, affamée et pas d'humeur.

Elle finit néanmoins par traverser. Essentiellement parce qu'il avait suivi le conseil de Mac et brandissait de la crème à la vanille.

Il avait mis le chauffage à fond, ce qui changeait agréablement du froid cinglant du petit matin, même à Atlanta. Elle prit les six pots de crème dessert, la bouteille d'eau qu'il lui tendait et une cuillère en plastique. Après une hésitation, elle lui offrit un des pots à contrecœur, mais il déclina.

« Non, non, tout est pour toi. C'est la moindre des choses. »

Il était en train d'écouter la radio. Un animateur de talk-show conservateur fulminait contre la Ligue des droits de l'homme qui conduisait le monde à sa perte. Mais lorsque Kimberly s'installa, Sal le coupa net.

« Longtemps que tu attends ? » demanda-t-elle en attaquant la première crème dessert. Sal n'était pour elle qu'une vague connaissance. Elle l'avait croisé à un barbecue, un quelconque gala de la police. Le GBI comme le FBI étaient des grosses organisations, de sorte que la plupart des agents étaient des noms qu'elle avait entendus plutôt que des visages connus, et Sal ne faisait pas exception.

Petit, brun et musclé, il possédait le physique nerveux d'un homme qui avait grandi à la dure, sans doute pas loin des rues où il patrouillait désormais. Malgré le costume gris clair qu'il portait ce matin, il arrivait à ressembler davantage à un truand en pleine ascension qu'à un enquêteur d'État.

« Je suis là depuis vingt minutes, répondit-il en levant un sac de fast-food graisseux. J'ai pris mon petit-déjeuner.

– Ça aurait été plus confortable dans le commissariat.

– Je ne sais pas encore trop bien ce que je pense d'eux », expliqua Sal avec un signe de tête vers le commissariat de Sandy Springs, ce qui, venant d'un agent spécial du GBI, était une manière comme une autre de rompre la glace.

Kimberly termina le premier pot, en ouvrit un deuxième. Il y avait vraiment un truc qui clochait : un agent du GBI l'appelait en pleine nuit et insistait pour qu'elle parle à une prostituée qui s'était fait pincer ; puis le même agent spécial l'attendait à la sortie. Kimberly retourna la question dans sa tête, mais resta sans réponse.

« Sal, finit-elle par dire, autant j'adore la crème dessert, autant je ne donne pas les clés du royaume pour un en-cas. Alors si tu veux quelque chose, crache le morceau. J'ai un autre rendez-vous dans trente minutes. »

Sal éclata de rire. Cela mit une étincelle dans ses yeux, adoucit la dureté de sa mâchoire. Il aurait dû rire plus souvent. Elle aussi, d'ailleurs.

« Bon, voilà ce qui se passe : tu sais que je fais partie du réseau VICMO ? »

Kimberly fit signe que oui.

« Tout l'intérêt de VICMO, c'est de mettre en relation les forces de l'ordre de tout l'État pour faire des rapprochements entre des crimes qui se ressemblent.

– Je bosse au FBI, Sal. Je connais mes acronymes : on passe un test tous les vendredis.

– C'est vrai ?

– Non. »

Il rit à nouveau, ses yeux sombres s'égayèrent. « Okay, bon, j'ai une théorie à propos des crimes qui se ressemblent : je crois que quelqu'un supprime des prostituées. »

Kimberly fronça les sourcils, piocha dans son pot. « Comment ça, tu as une théorie ? Les filles sont portées disparues ou non. Les statistiques de disparition grimpent ou non.

– Pas avec ces filles. Fugueuses, prostituées, droguées. Qui s'intéresse assez à elles pour faire un signalement ? Elles disparaissent et personne n'en sait rien.

– Mais elles ne font que passer aussi, riposta Kimberly. Si elles disparaissent, c'est peut-être parce qu'elles ont sauté dans un bus.

– C'est clair. Elles ne font pas partie des populations les plus susceptibles de répondre au questionnaire du recensement. Cela dit, mets un paquet de flics dans une pièce et ils auront tous une histoire à te raconter sur une fille, une droguée ou quoi, qui s'est fait pincer ces derniers temps et qui leur a demandé, première question : Est-ce que vous avez vu unetelle ? Elle cherche une amie perdue, une coloc, une complice. Comme évidemment personne ne sait de quoi elle parle, l'histoire s'arrête là. Tu as raison, ces filles ne font *jamais* de signalement de disparition. Mais l'une après l'autre, elles posent exactement la même question : que sont toutes ces putes devenues ?

– Très poétique, Sal.

– Je participe à une scène ouverte tous les jeudis soir au Wildcat… »

Kimberly le regarda avec des yeux ronds.

« Oh, tu plaisantais, dit Sal.

– Je vais en prendre un autre, dit Kimberly en ouvrant un troisième pot, non parce qu'elle avait faim mais parce qu'elle avait besoin de s'occuper. Je ne comprends pas, reprit-elle finalement. Okay, il y a des rumeurs de disparitions. Mais justement, que sont devenues les putes qui ont disparu ? Si quelqu'un les "supprime" comme tu dis, où sont les preuves ? Est-ce qu'à la disparue A, aperçue pour la dernière fois à tel endroit, ne devrait pas correspondre le cadavre non identifié B découvert entre-temps ?

– J'ai essayé cette piste. Aucun cadavre féminin non identifié découvert ces derniers temps. »

Elle lui lança un regard appuyé. « Ça tue ta théorie dans l'œuf. Si un prédateur s'attaquait aux prostituées, il se débarrasserait des corps quelque part. Dans des bennes à ordures, des ruelles, au bord de l'autoroute. On aurait découvert quelque chose. »

Sal haussa les épaules. « Combien des victimes de Ted Bundy restent encore introuvables ? Il les envoyait de préférence bouler dans des ravins. Il faut regarder les choses en face : il y a un paquet de ravins dans cet État. Et d'élevages de volailles, et de marécages, et des kilomètres et des kilomètres de rien du tout. Pour ce qui est de planquer un cadavre, la Géorgie est l'endroit rêvé. Ou alors, concéda-t-il, peut-être que le type va dans un autre État. C'est toujours une possibilité, mais tu es mieux placée que moi pour le savoir. »

Kimberly sentait qu'il était sceptique. Après tout, si un individu enlevait des prostituées en Géorgie pour les tuer en Louisiane, l'enquête serait indéniablement fédérale, or Sal pensait que cette affaire n'était pas pour le

FBI. Il pensait que c'était *son* affaire, donc, ne serait-ce que pour cette seule raison, l'individu opérait forcément à l'intérieur des frontières de la Géorgie.

Kimberly l'observa. Elle se livrait à un petit calcul mental et le résultat ne parlait pas en faveur de Sal. « Trevor dit qu'ils ont ramassé Delilah peu après une heure. Mais je n'ai été appelée qu'à trois heures passées. Quelque chose que tu voudrais ajouter à cette chronologie, agent spécial ? »

Sal ne se donna pas la peine de prendre l'air repentant. Il lui lança simplement un grand sourire. « On m'avait dit que tu étais maligne.

– Et violente aussi. Ne te laisse pas aveugler par le ventre. »

Son sourire s'élargit encore. « Ouais, évidemment, peut-être bien que j'ai tenté le coup avec elle.

– Mmm-hmm.

– Si ça peut te consoler, miss Gipsy n'a pas mordu. Depuis que la police l'a ramassée, elle a catégoriquement refusé de parler à qui que ce soit à part toi.

– Ils t'ont plu, ses tatouages ?

– Comment tu la connais ? demanda-t-il avec curiosité. Trafic de stupéfiants ? Crystal ? Elle paraît plutôt bas de gamme pour jouer les mouchards auprès d'une fédérale.

– On ne sait jamais d'où pourrait venir le bon tuyau… Pourquoi tous ces efforts, Sal ? reprit-elle d'un air soupçonneux. Débaucher une informatrice, réveiller une fédérale au milieu de la nuit. À t'entendre, tu n'as même pas d'enquête ouverte et pourtant tu fais des pieds et des mains pour parler avec une pute couverte de tatouages. »

Sal ne lui répondit pas. Il regardait maintenant par la fenêtre. Il ne souriait plus et son air sinistre avait probablement filé la frousse à plus d'un informateur.

« J'ai reçu un colis, dit-il sèchement. Il y a quatorze mois. Pas de nom dessus, pas de message à l'intérieur. Juste trois permis de conduire de l'État de Géorgie dans une simple enveloppe blanche sous l'essuie-glace de ma voiture. Ni plus, ni moins.

– Des permis de conduire ? Des contrefaçons, tu veux dire, ou des vrais ?

– Des vrais. J'ai les pièces d'identité valides de Bonita Breen, Mary Back et Etta Mae Reynolds. Blanches, la vingtaine, domiciliées dans Atlanta et sa banlieue. J'ai creusé un peu et devine quoi ?

– Ce sont toutes des putes qui ont disparu.

– Ce sont toutes des filles de joie, chicana-t-il, que personne n'a vues depuis des mois. Bon, d'après la rumeur, Mary est partie au Texas et Etta Mae s'est tirée avec un barman. J'ai lancé des avis de recherche pour les deux, sans le moindre résultat. Alors, vu de ma fenêtre, ça fait d'elles des disparues, mais il se peut que mon boss ait d'autres idées sur la question. »

Kimberly ne put retenir un sourire. Elle savait quelque chose des désaccords qui peuvent survenir avec un supérieur. Ça arrive.

« Et puis, continua Sal, il y a trois mois, rebelote. J'arrive à ma voiture et je découvre une nouvelle enveloppe, avec trois nouveaux permis : Beth Hunnicutt, Nicole Evans et Cyndie Rodriguez. Sauf que cette fois, j'ai de la chance : Beth Hunnicutt a bien été portée disparue, par sa colocataire, *Nicole Evans.*

– Attends, attends, attends : la même Nicole Evans dont le permis de conduire se trouve dans l'enveloppe ?

– Celle-là même. D'après le fichier des personnes disparues, la dernière fois qu'Hunnicutt a été vue, par sa colocataire, elle était en route pour un "gros coup". Par ailleurs, Evans a affirmé qu'Hunnicutt ne se serait jamais envolée sans prendre sa chaîne stéréo et ses CD dans leur appartement. Naturellement, quand j'ai essayé d'interroger Evans, j'ai découvert qu'elle non plus n'avait pas été vue depuis des mois et que d'ailleurs la troisième colocataire, Cyndie Rodriguez, avait elle aussi disparu. Trois nouvelles pièces d'identité, trois nouvelles disparues.

– Ça sent mauvais.

– C'est ton avis, c'est le mien. Mais pour la hiérarchie...

– Six disparitions et tu n'arrives pas à ouvrir une enquête ? demanda Kimberly, éberluée.

– Aucune preuve de l'existence d'un crime. Et, en pratique, sur mes six noms, une seule a été portée disparue. Les autres sont simplement “non localisées”. À en croire les gratte-papier, nous avons d'autres chats à fouetter – tu sais, le problème du crystal qui s'aggrave, les fusillades entre bandes, les nouvelles exigences en matière de sécurité intérieure et tutti quanti. »

Kimberly soupira. Elle aurait aimé dire que c'était la première fois qu'elle entendait de telles conneries, mais ça aurait été mentir. Les gratte-papier mènent le monde, même dans la police.

« Pour en revenir à l'enveloppe, dit-elle d'un air songeur, quelqu'un s'est donné la peine d'entrer en contact non pas une, mais deux fois, avec la police. Ça n'est pas rien.

– L'enveloppe n'était pas cachetée et n'a fourni aucun indice matériel. Alors pour rigoler, je l'ai soumise à un copain psy que le service consulte parfois sur les vieilles affaires. Première réaction : bien sûr, beaucoup d'assassins apprécient les feux des projecteurs autant que les célébrités et ils en arrivent à prendre contact avec la police ou la presse locale. Le fait que l'enveloppe contenait des permis de conduire l'a intéressé parce que le BTK – le tueur en série du Kansas – aimait bien envoyer les permis de conduire de ses victimes à la presse. Alors, il y a peut-être là un élément classique d'imitation : hé, regardez comme il est célèbre, ce con ; moi aussi, je peux le faire !

« Le problème, c'est que les prédateurs qui font cette démarche ont généralement soif de reconnaissance. Question de vantardise, désir de manipulation, arrogance. Dans ce cas, il aurait dû y avoir un message, un poème, un numéro à rappeler, quelque chose. Ça...

pour reprendre l'expression de Jimmy, c'est comme d'envoyer une invitation à une fête sans donner la moindre indication sur l'adresse ou les règles du jeu. Son idée : le colis venait d'une tierce personne.

– *Une tierce personne ?* s'exclama Kimberly, incrédule. Qui par exemple ? La femme de ménage du type ?

– Imagine un peu ça : une femme nettoie de fond en comble le tiroir à chaussettes de son mari. Tombe sur un tas de pièces d'identité. Bon, il ne peut y avoir aucune *bonne* raison que son mari détienne les permis de conduire de trois jeunes femmes. En même temps, elle a la trouille de lui en parler. Alors elle les glisse dans une enveloppe qu'elle transmet discrètement au premier flic venu. Ça soulage sa conscience sans trop la mouiller.

– Jusqu'à ce qu'elle tombe sur trois autres permis de conduire, railla Kimberly.

– Hé, peut-être qu'il fallait aussi ranger le tiroir des sous-vêtements. »

Sceptique, Kimberly retourna la question dans sa tête. Ce scénario l'ennuyait à tant d'égards qu'elle ne voyait pas par quel bout le prendre. Six disparues, dont une seule pouvait être considérée comme telle. Pas de cadavre ni d'autre preuve de l'existence d'un crime, mais deux paquets-cadeaux dont on pouvait estimer qu'ils contenaient les « trophées » d'un tueur en série. Sauf que les enveloppes ne provenaient peut-être pas de l'individu lui-même, mais d'un proche trop apeuré pour entrer directement en contact avec la police tout en étant assez futé pour remettre les permis de conduire de manière à ne pas laisser le moindre indice matériel.

Ce qui, présumait-elle, les ramenait à Delilah Rose, jeune prostituée arrêtée précisément cette nuit-là et qui, tout en prétendant posséder des indices sur la disparition d'une collègue, refusait catégoriquement de parler à quiconque sinon à Kimberly.

Kimberly était troublée par Delilah. Elle n'aimait pas cette impression que la fille avait jeté son dévolu sur elle à cause d'un reportage vu autrefois à la télé. L'affaire de l'Eco-Killer ne datait pas d'hier. Et, même si la presse avait présenté Kimberly comme une héroïne, elle n'avait pas retrouvé toutes les victimes à temps.

Sal se tourna vers elle. « Est-ce que Delilah a dit quelque chose d'intéressant ? Évoqué l'un ou l'autre de ces noms ? Parce qu'en fonction de ce qu'elle a dit, on pourrait éventuellement monter une cellule d'enquête plurijuridictionnelle. Mon boss me donnerait peut-être enfin le feu vert si l'affaire venait des fédéraux.

– Désolée, nous n'avons ni l'un ni l'autre cette chance. L'histoire que m'a servie Delilah Rose tient plus du texte à trous que de l'ordre de mission. Elle s'est montrée vague sur tous les points importants, y compris son propre nom.

– Bon sang, elle ne s'appelle pas vraiment Delilah ? Est-ce que Sandy Springs n'a pas au moins vérifié ses empreintes ?

– Oh, je suis sûre qu'ils m'appelleront pour me donner les résultats. D'ici cinq à six semaines, probablement.

– Alors qu'est-ce qu'elle a dit ? Tu es restée là-bas une heure. Je suis bien obligé de penser que vous ne vous êtes pas contentées de parler de la pluie et du beau temps. »

La main dans sa poche, soupesant la chevalière de Ginny Jones, Kimberly observa à nouveau l'agent spécial du GBI. Une enquête est un jeu. Qui se joue avec des informateurs. Des collègues des forces de l'ordre. Et même des maris et des épouses. Sal avait beau parler de coopération, il avait manifestement le sentiment que cette affaire lui appartenait. Et si Delilah s'était confiée à lui plus tôt ce soir-là, Kimberly aurait toujours pu courir pour qu'il l'appelle.

« Delilah n'a prononcé aucun des noms qui figurent sur tes pièces d'identité, lui répondit franchement Kimberly. Elle n'a pas parlé de disparitions en série ni de quoi que ce soit de ce genre. Cela dit, elle entre dans la première catégorie dont tu as parlé : celle des professionnelles qui sont à la recherche d'une copine.

Virginia, dite “Ginny”, Jones. Disparue depuis environ trois mois. Le nom te dit quelque chose ? »

Sal secoua la tête, sortit un bout de papier pour griffonner ce nom. « Non, pas encore venu sur le tapis. Mais j'ai découvert trois autres disparues ne correspondant pas aux permis de conduire que nous connaissons. Je n'arrive pas encore à savoir ce que ça signifie. Peut-être que ces filles ont simplement quitté la ville ou bien peut-être que la femme n'a pas encore fait le ménage dans le tiroir des tee-shirts, tu vois.

– Ça fait combien de temps que tu travailles là-dessus, Sal ?

– Un an, répondit-il distraitement. Avec une accélération depuis que j'ai reçu la deuxième enveloppe.

– Ton boss doit adorer.

– Hé, faut bien avoir un passe-temps.

– Chercher des putes disparues ?

– Chercher des disparues tout court, répondit-il vivement. Des sœurs, des filles, des mères. Tu sais ce que ça représente pour les familles d'aller se coucher tous les soirs sans savoir si leur proche est encore en vie. Personne au monde ne mérite ça. »

Kimberly n'avait rien à ajouter, ce qui était tant mieux, car elle avait vu l'heure. Elle ouvrit la portière, le poing encore fermé sur la chevalière. « Faut que j'y aille !

– Hé, où est-ce qu'elle a été aperçue pour la dernière fois, cette Virginia ?

– Dans une boîte, à Sandy Springs.

– Le nom de la boîte ? Le signalement de Ginny ?

– Je t'ai dit que Delilah était vague.

– Tu vas l'appeler ?

– En théorie, c'est elle qui va m'appeler. Merci pour les crèmes, Sal. À plus. »

8

« Les araignées sont exclusivement carnivores. »

Tiré de *How to Know the Spiders*,
Troisième édition, B.J. Kaston, 1978

HENRIETTA N'ALLAIT PAS BIEN. Elle était sur le dos depuis près de trois jours, mais ne montrait aucun signe de progrès. Il prenait soin de ne pas la toucher, conscient que, dans un moment pareil, tout examen, même conduit avec la plus grande délicatesse, pouvait mener à la catastrophe.

Le grand âge d'Henrietta, près de quinze ans, aggravait naturellement la situation. Aux premiers signes avant-coureurs de la mue, il avait pris les devants et l'avait placée dans l'unité de soins intensifs où elle pouvait reposer dans un environnement sombre et humide. À l'aide d'un petit pinceau d'artiste, il avait même tamponné ses pattes à la glycérine en prêtant une attention particulière aux articulations fémoro-patellaires et tibio-patellaires. La glycérine était censée aider à assouplir les sclérites de l'exosquelette et ainsi faciliter la libération d'Henrietta.

Ce ne fut malheureusement pas suffisant. Debout devant elle, il envisageait maintenant un geste plus drastique : c'était peut-être le moment de sacrifier une patte.

La mue est une période de grande vulnérabilité pour une mygale. Une fois par an, afin de pouvoir grandir, la mygale doit se défaire de son ancien exosquelette et, armée d'une toute nouvelle cuirasse, quitter son exuvie devenue trop petite. Pendant la majeure partie de l'année, la mygale se trouve en fait dans une phase intermédiaire entre deux mues et constitue lentement un nouvel exosquelette sous l'ancien. Au bout d'une douzaine de mois, en vue de la transition, l'araignée entre dans une phase de pré-mue pendant laquelle elle secrète du liquide exuvial entre le nouvel et l'ancien exosquelettes. Ce suc digestif dissout une couche de l'ancien exosquelette, l'endocuticule, tandis que des soies apparues sur le nouveau commencent à repousser l'ancienne enveloppe.

La zone où la mygale a perdu ses poils vire alors du beige au noir, ce qui annonce la mue. Peu de temps après, l'animal se couche sur le dos pour entamer celle-ci. Et de vingt minutes à deux ou trois jours plus tard, elle s'achève.

À moins que l'araignée ne meure.

Il voyait déjà des signes de détresse. Affaiblie par son âge avancé, Henrietta n'avait pas la force de libérer ses pattes. À mesure que les heures passaient, son nouvel exosquelette durcissait à l'intérieur de l'ancien, ce qui l'empêchait de se dégager de sa mue.

Soit il agissait rapidement, soit elle allait mourir, piégée dans une prison de sa propre fabrication.

Il pouvait l'amputer d'une patte ou deux. Une brève torsion du fémur et le tour serait joué. L'idée n'était pas plaisante, mais une araignée peut perdre une patte sans trop de dommage.

Ou alors il pouvait opérer.

Il ne l'avait encore jamais fait et en avait simplement entendu parler sur divers forums de collectionneurs. On savait peu de choses des soins médicaux à apporter aux mygales. Il faut dire que les araignées mortes sont rarement autopsiées ou étudiées en vue de découvrir les causes du décès. Les vrais mordus enterrent ou font naturaliser leur animal. Mais la grande majorité des collectionneurs jettent le cadavre.

Avec le temps, certains principes de base avaient été établis. Pour l'unité de soins intensifs, il s'était servi d'un pot de yaourt en plastique qu'il avait nettoyé à fond à l'eau de Javel et tapissé d'un sopalin stérilisé au four puis trempé dans de l'eau bouillie et refroidie. Il avait laissé le récipient et le papier absorbant humide revenir à température ambiante avant d'y placer Henrietta et de refermer le tout avec le couvercle du pot de yaourt, désormais percé de trois trous pour l'aération.

Il avait horreur des récipients en plastique car il préférait surveiller ses animaux, mais les mygales (comme la plupart des araignées) sont d'un naturel timide. Elles affectionnent l'obscurité, surtout lorsqu'elles sont en détresse.

Il travaillait justement à l'étage dans la grande salle de bains plongée dans l'ombre, les stores tirés, et il flottait une odeur de moisi, celle du terreau frais associée à un relent de pourriture. Une lampe de chevet diffusait une lumière tamisée, juste assez pour qu'il voie Henrietta sans traumatiser davantage son organisme.

Elle ne bougeait plus. Elle n'essayait même pas de libérer ses pattes. Morte ?

Il ne pensait pas. Pas encore. Mais cela venait et l'idée de la perdre était quasi intolérable. Elle avait été son tout premier animal et, même s'il avait collectionné bien d'autres spécimens au fil des années (des espèces plus rares, aux couleurs plus exotiques), elle occuperait toujours une place à part. Après tout, un jour, il y avait bien longtemps, elle l'avait délivré.

Aucun doute, il allait opérer.

Il commença par réunir le matériel. Un bout de carton rigide tiendrait lieu de table d'opération. Une pince à épiler, une loupe, une pipette, des Coton-Tige. Il redescendit au rez-de-chaussée pour faire bouillir la pince et humidifier un autre morceau de papier absorbant stérilisé.

Le petit était sur le canapé. Les yeux résolument fixés sur la télé, il ne regarda pas l'homme lorsque celui-ci apparut. Pas bête, ce petit.

Pendant que la pince refroidissait, l'homme disposa un autre papier absorbant humide sur le dos d'une boîte de Cheerios. Après quoi, il dilua deux gouttes de liquide vaisselle Ivory dans une tasse d'eau bouillie et ramenée à température ambiante.

Il remonta à l'étage, passant une nouvelle fois devant le salon. Cette fois-ci, au bruit de ses pas qui se rapprochaient, le garçon tressaillit.

L'homme esquissa un sourire.

À l'étage, il dut sortir Henrietta de l'unité de soins en prenant garde de ne pas la secouer vu son état critique. Lorsqu'il l'eut fait glisser sur le lit d'hôpital/morceau de carton, il l'approcha de la lampe de chevet et sortit la loupe.

À y regarder de plus près, elle semblait irrémédiablement coincée ; son ancien exosquelette était à peine fendillé, pas la moindre patte ne perçait. C'était bien pire qu'il le pensait et il lui fallut un instant pour prendre une inspiration saccadée et douloureuse.

Puis il se maîtrisa. À l'aide du Coton-Tige, il tamponna la solution savonneuse sur l'exuvie en veillant à ne pas laisser tomber de liquide qui pourrait entrer dans les poumons en feuillets d'Henrietta et l'asphyxier.

Pendant qu'il attendait trente minutes que la solution ramollisse l'exosquelette, il décida de passer à l'étape suivante de son intervention et de retirer totalement le sternum de l'ancienne carapace. Les plaques étaient jointes par une fine membrane et très faciles à détacher avec la pince stérilisée.

Cette étape se déroula mieux que prévu et il eut bientôt enlevé l'essentiel de la carapace et des plaques du sternum.

Mais les pattes d'Henrietta restaient piégées. De longues et délicates nouvelles pattes, prisonnières des sclérites rigides de son ancienne enveloppe. Privée de l'usage de ses pattes pour se dégager de son exuvie, Henrietta était toujours clouée sur place.

Il ressortit sa loupe et réfléchit à la marche à suivre.

Du rez-de-chaussée monta le bruit de la porte d'entrée qui s'ouvrait et se refermait. Des voix étouffées qui murmuraient. Qui débattaient sans doute. Fallait-il ou non le déranger ? L'étage, c'était son sanctuaire, peuplé de ses hôtes insolites. Aucun d'eux n'aimait y monter. En tout cas, pas plus que nécessaire.

Pourtant, en fin de compte, des bruits de pas dans le vieil escalier grinçant, sur le palier, vers sa chambre.

La porte s'ouvrit, inondant la pièce d'un jour inattendu.

« Ferme ça ! » rugit-il.

La porte se referma.

« Ne bouge pas. Pas un mot. »

L'intrus ne bougea pas, ne dit pas un mot.

C'était mieux.

Il allait devoir briser les lourdes sclérites des segments de chaque patte. S'il parvenait à enlever cette partie de l'exosquelette durci morceau par morceau, sans endommager les pattes molles et à découvert en dessous, Henrietta aurait peut-être une chance. Quatre segments à chaque patte. Huit pattes.

Il s'installa pour ce travail méticuleux, toujours conscient de la présence derrière lui, la fille qui ne bougeait pas, qui ne bougerait pas tant qu'il ne dirait rien.

Cinq minutes s'écoulèrent, puis dix, trente, quarante-cinq. Une heure. Il retirait peu à peu l'exosquelette rigide de chaque patte, lentement, soigneusement, segment par segment.

Lorsqu'il leva enfin les yeux, il eut la surprise de s'apercevoir que sa chemise était collée à sa peau par la sueur et que sa respiration était laborieuse comme s'il avait randonné pendant des heures au lieu d'être simplement penché au-dessus d'une table dans un halo de lumière tamisée.

Il avait libéré toutes les pattes, même si plusieurs, bizarrement tordues, avaient de toute évidence souffert. Mais sous son regard, une patte se mit à bouger, puis une autre. Henrietta était toujours avec lui, elle se battait pour s'en sortir.

« Ma toute belle, roucoula-t-il à sa favorite. Ça, c'est ma fille. Ça, c'est ma fille.

– Est-ce que... elle va bien ? » demanda finalement une voix timide derrière lui.

Il ne se retourna pas et répondit d'une voix sèche en reposant la pince : « Je ne sais pas. Après une mue aussi difficile, elle a probablement des problèmes à la bouche, au pharynx, à l'abdomen. Probable qu'elle sera morte d'ici demain matin.

– Oh.

– Mais ça lui donne au moins une chance. »

Puisant une satisfaction sans joie dans cette idée, il éteignit la lampe et laissa Henrietta mener son combat comme elle le préférerait : seule dans le noir.

Il se retourna enfin et ses yeux, s'habituant rapidement à la pénombre, trouvèrent la fille sur le pas de la porte. Elle avait le menton relevé, dans une petite posture de défi qui mettait en valeur l'araignée tatouée dans son cou mais ne les trompait ni l'un ni l'autre.

« Tu l'as ? » demanda-t-il de but en blanc.

Sans mot dire, elle tendit la carte de visite.

Il s'en saisit, la retourna, lut le numéro de portable griffonné au dos. Pour la première fois de la matinée, il sourit.

« Dis-moi exactement ce que tu as fait. »

Et la fille, bien dressée à présent, s'exécuta.

9

« Aux yeux du profane, l'attribut le plus caractéristique d'une araignée violoniste est la marque noire en forme de violon qu'elle porte sur le dos, le manche du violon pointant vers sa partie postérieure (abdomen). »

Tiré de *Brown Recluse Spider*,
Michael F. Potter, entomologiste urbain,
Département d'agriculture de l'université du Kentucky

L'APPEL ARRIVA trois nuits plus tard. L'équipe de Kimberly avait finalement bouclé la scène de l'accident aérien et Mac et elle fêtaient ça en dînant ensemble. Il avait rapporté du jambon au miel, accompagné d'une salade de chou cru et de biscuits secs.

Lui mangeait le jambon, elle les biscuits.

« Et quand la chevalière a été toute propre, racontait-elle avec excitation, tu n'imagines pas le niveau de détail. On lit les mots Alpharetta High School gravés autour de la pierre centrale. Puis, sur le côté droit, le mot "Raiders" (le nom de l'équipe) avec un ballon de foot, le numéro quatre-vingt-six et en dessous les initiales QB.

– Vraiment ? dit Mac en se servant une bière fraîche. Tu as le nom du lycée du gamin, plus le fait qu'il est quarterback et porte le numéro quatre-vingt-six ?

– Oh, j'ai même mieux. De l'autre côté de la chevalière, il y a un nom, Tommy, et un insigne : promotion 2006.

– Je n'ai rien de tout ça sur ma chevalière de lycée.

– Tu as une chevalière de lycée ?

– Bien sûr.

– Je ne t'ai jamais vu la porter.

– Eh, tu l'aurais peut-être vue si elle était aussi chouette que celle de Tommy. »

Kimberly lui fit les gros yeux, décida qu'un quatrième biscuit n'était sans doute bon ni pour elle ni pour le bébé et passa au chou cru. « Donc là, j'avais un prénom, un lycée et une promo. Je me suis dit : okay, un après-midi où je serai dans le coin, je ferai un petit tour au lycée d'Alpharetta pour discuter avec le conseiller d'orientation et boum badaboum le mystère sera résolu. Mais là, j'ai eu une meilleure idée.

– Naturellement.

– Je me suis branchée sur Internet. Histoire de voir ce que je pourrais apprendre sur le lycée d'Alpharetta.

– Et qu'as-tu appris sur le lycée d'Alpharetta, mon amour ?

– Hé, plus tu te moqueras, plus tu devras changer de couches au milieu de la nuit.

– Objection retenue. »

Elle lui jeta un regard perçant.

Il haussa les épaules. « Sans rire, ça m'intéresse. J'ai passé toute la journée dans une camionnette à écouter deux prétendus dealers discuter le plus sérieusement du monde du fait que Keanu Reeves est l'acteur le plus sous-estimé de notre époque.

– À cause de son rôle dans *Speed* ?

– Plutôt sa décision de ne pas faire *Speed 2*.

– C'est tellement vrai.

– Okay, okay. Revenons-en à la chevalière…

– Eh bien, recommença-t-elle, adoucie, le lycée d'Alpharetta est carrément immense.

– Alpharetta est carrément immense. »

Ils avaient un temps envisagé d'y acheter une maison. C'était une ville en pleine expansion et en plein embourgeoisement, juste au sud de là où ils habitaient. Pour finir, ce fut cette expansion elle-même qui les effraya. Passée de trois mille habitants en 1980 à cinquante mille aujourd'hui, la ville craquait de toutes parts, avec tous les embarras de circulation et carences de service public que ce type de situation peut engendrer.

« Près de deux mille élèves, continua Kimberly. Ça m'a un peu inquiétée. Dans un établissement de cette taille, retrouver un gamin risquait d'être difficile. C'est là que j'ai eu l'idée de regarder à la rubrique sport. Et tu ne croiras jamais ce que j'ai découvert.

– Delilah Rose ? devina-t-il obligeamment.

– Non. Tommy Mark Evans. Quarterback de l'équipe 1 du lycée en 2006. Sa photo, ses statistiques en match, le tout sur l'autoroute de l'information. D'ailleurs, j'ai trouvé la photo et le nom de toutes les pom-pom girls, des équipes 2, du club de théâtre, du club d'échecs – quel que soit le gamin, tous les renseignements sur lui ou sur elle sont en ligne. Je vais te dire : il ne suffit plus de surveiller MySpace ou YouTube. Toutes les administrations ont des sites qui divulguent gratuitement des informations et les photos des petits Américains. Tu vois ça : sans même quitter mon bureau et grâce à une simple chevalière, j'ai surfé jusque sur le pas de la porte de Tommy Mark Evans.

– Jamais notre fils ne sera autorisé à avoir un ordinateur dans sa chambre, annonça Mac. Toute porte de sortie est aussi une porte d'entrée et je veux savoir en permanence ce qui rentre chez nous.

– Notre fille ne se servira sans doute jamais d'un ordinateur, répliqua Kimberly. Le temps qu'elle sache taper, tout se fera sur téléphone portable, alors comment on pourrait bien contrôler ça ?

– Pas de portable, ça me va.

– Alors tu vas être un père Fouettard avec couvre-feu et fusil ?

– Parfaitement. Mais j'offrirai aussi un poney à notre fille. Euh, je veux dire : j'offrirai une batte de base-ball à notre fils. »

Mais Kimberly avait surpris le lapsus et le regardait déjà avec un sourire jusqu'aux oreilles. « J'ai entendu. Tu imagines une petite fille…

– Tout bébé bien portant et heureux sera parfait…

– Tu as envie d'acheter des jolies robes roses…

– Hé, c'est de ma faute à moi si les vêtements du rayon filles sont beaucoup plus mimis ? »

Kimberly riait à présent, surtout à la pensée de son grand brun de mari, tellement viril, en train d'explorer le rayon filles. Mais c'était sans doute vrai qu'il aimait les petites robes roses. Et sans doute vrai qu'il offrirait un poney à leur enfant. De même qu'un pistolet et une formation aux dangers des armes à feu.

« Bon, si tu as fini de te payer ma tête, dit-il en feignant d'avoir été blessé dans sa dignité tout en se levant pour débarrasser les assiettes en carton, qu'est-ce que tu comptes faire maintenant ?

– Dans la mesure où, jusqu'ici, j'ai analysé des indices et creusé une piste dans une enquête qui n'en est pas vraiment une ?

– Exactement. »

Kimberly n'avait pas de bonne réponse à cette question. « Qu'est-ce que tu penses de Sal ?

– Un type bien. Qui a la réputation de ne pas lâcher le morceau et d'obtenir des résultats.

– Est-ce que c'est un insoumis, qui travaille mieux tout seul, se met à dos la hiérarchie ?

– Ça, ce serait plutôt toi, chérie.

– Exact », reconnut Kimberly.

Le portable sonna.

Mac leva les yeux. « C'est le tien, pas le mien. »

Elle quitta son siège avec un soupir. « Je savais que c'était une mauvaise idée de causer boulot. Quand on parle du loup… »

Deuxième sonnerie.

Elle se sentait l'estomac un peu lourd. Elle le massa distraitement en demandant à Bébé McCormack de bien vouloir arrêter de boxer les biscuits et s'approcha de son sac en cuir, fouilla ses profondeurs.

Troisième sonnerie.

Elle finit par le trouver, regarda l'écran : c'était le numéro 1-800, le standard du FBI à Atlanta, ce qui, à première vue, n'avait aucun sens. Elle recevait des appels de son responsable ou de ses collègues, mais pas de la permanence. Elle haussa les épaules, prit l'appel. « Agent spécial Quincy. »

Et là...

Très loin, tout bas, comme un murmure dans le noir.

« Aidez-moi.

– Qui est à l'appareil, s'il vous plaît ?

– Aidez... moi... »

Kimberly regarda vivement Mac, fit signe de lui donner de toute urgence du papier et un crayon. Il se précipita vers le bureau de la cuisine.

« Vous êtes en communication avec un agent fédéral. Donnez-moi votre nom et je ferai tout mon possible pour vous aider.

– Je ne sais plus... Il me l'a pris. Peut-être... que si j'arrivais seulement à le retrouver...

– Qui vous l'a pris ? Parlez-moi. »

Mac, papier et crayon à la main, arriva à côté d'elle et la questionna du regard.

Le murmure à nouveau : « Bientôt vous comprendrez. »

La communication fut coupée. Kimberly tenta un rappel automatique, mais le numéro était bloqué.

Elle reposa son portable, profondément perplexe. Mac était encore là, prêt à prendre des notes sur un interlocuteur qui n'avait donné aucune information.

« Delilah Rose ? demanda-t-il finalement.

– Je ne crois pas. On aurait dit un garçon. »

Le téléphone sonna à nouveau peu après deux heures du matin. Kimberly ne dormait pas bien, comme si une partie d'elle-même attendait cet appel. À côté d'elle, elle sentit Mac se raidir à la première note stridente et sut que lui aussi avait guetté.

Elle se redressa et alluma une lampe. Sur la table de chevet, elle avait placé son portable, un carnet, un crayon et un dictaphone. À nouveau, l'écran afficha le numéro gratuit du FBI à Atlanta. Cette fois-ci, Kimberly ne fut pas dupe.

Elle adressa à Mac un lent signe de tête de confirmation, puis lança le dictaphone. Elle répondit à son téléphone en mode mains libres pour qu'ils puissent entendre tous les deux.

« Agent spécial Quincy. »

Rien au début. Ni bonjour, ni grésillements liés à une mauvaise communication. Puis, quelque part au loin, comme en arrière-fond, à nouveau ce faible murmure : *« Chuuut... »*

Kimberly jeta un regard vers Mac. Elle leva le téléphone entre eux et, une fois son oreille plus proche, d'un seul coup elle put entendre.

Des gémissements. Un halètement. Le claquement d'une peau contre une autre. Un cri de détresse étouffé.

« Tu aimes ça ? Ça te fait du bien ? Réponds-moi ! »

Un petit geignement suppliant.

« C'est bien ce que je pensais. »

Kimberly mit sa main devant sa bouche pour réprimer un cri de protestation instinctif. À côté d'elle, Mac s'était figé. Lui aussi avait entendu, il savait ce que cela signifiait. Ils étaient témoins d'une agression sexuelle. Kimberly le savait, parce qu'elle avait déjà entendu ce genre de cassettes, cela faisait partie du travail que son père ramenait à la maison avant de s'apercevoir que ses petites filles avaient pris l'habitude d'entrer en douce dans son bureau pour fouiller dans ses affaires.

Enregistrement ? Direct ? Elle ne savait pas, mais elle avait vu les images qui accompagnaient ce genre de bande-son et déjà son estomac chavirait...

Le murmure à nouveau, plus près du téléphone : *« Chuuut... »*

Des coups à présent. Violents, métalliques. Des menottes qui frappaient brutalement une tête de lit, comme si quelqu'un essayait de fuir. Puis un grincement grave reconnaissable entre tous : celui d'une lame qui glissait lentement sur une pierre à aiguiser.

D'un seul coup, Kimberly comprit que cet appel allait devenir bien plus atroce.

Affolée, la main tremblante, elle essaya de griffonner ces mots en travers de la feuille : TROUVE L'ORIGINE !!!

Mac rejeta les couvertures, sauta du lit, attrapa leur téléphone fixe.

« *Tu sais ce que je veux.*

– Mmm, mmm, mmm.

– Un nom. C'est vraiment si dur que ça, un nom ? Il suffit que tu aimes cette femme, c'est tout. Donne-moi quelqu'un en qui tu as confiance, que tu considères comme une amie, que tu adores. C'est tout ce que je te demande. Rien qu'un seul nom. Ensuite je te promets que ta mort sera rapide. »

« Ici l'agent spécial Michael McCormack pour l'agent spécial Lynn Stoudt. Je demande une assistance immédiate... »

Un bruit de déchirure rapide et bref. De l'adhésif arraché à la bouche.

Une plainte. Un long hurlement aigu, terrifié, qui se poursuivit jusqu'à ce que Kimberly se soit enfoncé le poing dans la bouche – et même comme cela elle sentait ce pauvre cri épuisé résonner le long de sa colonne vertébrale.

La voix, encore plus proche à présent : *« Chuuut...*

– Dis-moi !

– Pitié... »

Le *wick-wick* du métal qui tranchait. Un nouveau hurlement rauque.

« *Je peux t'écorcher vive. Tu veux regarder ?*

– Mon Dieu, mon Dieu, mon Dieu...

– *Ta maman ne te l'a jamais dit, chérie ? Il n'y a pas de Dieu ! Juste moi. Je suis ton sauveur et je suis ta damnation et tu ferais mieux de me faire plaisir ou bien je vais te les découper, tes joues creuses de petite blanche. DONNE-MOI UN NOM !*

– *Je ne sais... AAAH !*

– *UN NOM !*

– *Pitié, non, mon Dieu, pitié, pitié...* »

La fille hurlait. Elle gémissait, hystérique, et maintenant l'homme criait aussi, exigeait encore et encore un nom tandis qu'on entendait d'horribles bruits mouillés et le violent fracas métallique.

Kimberly se sentait prête à s'évanouir. À disparaître à l'intérieur de sa propre peau, dans une spirale qui l'emporterait loin de ce moment où une jeune fille implorait grâce pendant qu'un fou jouait du couteau.

La voix dans son oreille : « *Chuuut...* »

Mac à l'autre bout de la pièce : « Lynn, j'ai besoin de retrouver tout de suite l'origine d'un appel. Sur le portable de ma femme. Numéro... »

« *Qu'est-ce que ça te fait ? Hein, qu'est-ce que ça te fait ? Ça va empirer. Je vais continuer, encore et encore, jusqu'à ce que tu me donnes un nom...*

– *Mon Dieu, mon Dieu, mon Dieu.*

– *Tu n'as pas entendu ce que j'ai dit ? Il n'y a PAS de Dieu !*

– *AAAH !*

– *Un nom, un nom, un nom. Donne-moi un...*

– *Karen. K-K-K-Karen.*

– *Karen comment ? C'est quoi, son nom de famille ? Comment tu la connais ?*

– *Je ne sais pas, je ne sais pas, je ne sais pas.* »

Un nouveau cri aigu pendant qu'il faisait quelque chose d'horrible.

« *Menteuse ! Si tu tenais à elle, tu connaîtrais son nom. Si elle* comptait, *tu te souviendrais de ce qui la concerne.*

– *Pitié, pitié, pitié...*

– Dernière chance. Fais-moi plaisir. Ou je te jure que la prochaine entaille sera à un endroit auquel tu tiens vraiment. Je compte. Un… deux…

– Virginia ! dit la femme dans un souffle. *Elle s'appelle Virginia. Ginny Jones.*

– Et pourquoi tu l'aimes ?!

– C'est ma fille. »

Un temps.

« *Parfait* », dit l'homme.

Et le bruit suivant n'avait besoin d'aucune explication.

Mac la secouait. Avait-elle perdu connaissance ? Kimberly ne voulait pas le croire. Elle ne s'était jamais évanouie de sa vie. Elle regarda le lit avec stupéfaction. Son portable s'y trouvait, l'écran vide.

Tout cela n'avait-il été qu'un mauvais rêve ?

Alors elle leva les yeux, vit l'air lugubre de Mac, l'inquiétude qui lui ridait les yeux.

« Il a raccroché, dit-il doucement. C'est fini maintenant. »

Mais elle secoua la tête. « Non, Mac. Ça ne fait que commencer. »

10

« La plupart des espèces [d'araignées] ne sont pas exigeantes quant aux insectes qu'elles consomment et attrapent tout ce qui passe. »

Tiré de *How to Know the Spiders*, Troisième édition, B.J. Kaston, 1978

AFIN DE POUVOIR ACCUEILLIR son invité du matin, Rita s'apprêtait à aller acheter un peu de nourriture. L'opération prenait du temps. D'abord, elle entrait dans la vieille baignoire à pattes de lion. Elle faisait couler un filet d'eau tiède (il n'y a pas de petites économies) en frottant ce qui en avait besoin avec un restant de savon Ivory.

Fut un temps où elle se faisait coiffer par une gentille jeune fille en ville. C'était devenu un peu trop cher. Le trajet en voiture aussi. Alors elle avait laissé pousser ses cheveux en un long voile fin qui lui recouvrait les épaules comme une dentelle fragile.

Elle enfila un caleçon long ; un pyjama de coton ; un des vieux pantalons noirs de sa mère, bien ceinturé à la taille bouffante. La chemise écossaise rouge de son père lui tombait presque aux genoux, mais elle était chaude et en bon état. Même après toutes ces années, elle conservait une légère odeur de pipe.

Rita portait les chaussettes de son père aussi, celles en laine qui tenaient bien chaud aux doigts de pieds même quand il faisait moins un dehors et qu'il soufflait un vent de tous les diables.

Vinrent ensuite le lourd caban, un chapeau, une écharpe, les gants de son frère. Elle vacillait pratiquement sous le poids de ses vêtements lorsqu'elle regagna la cuisine, trouva le bocal à biscuits et compta son précieux contenu. La Sécurité sociale lui versait 114,52 $ par mois, ce qui n'était pas mal en été quand elle faisait pousser ses légumes et cueillait des baies dans les ronces au bord du chemin. Mais l'hiver, c'était dur. Elle achetait les pâtisseries de la veille, la viande périmée, les légumes flétris. Elle se disait que tout ce qui avait mijoté suffisamment longtemps dans une marmite ne devait pas être trop dangereux à consommer.

Elle s'accorda onze dollars et quarante-cinq cents. Ça devrait faire l'affaire.

D'un pas traînant, elle se dirigea vers la porte.

« Bon, Joseph, dit-elle avant de partir, pas de blague sous prétexte que je sors. Je sais exactement où j'ai laissé mes brosses à cheveux et l'argenterie. Si tu cherches des ennuis, va jouer chez les voisins. Mme Bradford a toujours été une pisse-froid, de toute façon. »

Rita rit à sa propre plaisanterie, ouvrit la porte et descendit lentement les marches du perron en se tenant fermement à la rampe en bois.

Ses frères et elle n'avaient jamais aimé Mme Bradford. Cette voisine les avait un jour dénoncés après les avoir surpris à manger des pommes de son arbre. Oh, elle n'avait qu'à les cueillir elle-même si elle ne voulait pas que les enfants les mangent. Avait-on jamais vu une voisine si près de ses pommes ?

Mme Bradford était morte depuis dix ans. Peut-être que Joseph pouvait la chercher, lui passer un coup de fil en direct, faire ce que font les fantômes pour se distraire dans l'au-delà.

Rita trouva son rythme, une démarche balancée et régulière, et s'engagea sur la route.

Elle habitait une petite rue non loin de la ville. Autrefois, le quartier était composé de grandes parcelles où trônaient de petites mais belles résidences d'été. Son arrière-arrière-grand-père avait bâti la maison familiale, une pittoresque demeure victorienne, pour s'y reposer de la chaleur d'Atlanta. Les temps avaient changé. Les propriétés avaient été vendues et divisées. Peu à peu, les anciennes villégiatures avaient disparu. Désormais, Rita vivait au milieu d'un étrange patchwork de maisons coloniales en préfabriqué, de grands mobile homes et de maisons de plain-pied.

Elle supposait que ses voisins étaient de jeunes couples. Des gens qui travaillaient dans les restaurants et les hôtels pendant la saison d'été et d'automne où les touristes étaient dix fois plus nombreux que les résidents et où acheter ne serait-ce qu'une miche de pain devenait une vraie corvée.

Rita ne savait pas. Elle ne sortait pas beaucoup de chez elle et ne fréquentait pas ses voisins. Elle était trop occupée avec les morts.

Mais elle croyait savoir d'où venait le garçon. La maison était perchée plus haut dans sa rue, dominant les autres. C'était une des dernières maisons de maître, mais aujourd'hui les peintures étaient écaillées, les fenêtres gauchies, le portique de guingois. Rita y voyait parfois de la lumière, au milieu de la nuit, à l'heure où les bonnes gens devraient dormir au lieu de rester les yeux grands ouverts dans leur lit comme cela lui arrivait si souvent. Les habitants de cette maison avaient des horaires bizarres.

Cette maison correspondait à l'idée que Rita se faisait de gens qui auraient un garçon à moitié mort de faim qui passait son temps à attraper des araignées.

Elle arriva enfin au magasin, contourna les voitures boueuses et ourlées de neige, passa devant les pompes à essence et entra dans la petite boutique qui sentait toujours le diesel et la cigarette.

Elle commença par parcourir les allées pour procéder à un soigneux inventaire. Du pain, des œufs, du lait. Elle loucha sur le bacon, il y avait longtemps qu'elle n'en avait pas mangé. Mais vu le prix, c'était exclu. Les garçons aiment les céréales. Seigneur, toutes ces boîtes qu'elle consommait quand elle avait des garçons à la maison. Pas de ces céréales glacées au sucre. Elle ne tenait pas à ça. Mais les autres marques, les classiques.

Elle lut le prix affiché avec attention. Elle n'avait aucune idée que le blé soufflé pouvait coûter aussi cher. Voyons, de son temps...

Pour finir, elle s'en tint à son premier choix de trois articles. Il faudrait faire avec.

Mel tenait la caisse. Elle le voyait pratiquement chaque fois qu'elle venait, c'est-à-dire une fois toutes les deux semaines. Il la salua d'un signe de tête, souriant de son étrange accoutrement.

« Promenade frisquette, Rita ?

– Pas une fois que j'étais en train.

– De quoi faire le petit-déjeuner, je vois.

– Oui.

– Ça m'a l'air bien. Il ne vous manque que des saucisses. J'en ai en promo, si vous voulez. Deux paquets pour le prix d'un. »

Elle prit un instant de réflexion. Des protéines feraient du bien au garçon. Oh, et l'odeur des rondelles de saucisse chaude en train de dorer dans la poêle en fonte de sa mère...

Elle soupira, compta sa monnaie. « Ça va, merci beaucoup, Mel.

– Pas de problème. »

Il emballa ses achats pour elle, puis eut l'air inquiet. « Ça ne me dit rien qui vaille, ce sac, Rita. Surtout si vous avez dans l'idée de rentrer à pied.

– Oui, monsieur.

– Je pourrais vous raccompagner d'un coup de voiture.

– Les jambes que Dieu m'a données vont très bien.

– Bon, si vous y tenez, je peux peut-être aller dans la réserve vous chercher un carton à la place. Ça m'ennuierait que vous laissiez tomber ces œufs.

– Comme vous voulez. »

Mel revint quelques instants plus tard avec un petit carton dans un sac plastique. Il disposa le tout pour qu'elle puisse tenir les poignées et elle s'en alla. Elle lui adressa un dernier salut de la tête en prenant congé.

À mi-chemin de chez elle, pendant une pause, elle regarda dans son sac. Il avait ajouté deux paquets de saucisses et une boîte de Earl Grey. Un instant, elle fut presque terrassée à la perspective d'utiliser un tout nouveau sachet de thé au lieu d'un sachet flasque et fatigué, inutile depuis trois ou quatre immersions.

Un jour, il faudrait qu'elle remercie Mel, mais cela reviendrait à reconnaître ce qu'il avait fait et, jusque-là, ils avaient tous les deux préféré ce système.

Le retour lui prit beaucoup de temps. Elle commençait à se sentir un peu chancelante, oscillait de plus en plus à chaque pas.

Ce serait bon de rentrer, de prendre une tasse de Earl Grey, brûlante, noire et forte. Elle se prélasserait dans le salon comme son père à l'époque. Ferait peut-être un petit somme.

Mais lorsqu'elle ouvrit sa porte, elle découvrit qu'elle avait un invité. Le garçon était déjà revenu, sauf que cette fois-ci, il n'attendait pas sur la terrasse de derrière. Debout dans son salon, il tenait un portrait de famille dans son cadre.

Pendant un long moment, ils restèrent à se dévisager. Puis Rita entra chez elle d'un pas assuré, referma la porte, défit son écharpe.

« Mon garçon, la bonne façon d'entrer chez les gens, c'est de frapper à la porte et de demander la permission. Tu as frappé à ma porte, tu as demandé la permission ?

– Non, madame.

– Alors ce n'était pas la bonne façon d'entrer chez moi. Ne recommence plus.

– Oui, madame. »

Cette question réglée, Rita enleva son manteau, ôta son chapeau. « J'allais me faire du thé, mais je suppose que je pourrais faire un chocolat chaud à la place. »

Le regard du garçon s'illumina.

« Je n'ai pas de marshmallow, prévint-elle. Trop cher, ces bêtises-là. »

Il hocha la tête.

Elle passa à côté de lui d'un pas traînant en faisant mine de ne pas voir sa façon de la regarder par en dessous, ni la lame effilée qui dépassait de la poche arrière de son jean.

Quand votre heure a sonné, votre heure a sonné, Rita le savait. Mais elle était une vieille chouette coriace et elle se disait que le garçon découvrirait bien vite qu'elle avait encore beaucoup de temps devant elle.

11

« Les araignées ingèrent leur nourriture selon deux méthodes. Celles dont les mâchoires sont peu puissantes percent le corps de l'insecte avec leurs crochets pour ensuite tour à tour injecter du suc digestif par ce trou et aspirer lentement les tissus liquéfiés jusqu'à ce qu'il ne reste plus qu'une carcasse vide […], celles qui ont des mâchoires puissantes s'en servent pour broyer l'insecte et le réduire en bouillie en régurgitant du suc digestif dessus.

Tiré de *How to Know the Spiders*,
Troisième édition, B.J. Kaston, 1978

« DONC, SI ON RÉSUME, tu as rencontré une informatrice potentielle, analysé un indice potentiel et reçu sur ton portable deux appels téléphoniques troublants qui semblaient tous les deux provenir de notre propre standard.

– D'après Lynn Stoudt, agent spécial du GBI, intervint Kimberly, le numéro d'appelant qui s'affiche sur un portable ne veut rien dire, à cause des "usurpations de numéro". En allant sur le bon site Internet et pour dix dollars, on accède à un numéro gratuit auquel on indique le numéro à appeler *et* le numéro d'appelant de son choix. C'est pas cher, facile et n'importe quel gamin de sept ans équipé d'un ordinateur portable peut le faire.

– Pas franchement encourageant comme idée.

– Maintenant que nous savons ce qui se passe, nos services techniques peuvent sans doute mettre au point un système pour remonter à la source du premier appel...

– Encore des moyens, l'interrompit le divisionnaire Larry Baima, pour une affaire qui n'en est pas une.

– En tout cas, c'est *quelque chose* !

– Oui. Un merdier. Bon sang, Kimberly, comment tu te débrouilles pour te fourrer dans des histoires pareilles ? »

Baima poussa un gros soupir. Étant donné qu'il s'agissait d'une question rhétorique, Kimberly eut la sagesse de ne pas répondre. À dire vrai, Baima et elle se respectaient au plus haut point. Et c'était tant mieux, parce qu'un autre supérieur aurait sans doute déjà fait un rapport sur elle à l'heure qu'il était.

« Encore une fois, reprit Baima, que sais-tu précisément ?

– Martignetti, agent spécial du GBI, pense qu'un prédateur inconnu descend des victimes à risque : prostituées, droguées, fugueuses, ce genre-là. Il a une liste de neuf filles "non localisées" et il a par ailleurs reçu, d'une source inconnue, les permis de conduire de six d'entre elles. Arrive dans le tableau Delilah Rose avec son histoire de copine prostituée, Ginny Jones, aperçue pour la dernière fois il y a trois mois en compagnie d'un client, Dinechara, fétichiste des araignées. Delilah prétend avoir retrouvé une chevalière appartenant à Ginny sur le plancher du 4x4 de Dinechara. J'ai pu établir que la bague appartenait à Tommy Mark Evans, diplômé du lycée d'Alpharetta en 2006. Également sur la liste de ses camarades de classe : Virginia Jones.

» Viennent s'ajouter au puzzle deux appels téléphoniques, tous deux passés vers mon portable depuis un numéro inconnu. Le premier, à mon sens, était destiné à tester le système, à s'assurer qu'il fonctionnerait pour le clou du spectacle au milieu de la nuit. Cela dit, à l'heure qu'il est, je ne peux pas le prouver.

– Mais l'interlocuteur était un homme ? Pas Delilah Rose ? »

Elle hésita. « D'après l'agent spécial Stoudt, les mêmes sites Internet grâce auxquels on peut usurper un numéro permettent en option de crypter la voix afin de faire passer l'appelant pour quelqu'un du sexe opposé. Un genre de fonction dernier cri. Moyennant quoi... je ne sais plus très bien de quoi je peux être sûre. »

Baima se pinça l'arête du nez. « Je hais Internet.

– On lui doit pourtant eBay et Amazon.

– Je hais quand même Internet. »

Kimberly ne discuta pas. « Au bout du compte, avança-t-elle, je suppose que l'appelant était Delilah Rose, tout simplement parce que je lui ai donné mon numéro quand on s'est vues. C'est peut-être sa façon d'essayer de prouver qu'elle a raison.

– On pourrait dire ça. »

Baima avait déjà écouté deux fois l'enregistrement de l'appel le matin, quand Kimberly avait, sans délai, attiré son attention sur cette affaire. Inutile de dire que ce n'était pas la manière la plus agréable de commencer une journée.

« Donc, reprit brusquement Baima, nous avons un homme, le sujet X, qui agresse sexuellement puis torture une femme jusqu'à ce qu'elle fournisse le nom qu'il exige, après quoi il la tue. La femme donne le nom de Ginny Jones en affirmant être sa mère. Peux-tu corroborer cette affirmation ?

– Je viens d'interroger le fichier des personnes disparues », lui assura Kimberly, qui hésita avant d'avouer : « Seulement je n'avais pas de prénom, juste une description générale et le nom de famille Jones. Ça va devoir mouliner un peu. »

Nouveau regard dubitatif de son supérieur. « Question suivante alors, insista-t-il : ton impression sur la bande-son. C'est du vrai, du chiqué, du direct, de l'enregistré ? Les possibilités ne manquent pas. Montre-moi ce que tu sais faire. »

Kimberly essaya de paraître plus sûre d'elle-même cette fois-ci. « Je crois que c'était du vrai. J'ai un doute sur la chronologie.

– Développe.

– Quand j'ai entendu ça au téléphone… S'il s'agit d'un enregistrement, celui qui l'a fait sait exactement à quoi ressemblent la violence et le meurtre. C'est trop réel pour être un scénario. »

Baima lui adressa un petit signe de tête approbateur – façon pour un supérieur de laisser un agent spécial continuer à s'enfoncer tout seul.

« Chronologie ? relança-t-il.

– La nuit dernière, ça semblait du direct. Mais ce matin… je pense que c'était un enregistrement. »

Kimberly se pencha en avant, essaya de s'expliquer : « La deuxième fournée de pièces d'identité reçue par Sal appartenait à trois colocataires qui ont toutes disparu, l'une après l'autre. Si je croise ça avec ce que j'ai entendu au téléphone, je pense que c'est peut-être la méthode de cet individu : son mode opératoire suppose de demander à chaque victime de choisir la suivante, quelqu'un de proche. Dans la mesure où Ginny Jones a disparu il y a trois mois, ce que nous avons entendu a dû se passer avant décembre.

– La mère de Ginny est enlevée la première. Elle donne sa fille, qui est enlevée à son tour, conclut Baima.

– C'est une théorie.

– Bon, les théories sont amusantes, agent spécial Quincy, mais, au cas où tu n'aurais pas remarqué, nous sommes passablement occupés ces temps-ci. Pour ouvrir une enquête, les agents fédéraux ont besoin de preuves et, tiens, j'y songe, que l'affaire soit de leur ressort.

– J'ai un enregistrement de l'appel…, commença Kimberly.

– Pas recevable en tant que preuve puisque tu ne peux ni en confirmer la source, ni établir son parcours s'il s'agit, comme tu le crois, d'un enregistrement.

– La chevalière...

– Traçabilité tout aussi problématique.

– L'information donnée par Delilah Rose...

– Jamais entendu pire argument pour justifier l'ouverture d'une enquête, proféra Baima. Trois essais manqués, tu sors du terrain. »

Kimberly se renfrogna. « Écoute, tu l'as *entendu*, cet appel. On ne peut pas faire comme si de rien n'était. Une femme est morte en implorant pour sa vie. Comment tu peux...

– On ne fait pas comme si de rien n'était. »

Kimberly regarda son supérieur avec scepticisme. « Ah bon ?

– Non, on refile le bébé au GBI, auquel ce type d'affaires revient. Tu dis que l'agent spécial Martignetti a commencé le boulot. Qu'il travaille sur les disparitions et localise les prostituées. Mieux encore, peut-être qu'il trouvera une scène de crime ou, Dieu nous garde, un cadavre. Dans un cas comme dans l'autre, c'est plus du ressort du GBI que du nôtre.

– Mais Delilah refuse de parler à Martignetti...

– Peut-être que personne ne lui a demandé assez gentiment. Tant que nous n'aurons pas la preuve que les frontières de l'État ont été franchies, cette affaire ne concerne pas le FBI. Point. En ce moment même, tu as dix-huit dossiers ouverts sur ton bureau. Tiens, j'ai une idée : si tu en prenais un pour le boucler ? »

Kimberly fit la tête, se mordit la lèvre inférieure. « Et si le GBI veut mettre mon portable sur écoute ? »

Baima lui lança un regard lourd de sous-entendus. « Réfléchis bien à tous les appels que tu reçois et à leur provenance. Si j'étais toi, je trouverais un meilleur moyen de coopérer.

– Message reçu. »

Kimberly se leva vivement en prenant soin de n'afficher aucun triomphalisme.

Avant qu'elle sorte, son responsable l'arrêta : « Comment tu te sens ?

– Très bien.

– Tu as une grosse charge de travail, Kimberly. Ce serait peut-être le moment de penser à l'avenir pendant que tu te sens encore tellement bien.

– C'est un ordre ?

– Considère ça comme une suggestion amicale.

– Une fois encore, le devoir avant tout. »

Baima leva les yeux au ciel. Kimberly prit cela comme le signal du départ. Son supérieur lui avait donné la permission de trouver un meilleur moyen de coopérer avec l'État. Cela incluait sûrement le fait de retrouver Tommy Mark Evans.

Le père de Kimberly était entré au FBI après un bref passage dans la police de Chicago. C'était un agent de la vieille école, celle qui portait des costumes sombres, obéissait à tout ce qui venait du grand patron J. Edgar Hoover et ne vivait que pour sa règle d'or : Ne jamais embarrasser le FBI.

À dire vrai, Kimberly était trop jeune pour se souvenir de l'époque où son père travaillait sur le terrain, mais elle aimait l'imaginer dans un costume noir sévère, le regard sombre et impénétrable face à un gangster minable, réduisant à néant l'alibi du suspect d'un simple haussement de sourcils.

Lorsque son obsession du travail avait fait voler son mariage en éclats, Quincy s'était orienté vers le profilage et avait demandé sa mutation à Quantico dans ce qu'on appelait alors l'Unité des sciences comportementales. En théorie, il était passé à la recherche afin de consacrer plus de temps à ses filles. En réalité, il avait plus que jamais voyagé pour traiter plus d'une centaine d'affaires par an, chacune plus atrocement violente et perverse que la précédente.

Jamais il ne parlait de son travail. Pas à l'époque où il était sur le terrain et encore moins quand il était devenu profileur. Pour compenser, Kimberly avait d'elle-même décidé de s'immerger dans l'univers de son père ; elle entrait subrepticement dans son bureau à des heures tardives, feuilletait ses manuels de criminologie, jetait un œil dans les chemises en papier kraft remplies de clichés de scènes de crime, de relevés d'éclaboussures de sang, de rapports de médecins légistes truffés d'expressions comme « hémorragies pétéchiales », « blessures de défense » ou « mutilations post mortem ».

Kimberly n'était agent du FBI que depuis quatre ans, mais, à bien des égards, elle avait étudié le crime toute sa vie. D'abord avec l'illusion que, si elle arrivait à comprendre le travail de son père, elle comprendrait l'homme. Puis, lorsqu'elle-même était devenue une victime et qu'elle avait dû surmonter la détresse de savoir que sa mère avait connu une mort lente et douloureuse, luttant pied à pied pour sa survie, rampant sur les parquets de son élégante maison de ville à Philadelphie.

Bethie était-elle morte terrorisée, avec le sentiment d'être coincée, impuissante, piégée ? Ou bien était-elle révoltée de s'être autant battue et d'avoir malgré tout perdu ? Ou peut-être encore sa douleur était-elle si grande à ce moment-là qu'elle avait simplement été soulagée. Mandy était morte l'année précédente. Peut-être que, dans ses derniers instants, Bethie songeait au bonheur de revoir sa fille.

Kimberly ne savait pas. Elle ne saurait jamais.

Et aux petites heures de la nuit, ses pensées l'entraînaient souvent dans des contrées où, à Dieu ne plaise, les autres gens, les gens normaux, n'ont jamais à aller.

En fin de compte, son père et elle parlaient rarement de leur travail parce que ce n'était pas cela qu'ils avaient en commun. Kimberly travaillait pour le FBI de l'après 11 septembre, dans une magnifique zone de bureaux au milieu d'un parc industriel sereinement paysagé. L'âge moyen était de trente-cinq ans. Les femmes représentaient un quart du personnel. Les hommes trouvaient tout naturel de porter des chemises pastel.

Mais Kimberly et son père étaient unis par un lien plus profond, plus poignant : ils comprenaient ce que c'était de se battre jusqu'au bout pour sauver la vie d'inconnus tout en sachant, jour après jour, qu'ils avaient failli à celles qu'ils aimaient.

Plus encore, ils comprenaient l'importance d'aller toujours de l'avant parce que rester trop longtemps sur place, c'était prendre le risque d'être écrasé par le poids des regrets.

Peu après onze heures du matin, Kimberly se dirigea vers sa voiture. Elle avait déjà vérifié l'état du trafic sur Georgia Navigator et, d'après ce site Internet, la GA 400 était dégagée. Alpharetta n'était qu'à une quarantaine de kilomètres au nord des bureaux d'Atlanta et Kimberly fut vite rendue.

Aussi tard dans la saison, le football était fini. Malgré cela, l'entraîneur Urey faisait faire de la gym à une bande de première année empotés, fouillis de bras, de jambes et de piercings intéressants. Lorsque Kimberly finit par trouver le gymnase, Urey n'eut pas besoin de voir sa plaque pour parler. Sa seule présence lui suffisait pour faire une pause fort bienvenue.

Elle le mit en train avec le bavardage habituel : comment s'était passé la saison de foot, que pensait-il du nouveau lycée, les gamins avaient l'air sympas.

Urey, qui était à peu près aussi large que haut et arborait la coupe tondeuse et les abdominaux Kronenbourg de rigueur, répondit à toutes ses questions sans sourciller. Ils auraient dû monter d'une division cette année. Les gamins avaient vraiment ça dans le ventre. Mais c'était une jeune équipe, ils avaient commis quelques erreurs. Bah ! ce serait pour l'année prochaine.

Ils déambulaient dans un couloir tout en discutant. Urey lui proposa de l'eau. Elle refusa. Le regard de l'entraîneur se posa sur son ventre et elle le vit se livrer à un débat intérieur : était-elle enceinte, pas enceinte, les agents du FBI avaient-ils même le *droit* d'être enceintes ? Pour finir, il écouta la voix de la raison et ne dit rien du tout.

« Je suis à la recherche d'un de vos anciens joueurs, dit-elle, l'air de rien, alors qu'ils tournaient à un angle de l'immense couloir des casiers. Rien d'inquiétant. Je règle les dernières bricoles dans une autre enquête et j'ai un objet à lui rendre.

– Un objet ?

– Une chevalière de lycée. Avec l'insigne du football et son numéro de maillot. C'est ce qui m'a amenée ici.

– Ça, c'est sûr que les gamins mettent tout sur leur chevalière. Mince, si j'avais eu autant de choix à l'époque… »

Kimberly eut un hochement de tête compatissant pendant que les pensées d'Urey prenaient le même cours que celles de Mac. Manifestement, les hommes accordaient beaucoup d'importance à leur chevalière de lycée. Les décorations militaires, tout ça.

« Vous connaissez son nom ? demandait Urey. Ou alors donnez-moi son numéro de maillot. Je pourrai sans doute en déduire le reste. C'est pas que je passe trop de temps avec eux…

– Le propriétaire de la chevalière a eu son diplôme en 2006. Si j'interprète correctement les symboles, il était quarterback. Numéro quatre-vingt-six. »

Urey s'arrêta sur ses pas. Un instant, sous les lumières fluorescentes, son visage sembla gris. Puis il se reprit, se redressa, refusant de se laisser abattre.

« Je suis désolé, agent spécial Quincy. Si vous aviez appelé avant, j'aurais pu vous éviter le déplacement. La chevalière appartenait à Tommy Mark Evans. Un chouette gamin. Un des meilleurs quarterbacks que j'aie jamais eus. Un très bon bras, mais solide aussi. Il tenait la pression. Il a eu son diplôme avec la mention "très bien" et décroché une bourse de footballeur à l'université de Pennsylvanie.

– Il a quitté la ville ? demanda Kimberly, déconcertée. Il est parti en Pennsylvanie ? »

Urey secoua la tête. « C'est fini. Tommy est rentré à la maison pour Noël l'an dernier. J'imagine qu'il est sorti faire un tour en voiture. Personne ne sait vraiment. Mais, apparemment, il s'est trouvé au mauvais endroit au mauvais moment. Il a pris deux balles dans le front, *boum, boum.* Les parents ne s'en sont toujours pas remis. On ne s'attend pas à ce qu'un beau grand gamin comme ça soit retrouvé mort du jour au lendemain. »

12

*L*E BURGERMAN *m'a emmené au parc.*

Il y avait des enfants plus petits sur les balançoires, le jeu de bascule, le manège. D'autres plus grands, plus proches de mon âge, galopaient sur le terrain miteux pour un match de basket improvisé.

Le Burgerman m'a donné une bourrade. « Allez. Va les rejoindre. C'est d'accord. Va prendre un peu de couleurs. Merde, tu sais que t'as une gueule de déterré ? »

Dans un premier temps, je n'ai pas cru qu'il me donnait réellement la permission d'y aller. Il m'a poussé plus fort, manquant de me jeter par terre, alors je ne me le suis pas fait dire deux fois et j'y suis allé. J'ai rejoint l'équipe en tee-shirt. Choisir celle des torses nus aurait provoqué trop de questions.

Au début, je suis resté en retrait. Ça faisait bizarre de me trouver sur un terrain de jeux, en compagnie d'autres enfants, de les entendre rire, dribbler et jurer un peu quand un gamin ratait un tir ou leur filait un coup de coude dans le ventre. Je m'attendais en permanence à ce que tout le monde s'arrête pour me regarder. Je voulais qu'ils me demandent : Mais qu'est-ce qui t'est arrivé ? *Je voulais que quelqu'un dise* : Hé, mon pote, réveille-toi, c'était un mauvais rêve, tout ça, mais maintenant c'est fini et la vie est belle.

Seulement personne n'a rien dit. Ils jouaient au basket.

Alors moi aussi, en fin de compte.

Je sentais l'odeur de l'herbe fraîchement coupée. J'entendais des bruits joyeux, les enfants qui se la coulaient douce en ces toutes dernières journées avant que l'été ne devienne cruellement chaud et que tout le monde ne se précipite dans les piscines. Il y avait des oiseaux. Et des fleurs. Et un immense ciel bleu et tellement… de tout.

Le monde, qui continuait à tourner. Inlassablement.

J'ai tenté un tir. Réussi. Un garçon m'a tapé sur l'épaule.

« Bien joué. »

Rayonnant, j'y suis retourné.

Je n'ai plus la notion du temps. Le temps est pour les autres enfants, ceux qui ne sont pas prisonniers de l'étreinte écrasante du Burgerman. Je me contente d'être, jusqu'à ce qu'on me dise le contraire, alors je cesse d'être.

J'ai donc joué jusqu'à ce que le Burgerman me dise d'arrêter. Et alors je n'ai plus joué.

Le Burgerman m'a pris à part. Le soleil commençait à décliner. Certains des garçons s'éloignaient. Les mamans et les jeunes filles rassemblaient les petits comme des canards en file indienne, les entraînaient dans la rue.

J'ai remarqué un petit garçon tout seul à l'écart, qui creusait dans le bac à sable.

Le Burgerman l'a remarqué, lui aussi.

Il m'a regardé. « Petit, amène-moi ce gosse. »

Des hurlements. Encore et encore et encore. Suraigus, des balbutiements. J'ai essayé de me boucher les oreilles. Le Burgerman s'est arrêté le temps de me filer un uppercut et de m'envoyer valser contre le mur. Il m'a balancé un coup de poing dans le ventre et quand je me suis plié en deux, il m'a une nouvelle fois frappé sous le menton.

« REGARDE, PETIT ! FAIS GAFFE. »

Et ensuite à nouveau les hurlements, encore et encore et encore. Jusqu'à ce que le Burgerman finisse par s'effondrer, roule sur le côté, commence à chercher à tâtons sa cigarette habituelle.

J'avais un goût de sang dans la bouche. Je m'étais mordu la langue, j'avais une balafre à la joue à cause de la chevalière du Burgerman. Je ne me sentais pas trop d'aplomb. Il me semblait que j'allais vomir.

Le petit garçon ne luttait plus. Il restait couché sur le lit, les yeux vitreux, hébété.

Je me suis demandé si j'avais eu la même tête à l'époque.

Ensuite, il a vu que je regardais. Ses yeux ont rencontré les miens. Il m'a fixé. Si longtemps, si intensément. Pitiééé.

Je suis sorti de la pièce en chancelant, j'ai remonté le couloir et je suis arrivé aux toilettes in extremis. *Une fois commencé, impossible de m'arrêter. J'ai vomi, vomi encore, et cela ne suffisait toujours pas. Je ne pouvais pas me sortir cette horreur des tripes. Elle était passée dans mon sang. Je ne pouvais pas la sortir. Je ne pouvais pas l'enlever. Alors j'ai rendu de l'eau et de la bile jusqu'à ce que mon estomac se soulève à vide et que je m'effondre au sol.*

J'ai perdu connaissance à ce moment-là. Ce que j'ai connu de plus proche de la délivrance.

Quand je suis revenu à moi, j'ai à nouveau entendu du bruit. Des ronflements, cette fois-ci. Mais ça n'allait pas durer. Une heure, deux peut-être.

Le Burgerman se réveillait toujours affamé.

Je me suis faufilé dans le couloir. J'ai jeté un œil dans la chambre. Je n'ai pas pu m'en empêcher. Il fallait que je voie, même si je savais que je le regretterais.

Le garçon était roulé en boule. Il ne bougeait pas, mais ne dormait pas. Il regardait fixement le mur d'en face. Je savais ce qu'il faisait : il s'entraînait à se faire petit. Parce que s'il pouvait être assez petit, peut-être que le Burgerman ne le remarquerait plus.

Je savais ce que je devais faire.

Le Burgerman avait laissé son pantalon par terre. Je me suis glissé jusqu'au vêtement, j'ai passé précautionneusement la main dans la poche jusqu'à trouver la clé. Elle était lourde et anguleuse dans ma main. Je n'y ai pas pensé. J'ai simplement continué à agir.

Aller à côté du lit, devant le garçon. Le doigt sur mes lèvres, chut.

J'ai brandi ses vêtements. Le garçon, peut-être cinq ou six ans, n'a pas bougé.

J'ai pensé que je devrais lui dire quelque chose. Je ne voyais pas quoi. Il n'était pas prêt à entendre les grandes vérités de la vie. Aucun de nous ne l'est.

Pour finir, je lui ai tapoté l'épaule et je l'ai habillé comme un bébé.

Je l'ai laissé un instant. Il fallait que j'aille déverrouiller la porte. Elle a un peu grincé en s'ouvrant et je me suis figé. Des ronflements nasillards montaient de la chambre. Jusque-là, tout allait bien. J'ai jeté un œil dans le long hall gris. Personne à l'horizon. J'avais l'impression qu'il n'y avait jamais personne à l'horizon dans cet immeuble.

Maintenant ou jamais, j'ai décidé.

Et pour une raison quelconque, j'ignore laquelle, je me suis souvenu de cette première nuit, celle où je m'étais réveillé pour découvrir le Burgerman au pied de mon lit. Je me suis souvenu des ronflements de mon père au bout du couloir. Et, à ce souvenir, je me suis mis à sangloter, même si, à ce stade de la partie, les larmes ne pouvaient pas grand-chose pour moi.

Je suis retourné à pas feutrés dans la chambre, en pleurant comme un veau. J'ai pris le garçon par l'épaule, je l'ai violemment secoué.

Ses yeux sombres se sont lentement levés vers les miens. Une petite lueur de conscience flottait sous la surface. Puis il est retombé dans un état second. Je lui ai filé un grand coup, je l'ai attrapé par l'épaule et je l'ai flanqué par terre.

Les ronflements se sont arrêtés. Le lit a grincé, le Burgerman bougeait finalement.

J'ai collé ma main sur la bouche du garçon, je l'ai serré contre moi, l'adjurant intérieurement de ne pas faire de bruit.

Ai-je prié ? Me restait-il encore des prières ? Aucune ne me venait à l'esprit.

Le lit a de nouveau grincé. Le Burgerman se tournait, d'un côté, de l'autre. Puis… le silence.

Le temps était compté. La bête se réveillait.

J'ai attrapé le petit garçon sous les bras et je l'ai traîné vers la porte. Dix pas. Huit. Sept. Six. Cinq.

Il refusait de marcher. Mais pourquoi refusait-il de marcher ? J'avais besoin qu'il se mette sur ses pieds. Réveille-toi. Arrête de trembler. Cours, bordel, cours. Mais c'est quoi, son problème, à la fin ?

Quel genre de petit merdeux ne résiste pas ? Quel genre de misérable petit abruti laisse un homme lui faire ça indéfiniment sans même être foutu de courir vers cette porte !

Et, d'un seul coup, je me suis retrouvé à l'engueuler. J'ignore comment c'est arrivé. Debout au-dessus de lui, je le dominais, je criais si fort que j'en postillonnais : « BOUGE-TOI LE CUL, CONNARD ! TU CROIS QU'IL VA DORMIR TOUTE LA VIE ? ESPÈCE D'ABRUTI, MÉCHANT GARÇON. LÈVE-TOI. COURS, BORDEL, COURS. JE NE SUIS PAS TON PÈRE ! »

Le garçon de cinq ans s'est recroquevillé, il a mis ses mains sur sa tête et pleurniché.

Et c'est là que j'ai pris conscience de ce que je n'entendais plus.

Les ronflements.

Je me suis retourné. Impossible de faire autrement. Alors même que j'étais devant la porte ouverte, si proche et pourtant si lointaine. Le dernier jouet de l'homme roulé en boule à mes pieds.

Le Burgerman se tenait derrière moi.

Il souriait dans le noir.

Et, grâce à ce sourire, j'ai su ce qui allait arriver.

Le temps est pour les autres garçons. Ceux qui n'ont pas été battus, affamés et violés. Ceux qui ne sont pas restés les bras ballants à regarder un adulte tuer un enfant à mains nues.

Ceux à qui on n'a pas ensuite donné une pelle avec ordre de venir aider à creuser une tombe.

« Tu veux mourir, fiston ? » m'a demandé le Burgerman avec désinvolture en s'écartant du trou, appuyé sur sa pelle.

Le corps était enroulé dans une vieille serviette, couché sous une azalée. Je ne le regardais pas.

« Ce n'est pas dur, a continué le Burgerman. Vas-y, descends dans le trou. Allonge-toi à côté de ton petit copain. Je ne t'en empêcherai pas. »

Je n'ai pas bronché. Au bout de quelques instants, le Burgerman a éclaté de rire.

« Tu vois, tu as encore envie de vivre, petit. Il n'y a pas de honte à ça. »

Il m'a donné une petite tape presque affectueuse sur la tête. « Prends la pelle, fiston. Je vais te montrer un truc pour protéger ton dos. C'est ça, sers-toi de tes jambes. Tu vois ? À toi maintenant. »

Le Burgerman m'a appris à creuser une tombe impeccable. Après quoi, nous sommes retournés à l'appartement, nous avons mis nos vêtements dans une valise et nous nous sommes volatilisés.

13

« L'appétit de l'araignée peut souvent paraître insatiable ; son abdomen se gonfle pour accueillir un surcroît de nourriture. »

Tiré de *How to Know the Spiders*,
Troisième édition, B.J. Kaston, 1978

KIMBERLY RETROUVA Sal à l'Atlanta Bread Company. Il mâchonnait un sandwich, une trace de mayonnaise sur la joue droite. Bien qu'il ait accepté le rendez-vous, il semblait méfiant lorsqu'elle arriva.

« Choux de Bruxelles ? s'étonna-t-elle en inspectant son déjeuner. C'est drôle, tu ne m'avais pas paru du genre à manger des choux de Bruxelles.

– Hé, j'aime les légumes. Et puis, après des McMuffins à la saucisse pour le petit déjeuner…

– Ça t'arrive de cuisiner, Sal ?

– Le moins possible.

– Moi aussi. »

Elle s'assit, fit glisser sa sacoche en cuir marron de son épaule pour y chercher son déjeuner.

« Tu vas encore manger de la crème dessert ? demanda Sal.

– Fromage blanc aux myrtilles. Faut bien prendre des protéines sous une forme ou une autre.

– Tu en es à combien ?

– Presque vingt-deux semaines.

– Ça ne se voit pas.

– C'est la crème dessert, lui assura-t-elle. Tu as des enfants ? »

Il fit signe que non. « Je ne suis même pas marié.

– Il y en a que ça n'empêche pas de procréer.

– Certes, mais j'aime respecter les traditions. Ou remettre les choses au lendemain. Je n'ai pas encore décidé entre les deux. Il bouge ?

– Quoi, le bébé ?

– Oui, le bébé. Je ne te demande pas comment va ton fromage blanc.

– Ouais, elle commence. Plein de petits mouvements qui augmentent petit à petit si j'essaye de manger ou de dormir. Quand je ne fais rien, naturellement, elle est parfaitement calme.

– Elle ?

– C'est mon hypothèse. Mac veut un garçon. Un lanceur pour la première division de base-ball, je crois. C'est quoi votre problème avec ça, les gars ?

– C'est important, le sport, répondit Sal avec sérieux. Sinon qu'est-ce qu'on ferait le lundi soir ? »

Kimberly attaqua son fromage blanc. Elle avait beaucoup de choses à raconter, mais il lui semblait plus juste de laisser Sal prendre les commandes. Il en avait probablement gros sur la patate. De fait, il n'y alla pas par quatre chemins.

« Sympa, Quincy, de me balancer un nom comme ça. Juste assez d'infos pour me donner l'impression que ça t'intéressait mais sans réellement te découvrir. Tant qu'à me faire entuber, je dois dire que je me suis fait entuber en beauté.

– Tu penses que j'aurais dû te parler de la chevalière, hein ?

– L'idée m'a traversé l'esprit. »

Kimberly écarta les mains. Elle avait un peu réfléchi à la question et voilà ce qu'elle avait de mieux à proposer : « Écoute, on peut passer le quart d'heure qui vient, toi à râler parce que j'ai gardé la chevalière pour moi, et moi à râler parce que tu as essayé de faire parler une informatrice qui m'avait réclamée ; ou alors on peut s'entendre sur le fait que nous sommes tous les deux des enquêteurs teigneux et revenir à nos moutons.

– Je ne te fais pas confiance, tu ne me fais pas confiance, mais comme aucun de nous deux n'est digne de confiance, on devrait s'entendre à merveille ?

– Exactement. »

Sal étudia la question. « Pas bête, concéda-t-il. Continue. »

Il termina son sandwich, s'essuya la bouche. Il rata la mayonnaise sur sa joue et, sans y penser, Kimberly l'enleva avec son doigt. L'intimité du geste la frappa *a posteriori* et elle se radossa dans son siège, gênée.

« Donc, hum, dit-elle en fouillant dans son fromage blanc à la recherche d'une myrtille, Delilah Rose m'a donné une chevalière de lycée qui appartenait soi-disant à Ginny Jones. J'ai pu établir que c'était celle de Tommy Mark Evans, diplômé du lycée d'Alpharetta en 2006. Ginny Jones était dans la même classe.

– Ils sortaient ensemble ?

– Urey, l'entraîneur, ne le croit pas. Dans son souvenir, Tommy avait fréquenté une certaine Darlene Angler pendant la majeure partie de la saison, mais il avait peut-être rompu avant la fin de l'année. Il n'était pas certain de ce détail. Mais j'ai discuté avec la secrétaire de l'établissement, qui va remettre la main sur un annuaire du lycée pour nous. Avec un peu de chance, il arrivera d'ici la fin de la semaine. Elle a regardé la fiche de Virginia Jones pour moi…

– Sans mandat ? s'étonna Sal.

– J'avais pris ma voix la plus agréable. Et puis, c'est pour ça qu'on s'adresse aux secrétaires : elles sont formatées pour consulter des dossiers pour tout le monde à chaque instant. Elles ne prennent pas le temps de se demander pourquoi.

– Bien vu.

– Donc Ginny a fréquenté le lycée d'Alpharetta pendant quatre ans, mais n'a pas obtenu son diplôme. Elle a arrêté les cours en février. Et n'est jamais revenue. D'après son dossier, l'école a appelé chez elle, en vain. Pour finir, il y a un Post-it jaune avec une note manuscrite : "Il semble que la famille ait quitté la ville." J'imagine que les choses en sont restées là.

» Ginny était sous la responsabilité d'un parent, sa mère : Veronica L. Jones. J'ai passé quelques petits coups de fil : Veronica L. Jones travaillait comme serveuse au Hungryman Diner, mais, d'après le gérant, elle ne s'est pas présentée pour prendre son service et ils n'ont plus jamais eu de ses nouvelles. Mais ils ont un dernier chèque pour elle au cas où je parviendrais à la localiser. »

Sal écarquilla les yeux. « Elle aurait laissé une paye derrière elle ? Pas bon signe, ça !

– Je ne crois pas non plus. Les Jones possédaient une maison à Alpharetta. La municipalité a exercé son droit de séquestre au printemps 2007 pour récupérer des arriérés d'impôts fonciers. Depuis, la maison a été saisie. Je n'ai trouvé aucune trace d'un signalement de disparition pour Veronica ou Virginia Jones et, pourtant, toutes deux se sont manifestement envolées.

– Depuis février 2006 ? demanda Sal, perplexe.

– C'est en février que Ginny a cessé d'aller au lycée, donc j'imagine que c'était dans ces eaux-là.

– Mais d'après ta copine Delilah Rose, Ginny n'a disparu qu'il y a trois mois, en novembre 2007. J'ai un peu de mal à y retrouver mes petits.

– Ah, mais c'est là que l'appel téléphonique devient intéressant. Suppose un instant que la femme de la cassette soit la mère de Ginny, Veronica Jones.

– Vu que c'est ce qu'elle dit, ça se tient.

– Bon, disons qu'elle a été enlevée en février 2006. Ginny rentre à la maison, mais il n'y a personne. Et soir après soir, il n'y a toujours personne. Ginny pourrait faire ce qui s'impose et contacter les autorités, mais quelle adolescente ferait une chose pareille ? Au lieu de cela, elle met les bouts. Peut-être qu'elle a des copines à Sandy Springs ou alors elle se dit que ce sera super d'aller un peu en boîte, de faire les quatre cents coups, de ne jamais avoir de couvre-feu...

– Elle part faire la bringue, se laisse entraîner, ne revient jamais.

– Voilà. Maman est donc la victime numéro un.

– Et quasiment deux ans après, compléta Sal d'un air dubitatif, Ginny est la victime numéro deux ?

– En fait, corrigea Kimberly, Ginny est la victime numéro trois. »

« Tommy Mark Evans sort du lycée d'Alpharetta en juin 2006. Quarterback vedette, mention "très bien", héros local à tout point de vue. Il a décroché une bourse complète pour l'université de Pennsylvanie et il s'y rend à l'automne. Il revient pour les vacances de Noël. Le 27 décembre, il annonce à ses parents qu'il va faire un tour en voiture. Et ne revient jamais.

» On retrouve la voiture trois jours plus tard, planquée sur un vieux chemin de terre. Tommy est effondré sur le volant, abattu de deux balles dans le front. »

Sal haussa un sourcil. « Il y en a qui ont trop regardé *Les Soprano.* Quelque chose qui permette de penser que Tommy touchait à la drogue ? Qu'il en prenait, qu'il dealait ? Peut-être que le paysage avait changé pendant son absence et que le nouveau caïd n'appréciait pas son retour.

– Urey, l'entraîneur, ne croit pas, mais vu qu'il considérait Tommy comme un demi-dieu, je ne prendrais pas son opinion pour argent comptant. Le commissariat d'Alpharetta a mené l'enquête. D'après Urey, ils n'ont jamais trouvé de vraie piste ni arrêté personne. Les parents sont encore assez démolis d'avoir perdu leur fils comme ça, à Noël.

– Donc maintenant nous avons un parent disparu et un camarade de classe mort, tous deux liés à Ginny Jones. D'autres tragédies à Alpharetta dont je devrais être au courant ?

– Eh bien, c'est une grande ville, répondit Kimberly en haussant les épaules. Nous n'en sommes probablement qu'au début. C'est pour ça que tu devrais discuter avec la police d'Alpharetta.

– Moi ?

– Ils prendront plus vite tes appels que les miens. D'ailleurs, officiellement, je ne suis même pas sur cette enquête. J'ai fait tout ça par pure bonté d'âme. »

Sal eut l'air à nouveau méfiant. Kimberly ne l'en blâmait pas. Quel agent fédéral surmené faisait quoi que ce soit par pure bonté d'âme ? Quand même, un merci aurait été le bienvenu, se disait-elle.

Penses-tu.

« Je veux la chevalière, dit Sal. Mon affaire, mon indice.

– Elle est au chaud en magasin, lui assura-t-elle. Je vais organiser le transfert.

– Autre chose que tu ne m'aurais pas dit ? »

Kimberly allait répondre par la négative lorsqu'elle se rendit compte qu'elle avait omis un autre fait assez marquant et soupira : « Euh, il se pourrait que Delilah Rose ait indiqué que Ginny Jones avait été vue pour la dernière fois en compagnie d'un client qui se fait appeler M. Dinechara.

– M. Dinechara ?

– Un anagramme d'"arachnide". Il semblerait que le monsieur aime venir avec ses bestioles. Tu vois, rien de tel qu'une petite sortie en compagnie de sa mygale préférée. »

Sal semblait littéralement fasciné. « Tu rigoles ?

– Pas du tout. J'imagine que personne ne t'avait encore parlé de lui ?

– Je crois que je me souviendrais d'un truc pareil. Qu'est-ce qu'il fait avec ses araignées ?

– Oh, il les fait se balader sur différentes parties du corps des filles. Ou, avec un supplément, regarder.

– *Regarder ?*

– Tu n'as jamais l'impression que le monde est de plus en plus flippant ?

– Seulement chaque fois que je regarde un reality show. Donc un M. Dinechara avec sa copine mygale. Mince, ça ne devrait pas être trop difficile de se rencarder sur un lascar aussi unique. Quel est son lien avec Jones ?

– Il était son client. J'imagine que les araignées ne dérangeaient pas Ginny ; de même qu'on peut penser qu'elles ne gênaient pas mademoiselle Rose – il semble qu'elle ait un faible pour tout ce qui a huit pattes. Cela dit, en plus d'avoir vu Ginny pour la dernière fois en compagnie de M. Dinechara, Delilah prétend avoir retrouvé la chevalière de Tommy sur le plancher de son 4x4. Ginny la portait à une chaîne autour du cou, comme un talisman. D'après Delilah, elle ne l'aurait jamais abandonnée volontairement. »

Sal se posait à nouveau des questions. « Si Ginny portait la chevalière de Tommy autour du cou, tu n'en déduirais pas qu'ils étaient plus que de simples camarades ?

– Généralement, porter la chevalière d'un type indique plus que de l'amitié.

– Alors, manifestement il y a davantage à savoir sur Tommy Mark Evans que l'entraîneur ne le soupçonne.

– C'est toujours le cas. Mais si Ginny et Tommy étaient tellement proches, pourquoi Ginny a-t-elle pris la tangente ? Pour autant que je sache, devenir la petite amie du beau quarterback vedette donnerait à n'importe quelle ado une raison de rester. Voyons, rien que le plaisir de crâner...

– On tourne en rond, soupira Sal.

– C'est ce qui arrive quand on manque d'informations.

– Résultat des courses : nous avons maintenant dix femmes disparues, un quarterback mort, une chevalière reliant la disparue A au cadavre B et un homme-mystère qui a une araignée au plafond. J'ai raté quelque chose ?

– Dix cadavres. »

Il fit la moue. « Autre chose ? »

Elle haussa les épaules, plus sérieuse cette fois-ci. « La seule vraie piste dont nous disposions.

– À savoir ?

– Delilah Rose. »

14

« [...] le venin est essentiellement employé comme paralysant pour neutraliser la proie, qui peut en réalité survivre quatre ou cinq jours. L'araignée se nourrit ensuite à sa convenance. »

Tiré de *Biology of the Brown Recluse Spider*,
Julia Maxine Hite, William J. Gladney,
J.L. Lancaster Jr. et W.H. Whitcomb,
Service d'entomologie, Département d'agriculture,
université d'Arkansas, Fayetteville, mai 1966

IL ÉTAIT PLUS DE SIX HEURES lorsque Kimberly quitta son travail. La circulation était engorgée, l'autoroute un long et inextricable embouteillage. Elle songea à retourner au bureau pour attendre que les encombrements diminuent. Dieu savait qu'elle avait un million de coups de fil à passer, de demandes d'enquête à traiter, de rapports à lire. Mais elle ne le fit pas.

Elle se rendit à Alpharetta.

Elle ne connaissait pas bien le coin. Atlanta était si étendu qu'elle pourrait y vivre des dizaines d'années sans avoir un début d'idée des banlieues tentaculaires dont l'explosion accompagnait la croissance phénoménale de la ville. Celle-ci lui faisait l'effet d'une toile toujours plus large qui engloutissait les élevages de volailles et les routes de campagne, si bien que ce qui, une année, avait été une route panoramique devenait, l'année suivante, le lieu d'implantation du tout nouveau centre commercial. Et pourtant, l'État digérait cet essor urbain avec une relative facilité ; on trouvait encore la quiétude à deux heures de là, dans les montagnes au nord, ou à trois heures sur les plages du sud. Mac affirmait qu'il n'y avait pas un endroit au monde où il préférerait vivre.

Elle-même étudiait encore la question.

Mais elle était armée d'un plan, d'un téléphone portable et d'une mémoire quasi photographique. Comment aurait-elle pu vraiment se perdre ?

Le trajet jusqu'à la maison de Ginny Jones ne se passa pas trop mal. Le domicile déserté se dressait, petit et gris, sur fond de ciel assombri. Les fenêtres étaient condamnées avec des planches. Le jardin dans un état d'abandon désolant. Et pourtant, de toutes les maisons du quartier, ce n'était pas celle qui semblait la plus négligée.

À mesure que Kimberly parcourait les petites rues, les parcelles se firent plus grandes, les maisons plus vastes, les gazons de mieux en mieux entretenus. Il lui fallut se tromper de rue une demi-douzaine de fois pour, au bout d'une vingtaine de minutes, trouver l'adresse suivante sur sa liste : la maison de Tommy Mark Evans.

C'était une majestueuse demeure coloniale en brique perchée au sommet de dix hectares de pelouse vert émeraude. Un 4x4 BMW argenté était garé dans l'allée bordée d'arbustes artistiquement taillés en forme de spirale. Cela en apprenait assez à Kimberly.

Donc Ginny était la pauvre orpheline de père ; Tommy le riche champion de football. Mais la situation était-elle plus du type Cendrillon et le Prince charmant ou la Belle et le Clochard, en inversant les sexes ?

Kimberly commença à entrevoir des possibilités. Celle, par exemple, que Tommy, tout en sortant avec Ginny Jones, se soit senti obligé de le cacher sous la pression de ses camarades et/ou de ses parents. Peut-être que Ginny avait été un peu chatouilleuse sur ce point. Raison de plus pour fuguer lorsque maman n'était plus rentrée le soir à la maison ?

Kimberly avait un dernier arrêt à faire. La nuit était maintenant tout à fait tombée et elle avait du mal à lire le plan en conduisant. Elle fit le trajet par étapes de cinq cents mètres, parcourant les méandres d'un labyrinthe de petites rues, de zones de bureaux et de quartiers résidentiels jusqu'à manquer de se perdre. Elle pensait être plus près de chez Ginny que de chez Tommy, mais n'en était plus certaine. À gauche après le chêne, à droite après le grand hêtre.

Les pneus quittèrent l'asphalte. Elle brinquebalait sur de la terre. Un des tout derniers chemins vicinaux du coin. D'ici un an, ça se serait probablement construit. Et il ne resterait plus rien pour signaler le lieu où un jeune homme était mort.

Elle trouva sans difficulté l'endroit exact. Une croix blanche luisait dans l'obscurité, une couronne de Noël sèche à son pied, un nœud rouge battant légèrement au vent.

Kimberly se gara à vingt mètres de là. Elle attrapa son blouson et finit à pied jusqu'au monument.

Il était plus de dix-neuf heures trente à présent. Elle n'était pas loin de la civilisation, mais les arbres formaient un écran efficace et, de là où elle se trouvait, elle ne pouvait ni entendre le bruit des voitures, ni distinguer les lumières lointaines d'une ville trépidante. Comme la nouvelle lune était noire et invisible dans le ciel, le seul éclairage était celui des doubles phares de sa voiture. Tout était calme, silencieux.

Malgré elle, elle frissonna.

Tommy Mark Evans, lisait-on de haut en bas sur la croix. Puis, sur les branches : *À notre fils bien-aimé.*

Kimberly regarda autour d'elle : l'épais bosquet de rhododendrons, presque plus haut qu'elle ; les silhouettes fines et déchiquetées des pins qui, çà et là, griffaient le ciel de la nuit. Elle sentit les profondes ornières du chemin de terre sous ses pieds. Se servit de sa lampe de poche pour éclairer les sillons creusés par les pneus.

Elle imaginait bien un jeune homme conduisant comme un fou sur ce chemin, pied au plancher, hurlant chaque fois que ses énormes pneus heurtaient une ornière et l'envoyait planer dans les airs. Elle imaginait bien un jeune homme et sa bonne amie garés sur le bas-côté pour se peloter à qui mieux mieux jusqu'à embuer le pare-brise.

Mais elle n'imaginait pas un étudiant venir ici tout seul et s'arrêter sans raison pour être retrouvé avec deux balles dans le crâne.

Tommy Mark Evans connaissait son agresseur. Cela ne faisait aucun doute dans l'esprit de Kimberly.

Une chouette hulula. Un écureuil jaillit, traversa l'allée comme un dératé. Kimberly regarda l'herbe frissonner de l'autre côté du chemin longtemps après que l'écureuil eut disparu dans les broussailles, et la chouette descendit en piqué au-dessus d'elle.

Elle sentit un petit battement dans son flanc, son enfant qui s'éveillait. Elle pressa sa main contre son bas-ventre et, un instant, ce puissant sentiment de vie, au moment où elle se trouvait sur les lieux d'une telle tragédie, la plongea dans une tristesse indicible. Elle se demanda comment les parents de Tommy avaient vécu les fêtes de fin d'année. S'étaient-ils entourés de photos de leur fils ? Ou bien trouvaient-ils plus facile de faire comme s'il n'avait jamais existé ?

Comment le père de Kimberly avait-il pu faire ça ? Regarder toutes ces photos, se rendre sur toutes ces scènes de crime où des jeunes filles et des jeunes garçons avaient été assassinés avec un luxe de cruauté, et ensuite rentrer chez lui retrouver sa famille tous les soirs ? Comment console-t-on son enfant qui pleure pour un genou écorché quand on porte en soi l'image d'une autre fillette privée de doigts ? Comment dire à son enfant que les monstres n'existent pas quand, chaque jour que Dieu fait, on est témoin de leur œuvre ?

Et comment avait-il supporté ce coup de téléphone qui était finalement arrivé au milieu de la nuit : *Monsieur, nous avons le regret de vous apprendre que votre fille...*

Kimberly elle-même pensait rarement à sa sœur. À sa mère, oui. Mais à Mandy... Ce deuil était plus insidieux, elle n'aurait su dire pourquoi. Un enfant s'attend à perdre un jour ses parents. Mais sa sœur... Une sœur est une compagne, une égale. Elles étaient censées grandir ensemble, assister au mariage l'une de l'autre, échanger des conseils sur l'éducation des enfants et, un jour, essayer de décider comment s'occuper au mieux de papa.

À une époque, Kimberly avait été la cadette d'un duo. À présent, elle était fille unique.

On aurait pu croire qu'elle s'y ferait, mais non.

Kimberly tourna les talons, se dirigea vers sa voiture, les bras croisés sur la poitrine pour se réchauffer.

Elle n'avait pas fait deux pas que son portable sonna.

Il faisait trop noir, se dit-elle. Elle était trop seule, la tête trop pleine d'idées bouleversantes. Les derniers cris désespérés de Veronica Jones. Sa sœur, la tête enveloppée dans de la gaze blanche sur le lit d'hôpital, lorsque le médecin l'avait « débranchée », comme on dit, et qu'ils étaient restés, ses parents et elle, à la regarder mourir. Et puis, juste un an plus tard, la Maison de l'Épouvante qui était devenue l'ultime combat de sa mère.

Mandy avait eu de la chance. Elle n'avait pas vécu assez pour savoir que sa mort avait scellé le destin de leur mère. Veronica Jones avait-elle compris ? S'était-elle réellement rendu compte des conséquences qu'aurait son aveu tourmenté pour sa fille ?

Son téléphone sonna à nouveau. Kimberly voulait s'en aller. Mais elle était la fille de son père, incapable de dire non même si, plus que tout autre, elle aurait dû savoir se méfier.

« Agent spécial Quincy », répondit-elle.

Rien.

Elle attendit que quelqu'un lui dise de se taire, qu'une autre scène macabre commence à se jouer en fond sonore. Mais les secondes se succédèrent. Elle n'entendait rien du tout.

Elle vérifia la force du réseau, essaya de nouveau : « Agent spécial Quincy. »

Toujours pas un mot, mais en se concentrant, il lui sembla distinguer le bruit d'une respiration, sourde et régulière. Elle laissa le silence se déployer à nouveau. Cette stratégie ne donnait rien.

« Je voudrais vous aider, dit-elle alors. C'est d'accord, si vous avez besoin de parler. »

Rien.

« Il y a quelqu'un ? Vous avez peur qu'on vous surprenne ? Faites seulement un bruit, comme un raclement de gorge. Je prendrais ça pour un oui. »

Mais l'interlocuteur garda le silence.

Avec un sentiment de frustration grandissant, elle se mit à marcher en petits cercles.

« Vous êtes en danger ? »

Rien.

« Si vous me parlez, si vous me fournissez des informations, il se peut que je sois en mesure de vous offrir une protection. Mais vous ne pouvez pas vous contenter de faire mon numéro. Il faut que vous soyez prêt à parler. »

Alors enfin, à nouveau cette petite voix, tendue, mais étouffée, comme celle d'un enfant : « Chut.

– S'il vous plaît, je veux vous ai…

– Il sait ce que vous faites.

– Qui sait…

– Il sait tout.

– Pouvez-vous me donner un nom ?

– Ce n'est qu'une question de temps.

– Écoutez-moi…

– Vous serez le prochain spécimen de la collection.

– Est-ce qu'on peut se voir ? Donnez l'heure et le lieu, j'y serai.

– Chut. N'oubliez pas de regarder en l'air. »

La communication fut coupée. Kimberly resta là un moment encore, cramponnée à son téléphone, complètement abasourdie. Et puis, parce que c'était irrépressible, elle regarda en l'air.

Le ciel de la nuit béait au-dessus d'elle. Un semis d'étoiles. La lueur plus lointaine de la ville. Elle se força à observer les contours obscurs des arbres, les buissons, l'horizon au loin. Rien ne menaçait dans ces ténèbres inconnues. Aucun croque-mitaine ne surgissait pour s'emparer d'elle.

Puis, sur sa droite, une branche craqua. Perdant toute dignité, elle fonça vers sa voiture. Courut comme une folle, tâtonna avec sa clé. Elle ouvrit la lourde portière d'un coup sec et sauta à l'intérieur. Claquer la portière, verrouiller, faire démarrer le moteur.

Elle se ressaisit juste avant de dévaler le chemin de terre en trombe, telle l'héroïne à moitié nue d'un film d'horreur pour ados. Elle était une professionnelle, bon sang. Et lourdement armée.

Elle calma sa respiration et, bien à l'abri dans sa voiture, procéda à un dernier état des lieux. Pas de mouvement dans les bois autour d'elle. Pas de cavalier sans tête qui déboulait vers elle.

Juste une croix blanche solitaire, prise dans le réticule de ses phares.

Elle rentra lentement chez elle, en essayant de comprendre la dernière mise en garde de son interlocuteur. Si seulement tout ce qui avait trait à cette affaire pouvait ne pas la remplir d'angoisse.

Mac était à la maison lorsqu'elle arriva. Elle se gara à côté de sa voiture, arrêta le moteur. Elle se colla un sourire sur le visage, puis affronta la maison.

Il y avait de la lumière dans le couloir. Dans la cuisine, aussi. Elle balança son sac à bandoulière, enleva son blouson tout en remontant le couloir. Aucun signe de Mac. Elle essaya le séjour, où se trouvaient la télévision grand écran et le fauteuil relax en cuir noir préféré de Mac. Toujours pas de mari.

Elle retourna dans la cuisine pour y chercher un message, sentant la panique monter à nouveau en elle sans vraie raison. Il était peut-être sous la douche, ou bien dans le jardin, ou chez les voisins. Il y avait un million d'explications logiques.

Sauf que maintenant elle se posait des questions. Celui qui l'avait appelée connaissait son numéro de portable. Que savait-il d'autre sur elle ?

« Kimberly. »

Elle sursauta et fit volte-face, posant par réflexe sa main sur son cœur. Mac se tenait sur le seuil de la cuisine, en blouson d'aviateur, ses cheveux bruns ébouriffés par le vent, comme tout juste rentré d'une promenade.

« Mon Dieu, tu m'as fait peur », dit-elle en baissant sa main, se trouvant toute bête.

Mac continuait à la regarder d'un air sombre, sans esquisser un geste pour traverser la cuisine, l'embrasser sur la joue, l'accueillir.

« Il est tard, dit-il enfin.

– Désolée, j'ai été retenue au boulot.

– J'ai appelé le bureau.

– J'étais sortie, répondit-elle, contrariée par son ton. Il y a un problème ? Si tu avais tellement besoin de me joindre, tu n'avais qu'à appeler mon portable.

– Je ne voulais pas m'en servir », dit-il sèchement.

Kimberly resta interloquée. « Mais qu'est-ce qui se passe, Mac ? Ça m'arrive tout le temps de bosser tard. À toi aussi. Depuis quand on joue les inquisiteurs ?

– Tu travailles sur cette enquête.

– Quelle enquête ? »

Il fit alors un pas en avant, le visage grave. « Tu sais de quoi je parle, Kimberly. Delilah Rose. Ce type aux araignées. Tu t'impliques. Enceinte de cinq mois. *Enceinte* de cinq mois, bon sang, et tu patauges dans cette merde jusqu'au cou.

– Évidemment. Je suis agent fédéral. C'est mon boulot de patauger dans la merde.

– Non, c'est le boulot du FBI. Et du GBI. Or justement cet État regorge de centaines d'enquêteurs parfaitement qualifiés qui pourraient tous s'occuper de cette affaire. Comme Sal, ou ton copain Harold, ou Mike, ou John, ou Gina. Tous compétents, sérieux et tout aussi tenaces que toi. Mais ils ne peuvent pas mener cette enquête, hein, Kimberly ? Il faut toujours que ce soit toi.

– Hé, je te signale que j'ai refilé le bébé à Sal Martignetti ce matin à la première heure. J'ai même organisé le transfert de la chevalière à la police d'État. Tu as eu ce que tu voulais, Mac, la balle est dans le camp du GBI.

– Tu étais où, dans ce cas ? »

Il posa la question tranquillement et ce fut ainsi qu'elle sut qu'elle était dans le pétrin.

Alors elle se braqua et se prépara à une dispute qu'ils regretteraient sans doute tous les deux. Mais ils étaient ici et maintenant et elle avait toujours eu horreur d'avoir tort.

« Depuis quand il faut que je te rende des comptes sur mon emploi du temps ?

– *Bordel*, explosa Mac. Tu crois que je ne sais pas ? J'ai déjà eu Sal au téléphone. Qui, à ce propos, veut te parler de son entrevue avec les parents de Tommy Mark Evans. Tu es allée jeter un œil par toi-même, hein, Kimberly ? Incapable de t'en remettre à Sal pour faire le nécessaire. Non, le gars a seulement enquêté sur cinquante ou soixante homicides ces dix dernières années, qu'est-ce qu'il pourrait bien connaître à ces trucs-là ? Tu as écumé les bars ? À la recherche d'une pute ? Ou bien tu t'es plantée à un coin de rue en criant : "Ohé, Monsieur le Psychopathe. Venez voir le tout nouvel appât."

– Je n'ai rien fait de ce genre ! J'ai circulé en voiture dans Alpharetta pour voir les maisons de Ginny et Tommy. Rien de dangereux. Une simple balade.

– Et ton téléphone ? Il n'a pas sonné ? »

Elle pinça les lèvres avec une moue rebelle, ce qui était une réponse suffisante.

Cette fois-ci, Mac donna du poing sur le plan de travail. « Ça suffit. En tant que mari, je n'ai jamais fait la loi. Mais trop, c'est trop. Si tu n'as pas assez de bon sens pour t'en apercevoir, moi si. Tu ne travailles plus sur cette enquête. *Finito.* Terminé. Que Sal s'en occupe !

– Ça va, ce n'était qu'un appel obscène, la respiration rauque, tout ça. Je ne vais pas me laisser effaroucher par un gamin qui s'amuse et tu devrais même avoir honte de le suggérer.

– Kimberly, *tu ne comprends pas* ?

– Comprendre quoi ? cria-t-elle en retour, réellement déroutée.

– Qu'il ne s'agit plus de toi. Qu'il s'agit de notre enfant, du bébé qui grandit dans ton ventre. Et qui, en grandissant, apprend déjà à connaître le monde, même dans l'utérus. Notre enfant a des oreilles, tu sais. J'ai vérifié dans ce foutu livre que tu m'as refilé. Après vingt semaines de grossesse, les bébés entendent. Et qu'est-ce que tu crois que notre bébé a entendu la nuit dernière ? »

Il fallut une seconde à Kimberly. Alors elle réalisa et ses mains se portèrent instinctivement à son ventre, caressant le doux renflement dans un geste protecteur tardif. Elle n'avait pas pensé, ne s'était pas rendu compte…

Mais oui, elle avait dépassé le terme des vingt semaines. Le moment où le fœtus peut entendre et où les mères réellement dévouées commencent à écouter du Mozart ou du Beethoven pour mettre au monde des génies. Sauf que Kimberly n'avait ni le temps ni la patience pour ces âneries. Non, elle se contentait de faire écouter des cris d'agonie à son bébé.

« Je suis sûre… », commença-t-elle avant de s'arrêter, incapable de continuer.

Les épaules de Mac finirent par se relâcher. À l'autre bout de la cuisine, la colère semblait le quitter. Il paraissait seulement hagard. Elle aurait dû aller vers lui, se dit-elle, passer ses bras autour de sa taille, poser sa tête sur sa poitrine. Peut-être que s'il sentait le bébé bouger comme elle le sentait bouger, il comprendrait que leur enfant allait très bien, que les bébés sont résilients, bla, bla, bla.

Mais elle était paralysée.

Figée. Son bébé entendait. Et qu'avait-elle fait entendre à son bébé la nuit dernière ?

Mac avait raison. La vie avait changé.

« Kimberly, tenta Mac, plus doux cette fois, fatigué. On va s'en sortir.

– Si je démissionne ? demanda-t-elle posément. Si j'arrête de bosser, d'être un bourreau de travail, d'être moi-même ?

– Tu sais que je ne te demanderais jamais ça.

– Mais si, tu le fais.

– Non, pas du tout, insista-t-il en élevant de nouveau la voix. Il y a une différence entre ne pas travailler du tout et ne pas travailler sur les crimes de sang. Il y a une différence entre te demander de rester à la maison et te demander de limiter tes horaires à quarante heures par semaine. Il y a une différence entre dire "Hé, balance toutes tes missions par-dessus bord" et dire "Kimberly, par pitié, ne te lance pas dans une nouvelle enquête qui n'est même pas du ressort du FBI." Je ne demande pas la lune, le soleil et les étoiles de la nuit. Je demande simplement un peu de jugeote.

– Un peu de *jugeote* ?

– J'aurais peut-être pu trouver un meilleur mot.

– Qu'est-ce qui a changé pour l'instant, Mac ? Dis-moi un peu, qu'est-ce qui a vraiment changé ? »

À son tour d'être décontenancé. « Il y a le bébé ?

– La grossesse ! Il ne s'agit pas encore d'un bébé, c'est de mon corps qu'on est en train de parler. Le même corps avec lequel je vais travailler depuis quatre ans et que je ramène sain et sauf.

– Ce n'est pas tout à fait vrai...

– Oh que si ! Tu veux parler de confiance ? De jugeote ? Alors fais-moi confiance pour prendre soin de moi et de ce corps comme je l'ai fait ces quatre dernières années. Je ne me mets pas au milieu de fusillades. Je ne participe pas aux missions à risque. Je ne vais même plus au stand de tir pour éviter d'être exposée au plomb. Merde, je viens de passer six jours sur le théâtre d'un accident et je n'ai même jamais franchi le ruban jaune, juste par précaution. Je prends mes vitamines, je ne bois pas, je surveille ma consommation de poisson frais. Franchement, je m'occupe super bien de moi et du bébé et, pourtant, au premier coup de fil venu, te voilà prêt à jouer les gros bras : "Hé, c'est trop difficile pour toi, poupée, sur la touche."

– Je n'ai pas dit ça !

– Tu aurais aussi bien pu !

– Mais qu'est-ce qui ne va pas chez toi ? demanda Mac en haussant à nouveau le ton. Comment peux-tu être aussi butée ? C'est notre bébé. Comment peux-tu ne pas l'aimer autant que je l'aime ? »

À l'instant où il prononça ces mots, elle vit qu'il aurait voulu les retirer. Mais c'était trop tard bien sûr. Il l'avait énoncé, ce constat latent entre eux depuis le moment où elle avait découvert sa grossesse. Sa peur à lui. Sa peur à elle. Elle pensait que ça serait douloureux. Ce fut le cas.

« Kimberly…

– Je crois qu'on devrait en rester là pour ce soir.

– Tu sais que je ne le pense pas.

– Mais si, tu le penses, Mac. Tu le penses. Ta mère est restée à la maison avec vous. Tes sœurs sont à la maison avec leurs enfants. Tu as beau dire, tu es encore un conservateur dans l'âme : le mari travaille, la femme reste à la maison. Et elle devrait en être heureuse, à supposer qu'elle aime sa famille.

– Tu as raison, on devrait en rester là.

– C'est ce que je fais. »

Elle tourna les talons, remonta à pas lourds le couloir jusqu'à leur chambre.

Elle s'attendait à ce qu'il la suive. C'était leur habitude. Elle était obstinée, fière, têtue comme une mule. Mais il finissait toujours par l'apaiser en lui parlant, lui volant un baiser, la faisant sourire.

Elle avait besoin qu'il l'apaise. Qu'il la prenne dans ses bras en lui disant qu'elle allait être une bonne mère, qu'elle n'était pas aussi ignoble, égoïste et autodestructrice qu'elle en avait soudain l'impression.

Mais Mac ne la suivit pas dans le couloir. Après quelques instants, elle entendit la porte d'entrée s'ouvrir, se refermer, et elle fut toute seule.

15

*L*E BURGERMAN *m'a pris mon anniversaire. Il disait que je n'en avais plus besoin. Nous célébrions un autre jour, celui de mon arrivée. Celui où je lui avais appartenu.*

Pour le quatrième anniversaire de mon arrivée, il est venu avec une caisse de bière et une pute.

« Je ne sais pas, a dit la prostituée. Il a l'air très jeune.

– Qu'est-ce que ça peut te foutre ? a demandé le Burgerman. Je suis son père, alors si j'ai envie d'offrir un peu de bon temps au gamin, en quoi ça te regarde ? Tu devrais être contente d'avoir enfin une toute nouvelle queue au lieu des mollassonnes habituelles. Allez, un beau gamin comme ça. Vas-y à fond. »

Le plus étrange, c'était que je n'avais pas trop mauvaise allure. Ma vie était finie, mais mon corps semblait l'ignorer. Je grandissais. Mes épaules s'élargissaient. Mes bras se dotaient de muscles fins et déliés. J'avais même un début de barbe.

Je vieillissais. Assez pour que le Burgerman ne me touche plus aussi souvent.

Il avait d'autres usages pour moi à présent.

La fille s'est avancée docilement. Le Burgerman a sorti la caméra.

« Détends-toi », a dit la fille. Elle m'a touché la joue. J'ai tressailli.

« Je vais te dire, chéri : oublie-le. Fais juste comme s'il n'était pas là. Il n'y a que toi et moi. Un joli garçon, une charmante

demoiselle. » Elle a pouffé, laissant apparaître deux trous à la place des dents. « Un beau couple comme nous devrait bien arriver à s'amuser un peu. »

Elle m'a pris la main, l'a passée sous son chemisier, sur ses seins. « Qu'est-ce que tu en dis, chéri ? Sympa, hein ? Faut reconnaître que ceux qui aiment en avoir sous la main m'adorent. J'ai tout ce qu'il faut là où il faut. »

Je la trouvais molle, flasque. Je ne savais pas quoi faire de mes doigts. J'avais les joues en feu, cramoisies. J'ai détourné les yeux, mais je ne pouvais quand même pas m'empêcher de rougir.

Ensuite, elle s'est rapprochée de moi en se passant la langue sur les lèvres, et ses mains ont appuyé la mienne sur son sein spongieux. « Vas-y, chéri, tripote mon téton avec tes doigts. Pétris-le, écrase-le, tu ne peux pas me faire mal. Oui, chéri, il est là pour ça. Fais comme si j'étais ta maman et que tu voulais juste téter un peu. »

J'ai brusquement retiré ma main, horrifié. Elle se passait toujours la langue sur les lèvres, les hanches saillantes dans une petite jupe en cuir noire, des bourrelets de graisse débordant à la taille.

Ne m'obligez pas, avais-je envie de crier. Oh, s'il vous plaît, éloignez-vous de moi.

« Merde, a dit le Burgerman. Tu lui fiches les jetons, à ce gosse. Finissons-en. »

La fille a haussé les épaules, s'est agenouillée et a commencé à déboutonner mon pantalon. Avant que j'aie eu le temps de protester, elle avait sorti mon pénis et l'avait mis dans sa bouche.

J'ai eu un mouvement de recul, mais elle me tenait les hanches à deux mains, fermement. Le Burgerman s'était approché en zoomant.

Comme si de rien n'était, il m'a filé une beigne sur le côté de la tête.

« Gémis, crétin. Ça tourne. Fais en sorte que ça ait l'air bon. »

Et là, à partir de cet instant, avec l'empreinte rouge de sa main sur la joue, j'ai pu gémir. Faire en sorte que ça ait l'air bon. C'étaient mes instructions et je savais comment agir quand je faisais ce qu'on me disait. Mon corps persistait à fabriquer de la chair et du sang, mais en réalité, je n'étais rien d'autre qu'un robot. Obéissant. Passif. Programmable.

Le Burgerman aussi a paru le comprendre. Il a aboyé d'autres instructions et cela a accéléré les opérations.

Quand ça a été terminé, le Burgerman était manifestement excité. Je me suis demandé s'il allait m'obliger à faire ça une nouvelle fois, devant la fille. J'avais connu tant d'humiliations que ça n'aurait guère dû avoir d'importance, et pourtant, cela me contrariait. Peut-être parce qu'elle avait été ma première et que je voulais avoir l'air d'un homme à ses yeux, même si ce n'était qu'une putain.

Mais le Burgerman ne m'a pas touché. Au lieu de cela, il s'en est pris à la pute.

Elle a protesté. Il ne l'avait pas assez payée, ce n'était pas leur accord. Alors il l'a frappée sur la tête avec la caméra jusqu'à ce qu'elle se taise. Ensuite, il a fait ce qu'il avait envie de faire depuis le début pendant que les paupières de la fille enflaient et que sa lèvre saignait.

Plus tard, il lui a balancé de l'argent et j'ai vu qu'elle savait la chance qu'elle avait de recevoir autant. Elle a attrapé ses vêtements au vol et s'est sauvée.

Même les putes sont plus malignes que moi.

Le Burgerman a ouvert la première bière, me l'a tendue. En a pris une deuxième pour lui et proposé un toast.

« Bonne baise, fiston. Je savais que j'avais bien fait de te choisir. Tu vas me rendre riche. »

Il a éjecté la cassette de la caméra et, tout en sifflotant, est allé dans le cagibi pour la mettre dans le coffre-fort avec tous les autres films porno et photos amateur qu'il avait commencé à vendre contre de fortes sommes d'argent.

Nous avons fumé quelques joints. Bu encore des bières. J'ai fini par sombrer.

Quand je me suis réveillé, le Burgerman était endormi sur le canapé, il ronflait bruyamment.

La porte n'était pas fermée à clé. Je n'y pensais même plus.

Je me suis levé pour aller me coucher.

J'ai rêvé de ma mère, mais à mon réveil, je ne me rappelais plus son visage.

Brune, blonde, des yeux marron comme les miens ?

Je me souviens qu'elle aimait vérifier la cuisson des spaghettis en les lançant contre le réfrigérateur. Ça nous donnait le fou rire, à mon frère et à moi. Je me souviens qu'en été, elle préparait des pichets de sangria et se prélassait au bord de la piscine. Je me souviens qu'il y a longtemps, une éternité, je m'asseyais sur ses genoux, ses bras autour de moi, et que je me sentais en sécurité.

Je n'arrive pas à me souvenir du visage de ma mère.

Je n'ai pas encore décidé si je réessaierai demain.

16

> « Chez la plupart des espèces, le sac qui contient les œufs est surveillé de près par la femelle. »
>
> Tiré de la rubrique « élevage des araignées », http://insected.arizona.edu/spiderrear.htm

« LES PARENTS DE TOMMY sont convaincus qu'il a été tué par quelqu'un qu'il connaissait, disait Sal. Mieux encore, ils pensent que c'était peut-être une querelle d'amoureux.

– Descendu de deux balles dans la tête par une ex ? Sympa.

– Ils ne sont pas certains, mais il n'y a aucun doute que Tommy fréquentait quelqu'un en cachette pendant sa dernière année de lycée. Il s'était mis à sortir beaucoup en prétextant qu'il allait voir ses potes, mais ensuite les potes appelaient et demandaient à lui parler. Sa mère l'a questionné une ou deux fois, mais il esquivait toujours. Oh, Otis a appelé ? C'est parce qu'il n'était pas avec Otis mais avec Kevin. Kevin a appelé ? Bien sûr, c'est parce qu'il était avec Perrish. Sur le coup, elle ne s'est pas trop inquiétée. Tout le reste semblait rouler – ses notes, le football, le lycée. Elle se disait qu'il les mettrait au courant le moment venu. Évidemment, aujourd'hui elle regrette de ne pas l'avoir un peu plus cuisiné sur le sujet. »

Kimberly ne répondit que par un grognement. Elle se trouvait dans la voiture de Sal, devant le Foxy Lady. Le néon du night-club projetait des lettres manuscrites rose vif toutes les deux secondes sur le visage de Sal et, sur son nez, une danseuse de french cancan à moitié nue.

« Je ne comprends pas, finit-elle par dire. Comment ils passent de l'idée que Tommy avait une petite copine secrète à celle qu'il a été descendu par cette même *femme fatale* ?

– Par désespoir. Faute d'autre réponse. Quelque chose est arrivé à la fin de la dernière année de lycée de Tommy. Ils ne savent pas quoi. Il est devenu lunatique, renfermé, il a arrêté de sortir. Le père se disait que son fils s'inquiétait pour son diplôme, l'entrée à la fac de Pennsylvanie, les compétitions de football universitaires. Sa mère pensait qu'il y avait eu une petite amie et qu'elle et Tommy avaient rompu, sans que la décision vienne de Tommy. Cette hypothèse s'appuyait, entre autres, sur le fait que, de toute évidence, Tommy ne fréquentait plus Darlene, sa petite amie attitrée depuis un an, et que, d'après Mme Evans, ça ne ressemblait pas à Tommy de rester célibataire trop longtemps.

– Donc, il était peut-être avec Ginny Jones, médita Kimberly. Et en février, elle s'est volatilisée, le laissant avec un gros chagrin.

– Possible. Quelque chose a mal tourné. Tommy a fait la tête, puis il est parti à l'université. Il semblait aller mieux lorsqu'il est revenu pour Noël. Il allait rester sur le banc de touche toute la saison, m'a avoué son père, mais il encaissait bien. Le père est un peu dingue de foot, faut que je te dise. Pas sûr que Tommy aurait été un tel cadeau du ciel s'il avait été, mettons, champion d'échecs.

– Ou bien alors son père aurait été fan des échecs. »

Le regard cocasse que Sal lui adressa l'informa de ce qu'il pensait de cette idée. Quatre nouvelles filles arrivaient dans la rue. Kimberly n'avait jamais vu autant de cuissardes de cuir noir et de bas résille au même endroit. Elle avait l'impression d'être piégée au début du film *Pretty Woman.* Il ne manquait plus que Richard Gere se pointe en Lotus Esprit. Ce qui n'était pas exclu. Ils avaient déjà repéré trois Porsche et une Noble.

Mais jusqu'à présent, pas de Delilah Rose en vue.

« Le soir du 27, continua Sal, Tommy a reçu un appel sur son portable. Il a répondu dans sa chambre, en faisant plein de cachotteries. Quand il est ressorti, il a annoncé qu'il allait voir un copain. D'après sa mère, il ne touchait pratiquement plus terre, un sourire jusqu'aux oreilles, et il a filé en coup de vent. Première idée de la mère à l'époque : clairement, le copain était une copine et clairement, il était surexcité de la voir. Bon, faut se rappeler que Tommy était absent depuis quatre mois. Donc si c'était une petite copine, le plus probable était qu'il la connaissait déjà avant. Donc la mère s'est demandé…

– Si ce n'était pas la fille mystère de la dernière année de lycée.

– Et, conclut Sal avec entrain, les policiers du coin confirment que le chemin de terre où est mort Tommy était le rendez-vous des amoureux à Alpharetta. Densément boisé, peu de passage. L'endroit idéal pour la rencontre de Tommy avec la *femme fatale.*

– Qui aurait alors changé d'avis et l'aurait descendu ?

– Peut-être que l'absence avait provoqué un retour d'affection. Elle aurait voulu jouer les prolongations. Tommy, de son côté… Hé, un beau gosse comme ça qui part à l'université : ça m'étonnerait qu'il soit resté seul dans son lit tout l'automne.

– Alors, pour commencer, notre minette mystère le largue et ensuite, comme elle ne peut pas le récupérer, elle le tue ?

– Je te l'accorde : les femmes sont incompréhensibles.

– Oh, pitié. Comme si les hommes étaient des monuments de simplicité. »

Kimberly termina sa phrase avec plus d'amertume qu'elle n'en avait eu l'intention et reprit son observation maussade de la vitre passager.

Sal sombra dans le silence. Ce type semblait fonctionner en mode binaire : manger/parler. À cet instant, les deux irritaient prodigieusement Kimberly.

Elle vit une fille sortir de la boîte, volumineuse tignasse blonde, jupe outrageusement courte, talons vertigineux. Elle avait passé son bras autour de celui d'un homme trois fois plus vieux qu'elle, moustache et mèche cache-misère de rigueur. Un Sonny Bono du nouveau millénaire. La fille gloussait et faisait claquer son chewing-gum pendant qu'ils s'éloignaient d'un pas léger.

Un type comme ça, on croirait qu'il aurait les moyens de payer une chambre d'hôtel. Mais il allait probablement demander une pipe à l'avant de sa Porsche, réalisant ainsi plusieurs fantasmes en un.

Une fois, elle avait caressé Mac pendant qu'ils roulaient de nuit sur l'autoroute. Il avait failli partir dans le décor et les tuer – pas vraiment le scénario décrit dans les articles à la une de *Cosmo*. Mais une fois arrivés chez eux, les choses s'étaient nettement arrangées.

C'était à leurs débuts, bien sûr. Quand ils étaient tous les deux jeunes, ivres d'amour et qu'ils ne craignaient pas d'être imprudents.

Était-il jamais possible de revivre ces instants ? Ou bien était-ce comme ça ? Ils allaient se taper dessus, se découvrir de nouveaux griefs et de vieilles querelles pour gouverner leur vie quotidienne. Jusqu'à ce qu'elle baisse les bras, ou que Mac baisse les bras, et qu'ils entrent dans les statistiques nationales.

Sa mère n'avait jamais pardonné à son père. Bethie était tombée amoureuse de Quincy, l'avait épousé, avait porté ses enfants. Et il ne rentrait toujours pas à la maison le soir. Jamais elle ne s'était remise de cet affront. Et jamais il n'avait cessé de se sentir coupable.

Comment la mort pouvait-elle compter davantage que votre propre famille ?

« À quoi tu penses ? » demanda timidement Sal.

Kimberly détacha son regard de la fenêtre.

« Au développement du fœtus, répondit-elle sèchement. Au fait que les bébés réagissent aux bruits forts à dix-huit semaines de grossesse, mais que les oreilles internes, externes et moyennes ne sont complètement formées qu'à vingt-six semaines. Alors à vingt-deux semaines, quel est le degré exact d'audition ? L'utérus est un milieu bruyant, entre les battements du cœur, la circulation sanguine, la digestion. Peut-être que le bébé n'entend rien du tout. Ou peut-être qu'elle a tout entendu. Ou alors peut-être qu'elle n'a entendu que les bruits les plus forts, les choses vraiment terribles. Est-ce pire ? Je ne sais pas.

– Ton bébé nous entend ? demanda Sal en regardant son ventre avec fascination. Tu veux dire qu'en ce moment-même, il, elle, le bébé écoute tout ce que nous disons ?

– Je ne sais pas. C'est ce que j'essaie de déterminer.

– Waouh. C'est d'enfer. »

Cette déclaration étonna Kimberly. « Tu es sérieux ?

– Bien sûr. Voyons, pense un peu à ça : par une belle journée, il se peut, par exemple, que je démarre ma tondeuse. Pendant que tu es assise là, à faire grandir une vie, une chouette petite personne qui dira maman, papa et qui peut-être, je ne sais pas, mettra un jour au point une tondeuse plus perfectionnée. Tu crois que je pourrai le toucher la prochaine fois qu'il bougera ? Juste une fois. »

Elle hésita. « Bon, faut reconnaître que tu m'as acheté des crèmes dessert.

– Étonnant, dit encore Sal, et il semblait le penser.

– Tu devrais prendre un chien, Sal.

– Non, je suis allergique.

– Alors pourquoi pas un bonsaï ? Il y a un agent dans notre service… »

Mais avant qu'elle puisse poursuivre, le paysage changea enfin. Sal s'en aperçut également.

« Cible en vue à trois heures, signala-t-il.

– En piste. »

Puis ils sortirent de voiture et fondirent sur Delilah Rose.

Dès qu'elle les aperçut, Delilah voulut prendre la tangente. Sal l'attrapa par le bras, la fit virevolter. Kimberly lui barra le chemin. Comprenant qu'elle était piégée, Delilah se mit sur la défensive.

« Il ne faut pas qu'on me voie avec vous. Allez-vous-en, merde !

– Vous avez l'air un peu nerveuse, Delilah. Voyons, depuis la création du nouveau commissariat de Sandy Springs, ça doit arriver souvent qu'une prostituée soit interrogée par la police.

– Je m'en fous, de la police. Ou de ce que pensent les autres filles. C'est de Dinechara que j'ai peur. S'il croit que je suis en train de balancer, je serai morte avant demain matin.

– Très bien, répondit Sal en désignant sa voiture banalisée d'un geste ample. Passons dans mon bureau. On fera des tours dans le quartier ; personne n'en saura rien.

– Pitié. Cette bagnole pue les stups à plein nez.

– Alors on va marcher un peu », dit Kimberly, qui avait déjà douillettement passé son bras autour de celui de Delilah. Elle la tira en avant, forçant la fille à la suivre d'un pas mal assuré. « Il doit bien y avoir un petit resto familial quelque part, continua-t-elle. Je doute que M. Dinechara passe beaucoup de temps dans ce genre d'établissements. Ce sera comme de se cacher au vu et au su de tout le monde et en plus on pourra tous profiter d'un dîner équilibré et agrémenté de vos spirituelles reparties.

– Je vous déteste, murmura Delilah d'un air sombre tout en se mettant au pas. Vous êtes en train de foutre ma vie en l'air.

– Vous voyez, le libre échange d'idées commence déjà. Vous arrivez vraiment à marcher avec ces chaussures ? C'est fou ce que vous êtes grande. »

Tenant Delilah bien calée entre eux, Sal et Kimberly l'emmenèrent à vive allure, un pâté de maisons dans un sens, trois dans l'autre. Avec la mixité urbaine qui caractérisait cette partie de la ville, il y avait un resto italien aux couleurs vives à deux pas de là. Ils l'entraînèrent à l'intérieur, la jetèrent dans un box entouré de familles avec deux enfants et firent passer les menus. Sal se déclara mort de faim et prit des lasagnes. Kimberly choisit une soupe à volonté et de la salade. Delilah jura et ronchonna, puis, lorsqu'elle finit par comprendre que quelqu'un d'autre allait payer, commanda des fettuccini alfredo et du poulet grillé.

Sal et Kimberly laissèrent la priorité au dîner. Ils firent crouler leur informatrice affamée sous les pâtes chaudes et la soupe fumante, comptant sur le réconfort d'un bon dîner pour faire le travail à leur place. Tout avantage était bon à prendre.

« Je serai remboursée pour le manque à gagner ? demanda Delilah en consultant sa montre au milieu du repas.

– Non, mais vous pourrez emporter les restes chez vous, lui assura Kimberly.

– Et comment je vais faire ? dit la prostituée en levant les yeux au ciel. Je vais fourrer le restant de poulet dans mon soutif à balconnet pendant que je travaille le reste de la nuit ?

– Je suis sûr qu'il y en a qui paieraient un supplément pour ça », dit gravement Sal.

Delilah lui jeta un regard noir. « Vous, vous êtes le connard qui a essayé de me parler la première fois. Je ne vous aime pas. Débrouillez-vous pour qu'il parte, ajouta-t-elle en regardant Kimberly.

– J'ai déjà essayé. Il est plutôt du genre Velcro. Vous feriez mieux de vous habituer à lui.

– Hé, je n'ai pas à m'habituer à des emm... »

Kimberly interrompit le nouveau couplet de la fille en l'attrapant par le poignet et en le plaquant violemment dans son assiette de fettuccini. « Taisez-vous et écoutez. Vous vouliez nous donner des infos. Bon, on est là. Alors, arrêtez de nous faire perdre notre temps et parlez, bordel. »

Delilah la regarda d'un air plus circonspect. « C'est comme ça que votre mère vous a appris à parler ?

– Ma mère est morte, merci de demander. »

Delilah finit par baisser les yeux. Kimberly retira sa main et ne quitta pas la fille du regard pendant qu'elle prenait une serviette pour essuyer les éclaboussures de sauce blanche. Sal jouait sa partition en se confondant avec la banquette couleur aubergine. Ils arriveraient peut-être quand même à faire équipe.

« Pourquoi vous m'appelez, Delilah ? »

La fille parut déconcertée. « Vous appeler ? Je ne vous ai pas appelée. Je n'ai même pas rencontré l'homme aux araignées depuis qu'on s'est parlé la dernière fois et je n'ai rien de nouveau à dire.

– À qui avez-vous parlé de notre entrevue ?

– À qui ? Vous êtes malade ? Dans le milieu où je vis, les mouchards ne font pas long feu. Pas le genre de trucs dont on se vante. »

Kimberly la jaugea, essaya d'évaluer si elle disait vrai. Delilah avait coiffé ses cheveux blond sale en queue-de-cheval, ce qui mettait en valeur le tatouage bleu foncé d'une araignée qui grimpait au-dessus de ses épaules, les pattes accrochées dans son cou, les crochets tendus vers la courbe de son oreille gauche.

« C'est lui qui a suggéré le tatouage, Delilah ? Qui vous a peut-être payée pour le faire ? Quelques centaines de dollars, un millier ? Combien ça coûte de laisser une marque dans le cou d'une fille ? »

Le regard de Delilah devint fuyant, indiquant à Kimberly qu'elle tenait quelque chose.

« Depuis combien de temps vous le connaissez ?

– Deux-trois mois, marmonna Delilah, détournant toujours les yeux.

– D'après vous, Ginny Jones a disparu il y a trois mois et vous connaissiez toutes les deux M. Dinechara avant ça. Vu de chez moi, ça fait plus que deux-trois mois.

– Bon, peut-être plutôt six. Ou huit. Je ne sais plus. Qui tient des comptes ?

– Donc vous le connaissiez avant de tomber enceinte. »

La fille ouvrit de grands yeux. Soudain d'une immobilité de pierre, elle regarda fixement son restant de pâtes, les bras raides le long du corps.

« Delilah ?

– Dinechara n'est *pas* le père de mon bébé, proféra la fille à toute vitesse. J'avais un petit copain. Quelqu'un que j'aimais, d'accord ? Quelqu'un dont je pensais qu'il m'aimait. Alors allez vous faire foutre. Il ne s'agit pas de mon bébé dans cette histoire.

– Alors de quoi s'agit-il ? Vous connaissez Dinechara depuis près d'un an. Pourquoi le balancer aujourd'hui ?

– Je vous l'ai dit : il a fait quelque chose à Ginny...

– Et à Bonita Breen ? Ou Mary Back, ou Etta Mae Reynolds ? L'un de ces noms vous dit quelque chose ? »

Sal avait pris la parole, captant l'attention de Delilah. Il avait changé de place pour la bloquer dans le coin, lui faire sentir qu'elle était cernée, qu'elle n'avait guère le choix.

« Quoi ? Qui ?

– Ou Nicole Evans, Beth Hunnicutt, Cyndie Rodriguez ? Colocataires, associées, complices ? »

Delilah le regarda sans comprendre, l'air éperdue, hagarde. « Cyndie est partie. Depuis des mois. Qu'est-ce que ça a à voir avec Cyndie ?

– Où est-elle partie ?

– Je ne sais pas. Où vont les gens ? Ailleurs qu'ici.

– Vous la connaissiez bien ?

– Juste assez pour la croiser de temps en temps. Elle aimait faire la fête, si vous voyez ce que je veux dire...

– Droguée ?

– Ben tiens, elle aurait sniffé n'importe quoi depuis la superglue jusqu'à la coke. On peut dire que c'était une abonnée de la loose, celle-là. »

Sous le coup de l'indignation, Delilah s'était redressée, son regard avait repris un air de défi.

« Quand l'avez-vous vue pour la dernière fois ?

– Je ne sais pas, moi. Cyndie faisait juste partie de ces filles qui sont... *dans le coin.* On la voyait par-ci, par-là. Mais c'était pas comme si on s'écrivait ni rien.

– Vous connaissez ses colocataires ? »

Delilah réfléchit. « Attendez une seconde. Deux filles, c'est ça ? Une brune, l'autre avec des cheveux méchamment teints en blond ? Ouais, maintenant que vous le dites, je l'ai vue de temps en temps avec deux filles. Une fois, elles étaient en train de la ramasser par terre pour traîner ses fesses vers la porte. J'imagine que c'était peut-être ses colocs.

– Vous les avez vues dans le coin récemment ?

– Non, pas franchement.

– Ça arrive souvent ? Que des filles apparaissent et disparaissent ?

– Tout le temps. Elles disent qu'elles vont faire le trottoir histoire de voir, de se faire un peu de blé rapidement. Mais ensuite elles se font aspirer et bouffer par cette vie. Alors elles se tirent.

– Où est-ce qu'elles vont ? demanda Kimberly.

– Elles font le circuit classique, répondit Delilah, fataliste. Quand on ne s'en sort pas ici, on part vers l'est et Miami, ou vers l'ouest et le Texas. Tout le monde connaît une amie d'amie qui habite ici ou là et qui se fait une brique par soir. Alors les filles se barrent, pour aller faire toujours la même chose dans une autre ville, comme si elles allaient d'un seul coup décrocher le jackpot. C'est marrant, quand on y pense. Au fond, toutes les prostituées sont des optimistes dans l'âme.

– Est-ce que certaines reviennent ? demanda Sal.

– Des fois. Je ne sais pas. Peut-être au bout d'un an ou deux. Sauf si elles tombent dans la drogue, ajouta-t-elle sans s'émouvoir. Alors là, elles sont grillées.

– Cyndie, Beth, Nicole. Vous savez, pour elles ? »

Nouveau haussement d'épaules nonchalant. « Pas vues. Qu'est-ce que ça peut vous foutre ?

– Qu'est-ce que ça peut vous foutre, pour Ginny Jones ? demanda Kimberly. Pourquoi vous croyez qu'elle n'est pas allée voir si l'herbe était plus verte ailleurs, comme tout le monde ?

– Parce qu'elle ne serait pas partie comme ça, répondit immédiatement Delilah. Pas sans me prévenir.

– Vous étiez si proches ?

– Ginny était gentille. Personne ne s'en rendait compte. Les gens la trouvaient bizarre. Mais elle avait des projets, des rêves, des espoirs. Elle était juste... perdue, vous voyez.

– Il lui arrivait de parler de sa mère ? »

Encore un haussement d'épaules, mais moins assuré cette fois-ci. Elle regardait à nouveau fixement ses pâtes et Kimberly pouvait pratiquement la voir se creuser les méninges à la recherche du mensonge le moins flagrant.

« Je crois que sa mère est morte, souffla Delilah.

– Elle vous l'a dit ? demanda Sal.

– Elle l'a... laissé entendre. Elle disait qu'elle n'avait personne. Qu'elle était seule au monde.

– Et vous, Delilah, demanda posément Kimberly, comment avez-vous atterri ici ? »

La fille eut un mouvement de recul, comme si elle avait pris un coup. Lorsqu'elle releva la tête, ses yeux lançaient des éclairs. « Ça vous plairait de savoir, hein ? Les flics ! Jamais là quand on a besoin d'eux.

– Si vous voulez signaler un crime...

– Je vous emmerde !

– Delilah...

– Non, c'est fini. Compris ? Vous ne valez pas mieux que n'importe qui. Juste deux clients comme les autres, prêts à user et abuser des gens pour parvenir à vos fins. Et ensuite vous allez me jeter sur le trottoir sans même me filer un billet de dix. Je vous emmerde, okay ? Je-vous-em-merde ! »

Delilah lança un regard vers Kimberly, vers Sal, puis, ayant fait son choix, appuya à deux mains sur le torse de Sal et le repoussa sur le côté. À part la retenir physiquement, il ne pouvait rien faire pour l'arrêter.

Elle passa en trombe à côté de lui et plusieurs clients s'arrêtèrent de manger le temps de regarder, bouche bée, cette apparition fugitive de jambes nues.

Le patron du restaurant accourut avec des regards inquiets.

« L'addition, s'il vous plaît », demanda Kimberly.

Le patron déguerpit. Sal reprit ses esprits.

« Elle a son petit caractère », dit-il.

Kimberly flanquait déjà de l'argent sur la table avant de s'extraire du box.

« Allez, Sal. Miss Gipsy a la frousse. Voyons où elle s'est sauvée. »

17

« Chaque araignée consomme environ deux mille insectes par an. Sans les araignées, le monde serait envahi. »

Tiré de *Freaky Facts About Spiders*,
Christine Morley, 2007

DELILAH ROSE se déplaçait vite pour une femme enceinte perchée sur des talons de quinze centimètres. Même si elle avait parlé de retourner au travail, elle fit l'impasse sur cinq boîtes, zigzaguant dans les longues rues en femme qui connaissait le quartier.

Tout essoufflés derrière elle, Kimberly et Sal étaient obligés de rester en retrait, de se fondre dans la foule des jeunes gens qui engorgeaient l'entrée de chaque établissement puis de s'en extirper pour s'accrocher aux basques d'une nouvelle bande de fêtards qui remontait la rue. Immanquablement, la bande déviait de l'itinéraire de Delilah, laissant les enquêteurs exposés et vulnérables jusqu'à l'arrivée d'un nouveau groupe.

Tête baissée, tenant fermé à deux mains son blouson bleu élimé, Delilah alternait quasi-sprints et arrêts brutaux pour jeter des regards dans toutes les directions avec la paranoïa aiguë d'une femme qui vit sur le fil du rasoir.

Elle remonta un côté de la rue, prit un virage serré à droite, le tout pour redescendre de l'autre côté. Voulait-elle débusquer une proie ? Semer les plus zélés ? Kimberly commençait à avoir le tournis à force d'essayer de suivre sans se faire voir, lorsque Delilah se dirigea droit sur une Mazda cabossée intercalée entre deux 4x4.

La fille passa la main sous la Mazda, en sortit un étui magnétique qui contenait des clés et Kimberly sentit l'accablement l'envahir.

« Merde, elle a une voiture.

– Je croyais que la police l'avait ramassée à la gare, la première fois.

– Ça lui a donné une bonne leçon, on dirait, parce que maintenant elle a une voiture. »

Delilah ouvrit la portière, se glissa au volant.

« Et maintenant ? marmonna Kimberly en se tenant le côté gauche, qui avait commencé à se contracter sous la fatigue.

– Écoute, dit Sal rapidement en jetant un œil au ventre arrondi de Kimberly. Tu retournes chercher ma bagnole. Je lui colle au train. Dans ces rues avec un feu à chaque carrefour... on va pratiquement aussi vite à pied qu'en voiture. Avec un peu de chance, je peux la garder en ligne de mire jusqu'à ce que tu puisses me retrouver avec la bagnole. »

Il lui lança les clés juste au moment où Delilah déboîtait. Sal se précipita pour la suivre en courant vers le carrefour. Kimberly revint sur leurs pas aussi vite qu'elle le put, suffoquant malgré elle, espérant ne pas vomir.

Mac avait raison, bon sang. Encore un mois et elle marcherait péniblement en canard dans les couloirs.

Elle posa la main sur son côté et promit un poney à Bébé McCormack si elle voulait bien s'accrocher là encore cinq minutes. Bébé McCormack lui donna un coup : apparemment l'enfant avait déjà le même sens de l'humour que Mac.

Elle arriva à la voiture de Sal. Sans vomir. Se faufila sur le siège passager, puis se débattit avec le contact, la ceinture, le tableau de bord inconnu. Elle était encore tremblante et pantelante, rien à voir avec son calme et sa décontraction habituels. En sortant de sa place, elle coupa la route à un autre véhicule, ce qui lui valut un coup de klaxon et un *connasse !* retentissants.

Elle partit en trombe vers le nord, conduisant d'une seule main, jouant du portable de l'autre. Sal lui indiqua un carrefour, mais lorsqu'elle se rangea pour le prendre au vol, Delilah n'était plus en vue.

« Où ? demanda Kimberly.

– Elle vient de partir vers l'autoroute, répondit Sal, hors d'haleine. Vers le nord. Vite. Mets les gaz. »

Elle mit les gaz et Sal fut plaqué sur le siège passager. Il attrapa sa ceinture et ils reprirent la chasse.

Lorsqu'elle entra sur la GA 400, Kimberly se jeta sur la voie du milieu et la remonta pied au plancher. Sal scrutait à droite. Kimberly à gauche.

Si bien qu'ils manquèrent de percuter la Mazda bleue de Delilah qui roulait au milieu. Kimberly l'aperçut *in extremis,* appuya sur le frein et se laissa largement distancer. Elle se planqua sur la file de droite, se rabattant sur la voie de sortie comme n'importe quel abruti qui ne sait pas où il va. Au dernier moment, elle regagna brusquement la file qui continuait vers le nord, sauf qu'il y avait maintenant deux voitures entre la leur et celle de Delilah.

« Tu penses qu'elle va où ? demanda Sal.

– Aucune idée. La police de Sandy Springs t'a filé son adresse ?

– Ouais. Une résidence, mais quand j'ai sonné à l'appartement en question, le gros Latino qui m'a ouvert n'avait jamais entendu parler d'aucune Delilah Rose. Je m'avance peut-être un peu, mais je dirais qu'elle a menti.

– Et ses empreintes ?

– Rien dans le fichier national.

– Ouais, grommela Kimberly. Autrement dit, on sait toujours que dalle sur elle. Maligne. »

Sal brandit son calepin. « Ah, mais maintenant je peux lancer une recherche sur son immatriculation.

– Beau boulot, Sal. Beau boulot. »

Delilah avait mis son clignotant. Quoi que Kimberly puisse penser d'elle par ailleurs, Delilah était une conductrice consciencieuse. Elle ne faisait pas d'excès de vitesse, respectait le code. Ce qui la rendait très facile à suivre. D'autant que Kimberly connaissait la GA 400 par cœur – Atlanta, Sandy Springs, Roswell et Alpharetta s'alignaient toutes le long de cet axe central. Il y avait des moments où Kimberly avait l'impression de passer ses journées sur la 400. Elle et tout Atlanta avec elle.

Delilah prit la sortie et Kimberly l'imita quelques instants plus tard.

La petite Mazda bleue traversa une zone d'activités et entra dans un quartier résidentiel. Tout cela rappelait vaguement quelque chose à Kimberly, mais elle n'arrivait pas à remettre le doigt dessus. L'artère était large, une rue avec deux voies de chaque côté séparées par un terre-plein central. Delilah resta à droite. Kimberly en fit autant.

Les voitures se raréfiaient à présent, il était près de minuit. Une demi-douzaine, puis quatre, puis trois, puis finalement juste Sal et Kimberly, à vingt mètres derrière Delilah.

« Merde, murmura Sal.

– Chut, lui dit Kimberly. Il fait noir. Elle ne voit que nos phares. Tant qu'on ne fait pas de bêtises, on devrait pouvoir s'en sortir. »

Delilah ralentit. Kimberly aussi. Elle regarda par la fenêtre, perplexe. Elle aurait juré qu'elle aurait dû savoir où elle se trouvait. La haie de buissons à l'abandon, les arbres squelettiques.

Et d'un seul coup, elle sut. Elle arrivait par l'autre côté, mais il n'y avait aucun doute.

Delilah Rose s'engageait brutalement sur le chemin de terre où Tommy Mark Evans avait trouvé la mort.

Kimberly passa devant le chemin, éteignit les phares et se rangea. « Descends de voiture, intima-t-elle à voix basse. C'est l'heure d'une petite balade. »

Sal ouvrit sa boîte à gants, fouilla dans les profondeurs jusqu'à y trouver une lampe torche. « On ne peut pas y aller en voiture ?

– C'est un chemin de terre. Aucune circulation. Elle nous remarquera forcément. Mais je crois que c'est aussi le bout de la route pour elle. Ce sentier ne mène qu'à une seule chose : une scène de crime. »

Sal écarquilla les yeux lorsqu'il comprit où elle voulait en venir. « C'est le chemin où Tommy Mark Evans a été tué ? Mais pourquoi Delilah…

– C'est ça. Exactement. Pourquoi Delilah ? En se grouillant, on a peut-être une chance de le découvrir. »

Ils enfilèrent tous les deux leur lampe de poche dans leur manche et les pointèrent vers le bas pour qu'un mince faisceau de lumière éclaire discrètement le sol sans trahir leur position. Sal s'était déjà mis à courir. Kimberly se massa le côté et suivit en serrant les dents.

Le chemin était profondément défoncé, creusé à certains endroits par les trombes d'eau qui étaient tombées à l'automne, parsemé de petites pierres et de mottes de terre. Il leur fallait zigzaguer tout en essayant de se déplacer en silence et avec assurance, même quand Sal se tordait la cheville ou que Kimberly trébuchait sur une branche.

Kimberly apercevait une faible lueur droit devant : les phares d'une voiture en mouvement. Une voiture, deux voitures, elle ne pouvait pas en être certaine. Il lui vint à l'esprit que Delilah avait peut-être rendez-vous avec quelqu'un à cet endroit et que la personne la plus probable serait celle qui avait descendu Tommy Mark Evans. Auquel cas, ils devraient partir du principe que l'individu était armé et dangereux, le genre qui ne prendrait pas trop bien l'arrivée inopinée de deux agents spéciaux.

Qu'avait-elle dit à Mac juste la veille ? Qu'elle ne se jetait pas au milieu des fusillades, qu'elle avait d'elle-même renoncé à assumer des missions à haut risque. Qu'il devrait lui faire confiance pour se garder du danger comme elle le faisait depuis quatre ans.

La vérité lui apparut, comme elle se plaît à apparaître au moment où elle est la plus malvenue : elle ne devrait pas être en train de faire ça. Elle était une imbécile.

Ses pas se firent hésitants, mais il était déjà trop tard. Sal fonçait sur le chemin de terre, il s'en remettait à elle pour couvrir ses arrières.

Kimberly sortit son pistolet et pria pour que tout se passe au mieux.

Cinquante. Quarante. Trente mètres. D'aussi près, il devenait évident qu'il n'y avait qu'une seule voiture, dont les rayons des phares se rencontraient sur la croix blanche, un peu comme ceux de Kimberly la veille au soir.

Ralentissant l'allure, lampes torches éteintes, ils se faufilèrent au bord du chemin, se déplaçant presque au coude à coude pour pouvoir communiquer par le contact, l'intuition.

Vingt mètres. Dix.

Delilah Rose apparut finalement, le dos éclairé par les phares. Elle se tenait devant la croix. Ses mains semblaient jointes devant elle. Ses épaules se soulevaient.

Sal toucha le bras de Kimberly. Montra l'autre côté du chemin. Elle hocha la tête, puis traversa à toutes jambes le chemin à découvert pour gagner l'abri relatif des buissons en face. Resta au même niveau que Sal à mesure qu'ils progressaient, toujours plus près. Deux chiens de chasse sur la piste.

Au dernier moment, Kimberly regarda en l'air. Rien. Épia d'un côté, de l'autre. Tout était dégagé.

Dernier coup d'œil derrière elle.

Le chemin formait un long et noir tunnel de nuit qui engloutissait la civilisation, un lieu solitaire pour mourir.

Sal compta à rebours sur ses doigts. Cinq, quatre, trois, deux, un.

Il entra dans le halo de lumière, le pistolet encore baissé le long de la cuisse, mais le doigt sur la détente.

Delilah sursauta, se retourna. Ses mains montèrent à son visage trempé de larmes.

« Delilah », dit Sal d'une voix égale.

La fille se remit à pleurer. Et ces sanglots venus du cœur donnèrent enfin la clé de l'énigme à Kimberly.

« Hé, Sal, dit-elle, je te présente Ginny Jones. »

« Vous ne comprenez pas, disait la fille. Vous ne pouvez pas m'appeler comme ça. Je suis Delilah Rose. C'est la seule raison pour laquelle je suis encore en vie. »

Sal et Kimberly avaient fait remonter Delilah dans sa voiture, cette fois-ci avec Kimberly au volant. Ils avaient rejoint la route principale, où Sal avait récupéré son véhicule, puis continué jusqu'à une pharmacie ouverte tard le soir où ils pouvaient facilement se mêler aux autres voitures sur le parking. Ils avaient maintenant fait asseoir Delilah à l'arrière de la Crown Vic de Sal et tous deux l'avaient dans leur ligne de mire depuis les sièges avant. Les lieux étaient encore plus étriqués qu'une salle d'interrogatoire classique, et beaucoup plus efficaces.

« Pourquoi nous avoir dit que Ginny Jones avait disparu ? demanda Kimberly. Si nous ne sommes pas censés connaître ce nom, pourquoi l'avoir porté à notre attention ? »

Delilah-Ginny refusait de regarder Kimberly. Elle contemplait ses genoux, triturait indéfiniment l'ourlet de son blouson.

« Je suis la seule encore en vie, murmura-t-elle. Les uns après les autres, petit à petit... » Elle releva finalement la tête. « Je ne mentais pas, l'autre jour : c'est vrai que je souhaite mieux pour mon bébé. Je veux… j'ai *besoin* que tout ça s'arrête. Je pensais que si j'arrivais juste à attirer l'attention de quelqu'un. À faire en sorte qu'on s'intéresse à nous. Je suis tellement fatiguée.

– C'est quoi, "tout ça" ? la pressa doucement Sal. Commencez par le commencement, Delilah. Dites-nous ce qui s'est passé et on pourra peut-être vous aider. »

Delilah-Ginny semblait se parler à elle-même :

« C'est ma faute. Il s'est arrêté sur le côté. J'ai accepté de monter dans sa voiture. Je ne me doutais pas. Il y en a qui deviennent violents, vous voyez. Qui ont besoin de bastonner une fille pour prendre leur pied. Mais lui… Ce n'est pas frapper la fille qu'il veut. C'est la posséder. La détruire. Et ensuite il la tue. C'est ça qui lui plaît. Briser les gens. »

Sal et Kimberly échangèrent un regard. Sal mit son dictaphone en marche. Kimberly prit la direction de l'interrogatoire.

« Quand êtes-vous montée dans sa voiture ?

– Il y a une éternité, répondit Delilah d'un air morose.

– Hiver, printemps, été, automne ?

– Hiver. Février. Ma mère m'avait enfermée dehors, enfin je croyais, et j'avais froid. Il s'est pointé dans son 4x4 de luxe. J'ai cru que j'avais de la chance.

– En quelle année, Delilah ? »

La fille fronça les sourcils, sembla avoir besoin de réfléchir. « Il y a longtemps. Il y a un, deux… deux ans. Avant le diplôme. Je devais aller dans une école d'esthétique. Tout le monde me prenait pour une nulle, mais j'avais des projets. Je voulais faire coiffeuse.

– Donc nous sommes en février 2006, reprit Kimberly, il est tard le soir…

– Plus de onze heures.

– Vous êtes…

– À quelques rues de chez moi. Je marche. Sur la grand-route, vous voyez.

– Votre mère vous a enfermée dehors ? »

La bouche de la fille se déforma. « J'étais avec Tommy. J'avais raté le couvre-feu. Quel con. » Ses lèvres tremblèrent, elle parut sur le point de fondre à nouveau en larmes, mais elle se reprit, poursuivit : « Maman avait dit que si je recommençais mes conneries, elle me donnerait une bonne leçon. Quand je suis rentrée, tout était bien fermé. J'ai pensé qu'elle avait fini par le faire. Alors je suis repartie.

– Donc vous marchez, il fait froid et un véhicule se présente. Quel genre de véhicule ?

– Je vous l'ai déjà dit : un Toyota FourRunner noir, finitions chrome. Série limitée.

– Et le conducteur ?

– Dinechara, je vous ai dit. Casquette rouge, vêtements genre Eddie Bauer, 4x4 de luxe. Pourquoi tout le monde s'imagine que je ne dis pas la vérité parce que je suis une pute ? »

Kimberly décida de fermer provisoirement les yeux sur le fait que Ginny avait bel et bien menti à plusieurs reprises. « Donc vous l'avez rencontré il y a deux ans ?

– Ouais.

– Quand il vous a prise en voiture.

– Ouais.

– Que s'est-il passé ensuite, Ginny ? »

Les yeux de la fille se perdirent dans le vague. Elle frissonna en regardant des images qu'elle seule pouvait voir. « Il a lancé une cassette.

– Une cassette ?

– Oui, dans sa voiture. C'était un enregistrement… de ma mère, qui agonisait. Il me l'a fait écouter je ne sais pas combien de fois. Elle hurlait, elle hurlait, elle hurlait. Et elle lui donnait mon nom. Pauvre conne. Jusqu'au bout, elle aura été infoutue de faire quoi que ce soit de bien. Pauvre, minable, lamentable conne. »

Ginny renifla, s'essuya le nez du dos de la main. Elle posa son autre main sur son ventre, caressant distraitement son bébé du pouce. Promesses silencieuses à son enfant ? Doutes de parvenir à faire mieux que sa propre mère ?

« Qu'est-il arrivé à votre mère, Ginny ? »

La fille regarda Kimberly d'un air sévère. « Il l'a tuée, je vous dis.

– Avez-vous vu quoi que ce soit ? Le lieu du crime ? Ou bien le corps ?

– Non, j'ai seulement entendu la cassette. Croyez-moi, c'était suffisant.

– Et ensuite ?

– Ensuite il a souri. Il a dit : "Maintenant c'est ton tour. Bienvenue dans la collection."

– Qu'avez-vous fait ?

– J'ai négocié, voilà ce que j'ai fait, répondit la fille avec chaleur. Je l'ai convaincu de me laisser en vie. Je lui ai promis la meilleure pipe qu'il ait jamais eue. Mais ça l'a fait rigoler. "Bien sûr que tu vas faire ça, Ginny, il a dit. Tu vas réaliser tous mes rêves. Ensuite, je découperai la peau de ton petit cou de Blanche et je te donnerai à manger à mes petites bêtes.

» Il a sorti un couteau comme j'en avais jamais vu. Long, effilé, argenté. Un couteau à fileter, il appelait ça. Et là, je vous jure que j'ai fait tout ce qu'il demandait pendant qu'il me tailladait les bras et les jambes, plein de petites coupures sanglantes partout qui faisaient un mal de chien. Bon sang, que ça faisait mal. Ensuite il a sorti un bocal.

» Dedans, il y avait une araignée noire avec de longues pattes et des taches rouge vif. "Une veuve noire, il m'a dit. Le venin est quinze fois plus puissant que celui du crotale. La morsure elle-même est indolore. En fait, certaines personnes ne sentent rien. Au début. Ensuite arrive une violente douleur au ventre, mais vraiment des crampes énormes qui te plient en deux. Et puis on se met à transpirer pendant que la bouche se dessèche complètement. Les paupières gonflent au point de se fermer. La plante des pieds brûle, les muscles s'embrasent.

“On souffre atrocement pendant des jours. Recroquevillé, on convulse, on vomit, on prie pour mourir. Il y a un sérum, mais pour ça il faudrait que je change d’avis et que je t’emmène à l’hôpital, alors tu vois si c’est probable…”, il m’a fait avec un grand sourire. “Normalement, la veuve noire femelle assouvit ses instincts violents en dévorant son partenaire. Mais j’ai découvert que l’odeur du sang l’excite beaucoup. Si on essayait, pour voir ?”

» Il a commencé à dévisser le bocal et j’ai… j’ai supplié. Je ferais tout ce qu’il voudrait. N’importe quoi. Et c’est là que j’ai compris que j’étais foutue. Parce que ma mère avait dit exactement les mêmes choses et regardez ce qu’il lui avait fait.

» Juste au moment où il soulevait le couvercle, ça m’est venu : c’était d’être supplié qui le faisait jouir. Plus je criais, plus j’étais condamnée. Alors j’ai fermé ma gueule. Et quand cette veuve noire est sortie du bocal, une patte après l’autre, je l’ai prise sur ma main et je l’ai laissée là. Je lui ai parlé. Je l’ai considérée comme un animal de compagnie et vous savez quoi ? Ça a marché. Elle a grimpé sur mon bras et touché mes lèvres avec ses pattes. Elle était douce, vous savez. Presque curieuse. »

Ginny se toucha la bouche du bout des doigts, comme au souvenir de cet instant.

» Et après, super zen, je l’ai prise pour la remettre dans son bocal. Et j’ai regardé l’homme droit dans les yeux en lui disant : “Elle est magnifique. Montrez-m’en une autre.”

» Il m’a renversée sur le dos et culbutée comme un malade. Tellement fort que j’ai cru qu’il allait me casser les côtes. Après, quand il a eu fini, il s’est rassis sur son siège, il a allumé une cigarette et j’ai su que j’allais vivre. Il suffisait que j’apprenne à aimer réellement les araignées.

» Nous avons passé un accord : je ferais le tapin pour gagner ma vie ; il prendrait la moitié de l’argent ; je fermerais ma gueule ; il me laisserait vivre. » La bouche de Ginny se tordit en un sourire amer. « Et depuis, c'est comme ça. Une fois par mois, il se pointe. Une baise, le fric, et c'est reparti pour un mois.

– C'est votre mac ? » s'étonna Kimberly.

Ginny lui lança un regard cinglant. « Les macs assurent une protection. Dinechara ne protège pas. Si un mec me tabasse à mort, me gruge de mon argent, qu'est-ce que ça peut lui foutre ? Il serait plutôt du genre homme de main, à venir me plumer tous les mois. Comme ça, je peux travailler aussi dur que je veux, jamais je n'améliorerai ma situation. Je peux faire tout ce que je veux, jamais je ne m'échapperai. Il a tenu sa première promesse, hein ? Je suis un spécimen de sa collection. Mon terrarium est un peu plus grand que la moyenne, mais c'est quand même une cage et nous savons tous les deux que je n'en sortirai pas.

– Quelqu'un a déjà assisté à l'une de ces transactions ? Quand vous le payez ? demanda Sal.

– Jamais de la vie ! Il n'est pas débile.

– Quelqu'un vous a déjà vus ensemble ? »

Ginny haussa les épaules. « Il vient en boîte, c'est comme ça qu'il me retrouve. Comme n'importe quel client. Les gens l'ont vu, mais ça m'étonnerait que beaucoup l'aient vu *vraiment*, si vous voyez ce que je veux dire.

– Il a d'autres filles ? » demanda posément Kimberly.

Ginny hésita, détourna à nouveau le regard. « Je ne suis pas sûre.

– Pas sûre, ou bien vous ne voulez pas répondre ? Allez, Ginny. Au point où on en est. Autant aller jusqu'au bout.

– Hé, rappelez-vous les termes de l'accord : si je veux vivre, je dois fermer ma gueule.

– Trop tard. Vous avez déjà commencé à parler. Maintenant c'est dans votre intérêt de nous donner assez d'éléments pour vous aider.

– Les filles ne parlent pas ! Juste, elles… disparaissent, dit Ginny en relevant brusquement la tête. Comment ça se fait que la police ne soit pas au courant ? Comment vous pouvez ne pas comprendre ce qui se passe ici ? Tous les mois, il y en a une nouvelle qui disparaît. Et personne ne dit rien ! Sérieux, on croirait qu'on est des insectes et qu'il peut en dévorer autant qu'il veut sans que personne en ait rien à branler. Un million de mouches meurent et un million d'autres naissent le lendemain. Vous devriez savoir ces choses-là. Vous devriez vous *intéresser* à nous !

– Combien de filles ? insista Sal.

– Plein !

– Vous pouvez me donner des noms ? Des dates ? Il me faut des détails.

– Alors interrogez les gens ! Je ne vais pas faire votre boulot à votre place. Déjà que je risque ma peau !

– Qu'arrive-t-il aux filles ? questionna Kimberly – sa voix arrivait de l'autre côté, prenant Ginny à revers.

– Je ne sais pas.

– Il les fait monter dans son 4x4 ?

– J'imagine.

– Il les emmène chez lui ?

– Je ne sais pas. Je n'ai jamais été chez lui. Toutes nos transactions se font dans son FourRunner. J'en sais déjà trop comme ça.

– Mais les corps, Ginny, demanda Kimberly sans la lâcher. Si toutes ces filles sont supprimées par un seul et même homme, comme vous le prétendez, que deviennent les cadavres ?

– Je ne sais pas ! se récria à nouveau Ginny, le regard fuyant. C'est votre boulot, non ? Pourquoi je serais censée tout savoir ?

– Laissez tomber, déclara Kimberly en se rasseyant dans son siège, les bras croisés. Vous avez raison : vous ne savez rien de rien. On la renvoie d'où elle vient, Sal. Il n'y a rien à en tirer. On la remmène à la boîte, on la largue devant. Si elle a de la chance, peut-être que personne ne remarquera.

– Vous feriez pas ça !

– D'ailleurs, elle n'est même pas si bonne menteuse que ça.

– Hé ! s'exclama Ginny, les yeux tout rouges. Je suis bien assez bonne comme ça. Je suis encore en vie, oui ou non ? »

Kimberly lui sauta finalement à la gorge, la forçant à retomber sur la banquette. « C'est de ça qu'il s'agit, Ginny ? D'un leurre ? D'après vos propres dires, vous n'êtes qu'une joueuse, qui cherche un moyen de s'en sortir. Au nom de quoi on devrait vous croire ? Des disparitions ? Des araignées ? Pitié, ça tient plus du Stephen King que d'un crime réel. Qu'est-ce que vous voulez, à la fin ? Vous n'arrêtez pas de m'appeler et pourtant vous refusez de me dire quoi que ce soit d'utile.

– Je vous appelle ? répondit Ginny avec un nouveau signe de dénégation. Je vous l'ai déjà dit : Je n'ai pas vu Dinechara depuis notre dernière conversation. Je n'ai eu aucune raison de vous appeler.

– Allons donc, vous avez appelé mon numéro, vous m'avez fait écouter cet enregistrement de votre mère…

– Vous avez entendu la cassette ? s'exclama Ginny, qui sembla réellement surprise puis ragaillardie. Mais alors vous savez ! Vous savez que je n'invente pas ! C'est vraiment un tueur. Vous avez entendu la cassette, vous pouvez l'arrêter !

– À qui avez-vous donné mon numéro, Ginny ?

– À personne, je vous jure ! Je me ferais descendre rien que pour avoir la carte de visite d'une fédérale sur moi. Tu parles si je vais aller crier ça sur tous les toits.

– Alors qui m'a appelée ?

– *Je ne sais pas !*

– Si, vous savez !

– *Mais non, bordel, je ne sais pas !*

– *Mais si, bordel, vous savez !* »

Kimberly se rassit. Elle et Ginny avaient toutes deux le souffle court. Frustrée, elle lança un regard de côté vers Sal. Celui-ci prit la direction des opérations.

« Ginny, dit-il, qu'est-il arrivé à Tommy ? »

La fille se recroquevilla. Ses épaules se voûtèrent, son masque de dure à cuire tomba.

« *Je* suis arrivée à Tommy, répondit-elle avec lassitude. Tout le monde doit donner un nom. C'est lui qui l'exige. Il faut que ce soit le nom de quelqu'un qu'on aime. Il avait déjà tué ma mère, vous vous souvenez ? Tommy était tout ce qui me restait.

– Vous avez vu Dinechara tirer sur Tommy ?

– Non. Mais je sais qu'il l'a fait. Depuis que j'ai vu la nouvelle au journal télévisé. Qu'est-ce qui pourrait s'être passé d'autre ?

– Tommy prenait de la drogue ? demanda Sal sans sourciller.

– Tommy ? Impossible, répondit-elle en se renfrognant. C'était M. Zéro Défaut. Il croyait même qu'il m'aimait, vous voyez le genre. Quel pauvre con. »

Sa main tâtait son cou, l'endroit où, à une époque, elle avait peut-être porté une chevalière au bout d'une chaîne.

« C'est pour ça que vous m'avez donné la chevalière ? intervint Kimberly. Pour me conduire à Tommy ?

– Vous disiez qu'il vous fallait des preuves. Voilà, vous en avez. Le meurtre de Tommy n'a pas été élucidé. Et vous avez entendu l'enregistrement de ma mère. Alors maintenant, foutez Dinechara en taule.

– Rien ne nous ferait plus plaisir, répondit Sal. Tout ce qu'il nous faut, c'est son nom. »

Ginny lui lança un regard noir. « Et je le connais, d'après vous ? Pourquoi il serait assez con pour me dire une chose pareille ? Vous ne comprenez pas. C'est lui qui a le contrôle. Lui qui détient le pouvoir. Je ne suis qu'un moucheron qu'il ne s'est pas encore décidé à tuer. »

Kimberly se rassit, les lèvres pincées. Elle observa Ginny un long moment en se demandant si, rien qu'en la regardant, elle pourrait entrevoir ce qui se passait réellement derrière la façade. D'un côté, Ginny avait la première pris contact avec la police et elle prétendait vouloir que justice soit faite. Mais d'un autre, elle ne leur disait jamais grand-chose. De son propre aveu, elle était assez courageuse pour laisser une veuve noire danser la polka sur son bras, mais pas assez pour prendre la tangente à la seconde où Dinechara la lâchait. Assez futée pour survivre à un tueur en série depuis deux ans, mais sans jamais avoir remarqué sa plaque d'immatriculation ni aucun signe distinctif.

Elle était plus hostile que coopérative. Plus mentense qu'informatrice. Plus manipulatrice qu'alliée.

Malgré tout, comme on dit, elle était ce qu'ils avaient de mieux sous la main.

« Bon, conclut Kimberly. Ce type a tué votre mère, votre petit copain et peut-être quelques-unes de vos amies. On pourrait penser que vous aimeriez lui rendre la monnaie de sa pièce. Obtenir un peu de justice, retrouver votre liberté.

– Bien sûr que je veux…

– À moins évidemment que vous n'ayez l'intention de lui donner la moitié de vos revenus *ad vitam aeternam.* Comment ça se passera, d'ailleurs, quand le bébé sera né ? Vous croyez qu'il jouera les baby-sitters ? Qu'il se proposera de le garder pour que vous puissiez aller tapiner ?

– Hé, jamais je ne le laisserai s'approcher de mon enfant !

– Et il acceptera sans problème ? »

Ginny avait l'air au bord des larmes.

« Il me semble, continua Kimberly, que le mieux serait franchement de le foutre en taule.

– C'est ce que je disais !

– Seulement vous savez, sans nom, sans plaque d'immatriculation, sans renseignements personnels… »

Elle ne termina pas sa phrase. Ginny ne se précipita pas pour le faire. Alors Kimberly passa au plan B : « Il y aurait bien une dernière solution, dit-elle d'un air désabusé. Si vous voulez réellement coincer ce type, je veux dire. »

Ginny tendit l'oreille. « Quoi ? Comment ? Dites-moi juste ce qu'il faut faire.

– On va vous poser un micro. Vous organisez une rencontre avec Dinechara et on se servira de ses propres déclarations pour le clouer au mur. »

18

J'AI VU MON FRÈRE aujourd'hui.

Il était au cinéma, trois rangs devant moi, le bras autour d'une jolie blonde dont les cheveux raides tombaient dans son dos comme un rideau de soie. Je mangeais du pop-corn, mais à la seconde où je l'ai aperçu, je me suis mis à tousser et j'ai dû me planquer vite fait quand il s'est retourné avec agacement pour voir qui faisait ce raffut.

Je suis resté un moment à quatre pattes sur le sol poisseux du cinéma. Je ne savais pas quoi faire, je ne voyais pas comment réagir.

Alors, après un bout de temps, j'ai décidé de faire ce que je faisais le mieux : rien du tout.

Je me suis rassis. J'ai posé mon pop-corn sur mes genoux. Et j'ai regardé le film d'horreur, un défilé de tronçonneuses. Aucun détail n'était réaliste. Hollywood ne connaît rien au sang, le vrai.

La blonde aimait bien mon frère. Chaque fois que la bande-son du film se faisait menaçante, elle se blottissait contre lui, la tête enfouie dans son épaule. Sauf qu'elle ne s'est bientôt plus donné la peine de la relever. Elle l'a laissée là, sur sa poitrine, et il l'a serrée plus fort, et ils ont ri tous les deux pour une raison qui n'avait rien à voir avec le massacre à l'écran.

Elle avait un joli rire, pétillant et frais, comme une journée d'été.

Summer, c'est le nom que je lui ai donné dans ma tête. Mon grand frère sortait avec une fille qui s'appelait Summer. J'aurais parié qu'ils se promenaient au clair de lune, qu'ils se pelotaient à l'arrière de la voiture empruntée à mes parents, qu'ils avaient été au bal de fin d'année, sa fringante petite poitrine dissimulée sous un immense corsage.

Ce n'était pas juste, me suis-je dit, maussade. Pas juste que je sois mort alors que lui continuait à vivre.

J'ai encore mangé du pop-corn, bu un litre de Coca et broyé du noir pendant la fin du film.

Les lumières se sont rallumées. Mon frère et sa petite amie se sont levés. Il portait le blouson réservé aux meilleurs sportifs du lycée – forcément. Il l'a posé sur les épaules de Summer et elle a ri à nouveau, le refermant autour d'elle.

Mon frère avait hérité du physique nerveux de mon père. Pas grand, mais bien bâti. Je me disais qu'il avait dû gagner ses galons au base-ball, qu'il était peut-être le lanceur vedette, la mâchoire bien dessinée, les cheveux bruns coupés court. Alors il a encore souri, une fossette a creusé sa joue gauche et, à cet instant, je me suis rappelé exactement à quoi ressemblait ma mère, et la douleur de revoir son visage après tant d'années m'a mis à genoux.

J'avais le souffle coupé, mais je ne faisais pas le moindre bruit. J'essayais de respirer, mais l'air refusait d'entrer dans mes poumons.

Alors, je me suis plié en deux, silencieux, amorphe, flaque d'imperméable sombre sur un sol plein de taches.

J'ai regardé les pieds de mon frère remonter l'allée. J'ai entendu sa voix grave demander à Summer à quelle heure elle devait être rentrée.

« J'ai encore une heure, a-t-elle répondu.

– Parfait, a dit mon frère. Je sais où on peut aller. »

Je l'ai suivi. Ce n'était pas très dur. Il conduisait une voiture, un 4x4 grand modèle qui appartenait sans doute à notre père. Un autocollant proclamait : « Alpharetta Raiders. »

Ma famille avait déménagé. Logique. J'avais déménagé au moins vingt fois. Pourquoi pas eux ?

Il s'est engagé sur un chemin de terre. J'ai compris qu'il s'agissait de l'allée des amoureux dont j'avais entendu d'autres gamins parler. Je n'en connaissais pourtant pas des masses, vu que je n'avais jamais eu le droit d'aller à l'école et tout ça. Pas de blouson de sportif vedette pour moi. Pas de bal de fin d'année, pas de jolie petite amie blonde. Non, j'étais juste le détraqué solitaire qui se pointait dans différentes Maisons des Jeunes en vêtements tirés des surplus militaires, blême, hirsute. Le monstre du coin. Toutes les villes en ont un.

Et, sans raison, j'ai pensé à Noël. Est-ce que ma famille accrochait encore ma chaussette à la cheminée, celle avec le bout rapiécé et mon nom griffonné en haut en lettres d'argent scintillantes ? Mettaient-ils un couvert à table, emballaient-ils un cadeau juste au cas où ?

S'ils avaient déménagé, cela signifiait que je n'avais plus de chambre. Qu'étaient devenues mes affaires ? Mes livres, mes vêtements, mes jouets ? Mis en cartons, donnés aux bonnes œuvres ? Peut-être que mon frère avait une suite, maintenant : une pièce pour dormir, une autre pour se détendre.

Il avait probablement un futon, une télé, une console de jeux. Il invitait des amis, y compris des pom-pom girls blondes qui gloussaient, comme Summer. Je me suis demandé s'il était populaire, si les élèves du lycée l'admiraient, lui qui avait survécu au Burgerman.

Ou bien peut-être qu'il était un héros de tragédie. Il a perdu son frère quand il était petit, mais regardez ce qu'il est devenu.

Et juste au moment où je commençais à bien me monter la tête, où j'étais prêt à le haïr, lui qui était là-bas à fricoter avec la pimpante petite Summer, j'ai repensé à ma mère et la douleur est revenue comme un coup de poignard sous mes côtes.

Je me suis demandé s'il faisait la fierté de mes parents. Si le regarder aidait ma mère à dormir la nuit.

Je me suis rangé sur le chemin de terre, j'ai sauté de mon petit tas de boue et je me suis planqué derrière un arbre juste à temps avant que ma vessie explose. J'ai pissé un litre de Coca et même davantage. J'ai pissé pendant une éternité pour ainsi dire et, quand je suis ressorti, la voiture de mon frère était réapparue sur le sentier.

Pas le temps de battre en retraite. Je pouvais seulement espérer qu'il ne me remarquerait pas.

Tu parles. La voiture a ralenti. La vitre côté conducteur s'est abaissée. Mon propre frère m'a regardé avec fureur.

« Hé, tu serais pas le connard du cinéma ? Qu'est-ce que tu fous ? Tu nous suis ? »

Je n'ai pas dit un mot.

Il a eu l'air encore plus furax, à deux doigts de descendre de voiture. Alors j'ai entendu la voix de la fille dans le 4x4. « Je t'en prie, mon cœur. Ne fais pas ça. Il n'en vaut pas la peine. Et puis il faut que je rentre.

– Ouais, a répondu mon frère à regret, ouais, je suppose que tu as raison. »

J'ai vu sa main se poser sur le levier de vitesse, passer la première. Et je me suis retrouvé à foncer sur la voiture, avec mon long imperméable noir qui claquait, mes chaussures de chantier qui s'enfonçaient dans la boue. J'avais une grosse branche entre les mains. J'ignore comment elle était arrivée là.

« Hé, j'ai hurlé à pleins poumons. HÉ !

– Mais qu'est-ce que…

– Ne te laisse pas enlever par le Burgerman ! »

Et ensuite je me suis retrouvé à pilonner la portière de la voiture. J'ai frappé tellement fort que le bout de bois a volé en éclats. La fille hurlait. Mon frère s'est baissé, a protégé sa tête avec ses mains. Je me suis déchaîné, attaqué aux phares, à la grille du radiateur, je cognais, je cognais, je cognais avec la petite branche fracassée, je filais des coups de chaussures, je hurlais tant que je pouvais.

Il y avait des larmes sur mes joues, de la morve qui coulait de mon nez, et je ne pouvais pas m'arrêter. Je ne pouvais pas. Parce que j'aimais mon frère au point de le haïr. Je l'aimais d'être vivant. Je le haïssais de ne pas être moi. Je l'aimais d'avoir une aussi jolie petite amie. Je le haïssais d'avoir la fossette de ma mère. Je l'aimais d'en avoir réchappé. Et je le haïssais parce que je n'étais plus son frère et que c'était ce que je désirais le plus au monde.

Alors j'ai démoli sa voiture. J'ai passé le verre et l'acier à tabac jusqu'au moment où j'ai entendu le moteur rugir et où je n'ai eu qu'une seconde pour m'écarter.

Mon frère a démarré en trombe sur le chemin de terre pour fuir ce taré armé d'une branche.

Mon frère a fui loin de moi.

19

« Parmi les phénomènes remarquables chez les araignées, il faut citer le comportement particulier associé à l'accouplement. La parade nuptiale est généralement initiée et poursuivie par le mâle, quoique dans certains cas la femelle puisse également y participer une fois atteint un certain degré d'excitation. »

Tiré de *How to Know the Spiders*,
Troisième édition, B.J. Kaston, 1978

KIMBERLY RENTRA TARD. La maison était plongée dans le noir, hormis la lampe habituelle dans le couloir et le petit rond de lumière sur le bureau de la cuisine où Mac avait empilé son courrier et ses messages téléphoniques. Pas de Smiley ce soir. Au lieu de cela, sur le Post-it du dessus, un dessin rudimentaire qui représentait des lignes arborescentes s'achevant par de petits ovales. Il lui fallut un moment pour comprendre : un rameau d'olivier.

L'image la fit sourire tandis qu'elle sentait des larmes lui picoter les yeux.

Son mari était tellement meilleur qu'elle-même. Comment avait-elle pu avoir autant de chance ?

Elle devrait aller le voir. Lui dire qu'elle était désolée et lui demander pardon. En même temps, était-il vraiment opportun de s'excuser de poursuivre une enquête à laquelle elle n'avait aucune intention de renoncer ?

Elle tourna en rond dans la cuisine, remontée à bloc comme elle l'était toujours au début d'une nouvelle affaire, le cerveau en ébullition, débordante d'adrénaline. Delilah Rose était Ginny Jones. Et Ginny Jones était… ? Une victime, une complice, pire encore ?

Elle ouvrit le réfrigérateur, attrapa une bière. Se reprit, soupira et la reposa.

Elle entra dans le séjour et regarda les silhouettes obscures du canapé en cuir, du fauteuil relax de Mac, de leur télé franchement surdimensionnée. Petite fille, elle s'entraînait à traverser la maison à pas de loup, la nuit. Pas Mandy. Non, sa grande sœur avait peur du noir et dormait dans une chambre avec deux veilleuses et une lampe allumée en permanence. Mais pour Kimberly, la nuit était une aventure. Saurait-elle descendre sans faire de bruit de sa chambre au premier étage jusqu'à la porte d'entrée de leur demeure coloniale ?

Elle imaginait qu'elle traquait des méchants. Ou qu'elle déjouait les plans d'un intrus qui se serait déjà introduit dans sa maison. La nuit faisait naître des monstres et, aussi loin que remontaient ses souvenirs, elle avait voulu les combattre.

Les trois quarts du temps, son père, insomniaque, la prenait sur le fait.

« Qu'est-ce que tu fais debout, Kimberly ? » demandait-il.

Et, gênée de s'être fait surprendre et refusant d'avouer à son superflic de père qu'elle pourchassait des ombres, elle répondait : « Je voulais juste un verre d'eau. »

Il la dévisageait un instant. Le silence avait toujours été son arme maîtresse et il en usait avec brio. Pour finir, il allait dans la cuisine et revenait avec un verre d'eau.

« La troisième marche en partant du haut, lui indiquait-il. Elle grince. »

Et la nuit suivante, elle avançait un peu plus loin au milieu des ombres.

Après le départ de son père, elle s'était promenée à loisir dans la maison. Sa mère avait le sommeil lourd et, avant d'avoir quatorze ans et de découvrir les garçons, Mandy n'avait que faire des promenades nocturnes. Seule Kimberly faisait des rondes, nuit après nuit. Pour protéger sa mère et sa sœur. Parce que, maintenant que le superflic n'était plus là, elle restait le seul rempart de la famille contre les monstres.

Jusqu'au jour où elle était partie pour l'université et où Mandy et sa mère avaient été assassinées.

Et merde. Kimberly se dirigea vers la chambre.

Mac semblait dormir, un bras sur le visage, l'autre replié sur le ventre.

Elle ne le dérangea pas. Entra dans la salle de bains, où elle se brossa les dents, se débarbouilla, se peigna. Elle enleva ses vêtements, trouva son pyjama, ouvrant dans l'opération un grand nombre de tiroirs et de portes de placard. Elle retourna dans la cuisine se chercher un verre d'eau et le posa fermement sur la table de chevet.

Elle ouvrit le lit. Sauta dedans.

Mac grogna.

« Oh, tu es réveillé ! » s'exclama-t-elle, toute guillerette.

Mac ouvrit un œil, puis le couvrit à nouveau de son bras.

Elle lui donna une petite bourrade dans l'épaule. « Comédien.

– Pas du tout.

– Je t'en prie. J'ai déjà vu ce numéro. »

Il ne protesta plus et ouvrit les deux yeux. Ils s'observèrent un instant avec méfiance.

« J'ai bien aimé ton dessin, souffla-t-elle.

– Je ne suis pas un grand artiste.

– Suffisamment.

– Je n'aime pas que nous nous disputions, dit-il sans transition.

– Moi non plus.

– Et je n'aime pas m'inquiéter pour toi. Ni me réveiller certains matins et m'apercevoir que nous allons devenir parents alors que nous n'avons même jamais eu de chiot. Comment savoir si on sera capables de nourrir cette bestiole, de lui donner son bain, de la maintenir en vie ? Tu sais ce que j'ai réalisé hier ? »

Elle fit non de la tête.

« Nous n'avons pas de ficus. Kimberly, comment devenir de bons parents alors qu'aujourd'hui il n'y a même pas de place pour des plantes dans notre vie ?

– On ne donnera pas d'engrais au bébé, je suppose. »

Mac se redressa et la couette lui tomba à la taille. Avec ses cheveux bruns ébouriffés par le sommeil, son visage mince et grave, il était sexy et sérieux, l'homme dont elle était tombée amoureuse bien des années plus tôt. Celui qui, nu comme un ver, l'avait demandée en mariage la veille du jour où elle devait procéder à une remise de rançon suffisamment risquée pour qu'ils sachent tous les deux qu'elle ne porterait pas la bague.

Le lendemain matin, il l'avait laissée partir faire ce qu'elle avait à faire et elle l'avait aimé pour cela.

Elle tendit la main pour lui caresser doucement le visage. « J'ai vu Delilah Rose, raconta-t-elle parce qu'il n'y avait pas d'autre solution. Il s'avère qu'il s'agit en réalité de Ginny Jones, kidnappée, prétend-elle, il y a deux ans et contrainte à se prostituer pour sauver sa peau. Elle affirme que son ravisseur a tué sa mère et supprime systématiquement d'autres filles les unes après les autres. Elle n'a fourni aucun détail, aucun signalement ni information permettant de confirmer son histoire, mais Sal pense en avoir assez pour creuser l'affaire. Et je vais l'aider. Au moins jusqu'à ce qu'on en sache assez pour monter une vraie cellule d'enquête.

– Même là, tu ne lâcheras pas le morceau.

– Je ne sais pas. Il faudra bien, quand le bébé arrivera.

– Tu y travailleras depuis ton lit d'hôpital, voilà ce que tu feras. »

La main de Kimberly redescendit. Elle étudia les draps. « Tu as raison, dit-elle rapidement. Je ne suis pas une lâcheuse. Ni dans mon couple, ni dans mon boulot. »

Il ne répondit rien sur le moment. Elle sentit qu'elle devrait le regarder, mais ne parvint pas à s'y résoudre. Cela ne lui posait aucun problème de pourchasser une informatrice sur une route isolée la nuit, ni de chercher la tête d'un chasseur décapité. Mais là, dans sa propre maison, assise en tailleur sur le lit à côté de son mari, dans la tension palpable, elle avait peur.

« Kimberly, reprit Mac posément. On m'a proposé une promotion. Chef de la brigade des stups à Savannah. »

Elle lui jeta un regard sidéré. « Mais Savannah... » Savannah se trouvait nettement au sud-est, sur la frontière avec la Caroline du Sud, plus près de Hilton Head que d'Atlanta. L'agglomération était assez importante pour disposer d'un contingent respectable d'agents du GBI. Une bonne brigade des stups, une très belle promotion. Et bien trop loin pour travailler là-bas tout en habitant Roswell.

« Tu ne me félicites pas ?

– Félicitations », répondit-elle docilement.

Il ne fut pas dupe. « Je ne te l'ai pas dit tout de suite parce que je ne savais pas quoi dire. Mais je me suis renseigné. C'est un très beau poste. Ça représenterait beaucoup pour ma carrière. »

Elle resta sans voix. Se remit à étudier les draps.

À côté d'elle, Mac soupira. « Tu n'es pas la seule à aimer ton boulot, Kimberly, dit-il finalement. Et tu n'es pas la seule à y être bonne. Il se trouve qu'au cours des douze derniers mois, j'ai aidé à mettre au jour une des plus grandes fabriques de crystal de l'État et démantelé tout un réseau de distribution. Moi aussi, j'obtiens des résultats, et ça me plaît.

– Je sais.

– Le FBI a des antennes régionales. Elles sont petites, mais Savannah aurait peut-être besoin de renfort. On pourrait louer une maison dans les environs, tenter le coup. La dernière fois qu'on y a été, on a tous les deux remarqué combien le coin était ravissant. Près des plages, de Hilton Head. Ce ne serait pas un mauvais endroit pour élever un enfant. »

Elle ne répondit rien.

« Ou alors, poursuivit-il, peut-être qu'avec l'arrivée du bébé, ce serait l'occasion de prendre un congé, peut-être une mise en disponibilité. Voir ce que ça donne.

– Je resterais à la maison, tu travaillerais ?

– Tu n'as jamais essayé, Kimberly, comment tu sais que ça ne te plaira pas ? »

Il fallait qu'elle retrouve sa voix. Impossible. Elle avait comme le souffle coupé. Hier encore, ils traçaient leur petit bonhomme de chemin et aujourd'hui… aujourd'hui le chaos était complet. Le boulot de Mac, son boulot à elle, le bébé. Elle n'avait plus aucun repère.

« Tu as donné ta réponse ? s'entendit-elle murmurer.

– Tu sais bien que je ne le ferais pas sans t'en parler d'abord.

– Et ceci est notre discussion officielle ?

– J'imagine. »

Elle hocha la tête, attrapa le bord du drap, le tortilla. « Il faut que je réponde ce soir ?

– Non. Mais il faut sans doute que je leur donne une réponse d'ici une semaine.

– D'accord.

– D'accord on peut déménager ? » demanda-t-il plein d'espoir, même si elle devinait à la douceur de sa voix qu'il la taquinait.

« D'accord on pourra en parler dans la semaine qui vient.

– Bien. Mais tu sais, Kimberly, dit-il en reprenant son sérieux, pour qu'on se parle, il va falloir que tu passes un minimum de temps à la maison.

– Bien sûr », dit-elle, mais ils savaient tous les deux que le cœur n'y était pas.

Il soupira à nouveau, se pencha, éteignit la lumière.

Ils se blottirent dans le lit, Kimberly au creux de Mac, la main de Mac sur son ventre. Un couple heureux, duo sur le point de devenir trio. Un joyeux événement dans la vie de deux êtres qui s'aimaient.

Elle garda les yeux grands ouverts bien longtemps après que son mari se fut rendormi.

À une heure du matin, elle ressortit discrètement du lit pour aller dans la cuisine. Composa le numéro de mémoire, mais tomba sur la boîte vocale. Laissa un message qu'elle n'était pas sûre d'avoir jamais laissé de toute son existence :

« Papa, j'ai besoin d'aide. »

20

« Cette araignée est bien adaptée à la vie
en intérieur avec les hommes. »

Tiré de *Brown Recluse Spider*,
Michael F. Potter, entomologiste urbain,
Département d'agriculture de l'université du Kentucky

RITA ÉTAIT RÉVEILLÉE. Cela lui sauva-t-il la vie en fin de compte ? Jamais elle ne le saurait.

Dehors il faisait noir. La nouvelle lune, si parfaite qu'il n'y avait même pas suffisamment de lumière pour dessiner des ombres sur le mur du fond. Les nuits étaient pourtant assez longues comme ça sans être privée de jeux de lumière pour se distraire.

C'est alors qu'elle les entendit : des pas furtifs dans son jardin, puis la porte de derrière qui s'ouvrait avec un grincement.

« Joseph, murmura-t-elle, couchée dans son vieux lit double, ses mains noueuses agrippées au bord des couvertures. C'est toi, Joseph ? »

Mais ce n'était pas Joseph, évidemment. Depuis quand les fantômes faisaient-ils du bruit ?

Elle s'appliqua à respirer lentement et régulièrement, entendit encore du bruit au rez-de-chaussée. La porte du réfrigérateur qui s'ouvrait avec un bruit de succion. Le gémissement d'un vieux tiroir récalcitrant. Et des pas. Beaucoup de pas, légers et rapides, qui traversaient la cuisine, montaient les escaliers.

Respirer, lentement et régulièrement. Nom d'un petit bonhomme, personne n'allait lui faire peur dans sa propre maison. Personne ne lui ficherait la frousse au point de l'obliger à se lever.

Et alors le garçon apparut au pied de son lit. Il la regarda droit dans les yeux, les deux mains dans le dos.

Elle lui retourna un regard tout aussi ferme, glissant sa main droite sous les draps.

« Scott, dit-elle, il me semblait qu'on en avait déjà parlé. »

Le garçon ne répondit rien.

« Il y a des règles, mon garçon. Les invités comme il faut frappent à la porte. Ils attendent qu'on leur propose d'entrer. *En aucun cas*, ils ne s'introduisent en pleine nuit chez une vieille dame pour la faire à moitié mourir de peur ! »

Le garçon ne disait toujours rien.

Rita se redressa. Elle savait qu'elle devait avoir l'air d'un épouvantail. De fins cheveux gris dépassaient comme des brindilles de son bonnet de laine posé de travers sur sa tête. Elle portait son habituelle chemise écossaise verte et un caleçon long tâché de jaune. Elle s'habillait pour être au chaud et à l'aise, pas pour recevoir d'impertinents jeunes gens.

Le garçon ne bougeait et ne parlait toujours pas. Alors elle ne le quitta pas des yeux. Pour l'avertir qu'elle n'était pas aussi fragile qu'elle en avait l'air.

« Montre-moi tes mains, Scott. »

Rien.

« Mon garçon, c'est la dernière fois que je te le demande : *Montre-moi tes mains !* »

Pour la première fois, il frissonna. Une fois, deux fois, trois fois. Puis il sortit brusquement ses mains de son dos. Il lui montra ses paumes ouvertes et expliqua d'une voix presque stridente de panique : « J'ai seulement besoin d'un endroit pour dormir. Une nuit. Je ne te dérangerai pas. Promis ! »

Profitant de son manque d'assurance, Rita rejeta les couvertures et sortit ses jambes du lit. Ses articulations la faisaient souffrir quand elle se levait, mais elle se sentait mieux. Plus vaillante. Aux commandes.

« Où habites-tu, Scott ? »

Il serra les lèvres d'un air rebelle.

« Est-ce que tu as des parents que je devrais prévenir ? Quelqu'un qui s'inquiète pour toi ?

– Je pourrais dormir ici, murmura-t-il. Par terre. Je n'ai pas besoin de grand-chose. En vrai.

– Ne dis pas de bêtises, mon enfant. Mes invités ne dorment pas par terre. Si tu comptes passer la nuit ici, autant faire les choses bien. Viens, je t'emmène dans la chambre de Joseph. »

Elle s'élança de son pas traînant, passa au pied du lit, frôla l'épaule du garçon. Il recula, dans une attitude de soumission. Encouragée, elle le conduisit au bout du couloir, dans la chambre de son frère où les trophées de football poussiéreux s'alignaient encore sur une commode et où l'édredon avait été cousu à la main par leur grand-mère avec des morceaux de leurs couvertures de bébé. En tant que fils aîné, Joseph avait reçu l'édredon pour le transmettre un jour à ses enfants. Mais il avait perdu la vie dans cette même guerre qui avait enlevé son mari à Rita. Il avait marché sur une mine en France. Il n'était pas resté assez de fragments de son corps pour des funérailles en bonne et due forme. Ses parents avaient enterré ses plaques d'identification et son père s'était enfermé dans la chambre de son fils pour ne plus en sortir pendant des mois.

Sa sœur Beatrice aurait dû prendre l'édredon, mais celui-ci était resté dans la chambre de Joseph, où chacun d'eux venait de temps à autre essayer de lui dire adieu à sa manière.

Rita écarta le vieil édredon. Elle lissa les draps de

coton, froids et sentant le renfermé faute d'être utilisés. Elle attira le jeune garçon et l'aida à se mettre au lit.

Il était passif à présent, presque mou sous ses doigts, et sa silhouette frêle s'effondra dans le lit. Elle repoussa une mèche de cheveux bruns sur son front et il tressaillit.

« Rita, murmura-t-il, je suis fatigué. »

Et à sa façon de prononcer ce mot, elle comprit : il n'était pas fatigué, il était *fatigué*, un mal moral autant que physique. Une condition de l'âme.

Elle remonta les couvertures, les coinça sous son menton.

« Reste aussi longtemps que tu en auras besoin, mon enfant », dit-elle, et elle le pensait.

Puis elle regagna sa chambre, où elle tâtonna le long du mur du fond pour récupérer le couteau de cuisine que le garçon avait laissé tomber. Elle le ramassa et le posa sur la table de chevet à côté d'elle.

Puis elle passa une main sous les couvertures et trouva le vieux Colt .45 de son père. Elle l'avait nettoyé la veille ; chargé dans la soirée. Une belle mécanique, ancienne, mais toujours capable de remplir son office.

Elle l'empoigna fermement et descendit tant bien que mal les escaliers, la main gauche agrippée à la rampe.

Dans la cuisine, la porte ouverte battait légèrement au vent. Elle l'ouvrit en grand, jeta un œil dans son jardin, maudissant une nouvelle fois l'absence de lune. Elle vit des ombres en amont et en contrebas. Pas la moindre lueur dans les maisons voisines, pas de prunelles de matou luisantes.

Alors elle ferma les yeux et s'appliqua plutôt à sentir la nuit. Ses frères et elle faisaient cela quand ils étaient jeunes. Ils campaient dans le jardin en jouant à être dans la jungle amazonienne. *Ne regardez pas avec vos yeux*, leur disait tout bas leur père de sa voix grave. *Regardez avec votre intelligence, cherchez avec votre cœur.*

Elle se demandait toujours si Joseph aurait dû fermer les yeux la nuit où il était parti en patrouille. Peut-être que s'il n'avait pas regardé, peut-être que s'il avait *senti*, jamais il ne se serait fait avoir par cette mine terrestre.

Et alors elle la perçut bel et bien. Forte. Froide. Assez puissante pour qu'elle ait un mouvement de recul.

Une présence dans la nuit. Affamée. À l'affût. Haineuse.

Elle rentra en toute hâte dans sa cuisine. Ferma la porte, trouva le verrou. Mais, pour la première fois depuis des lustres, elle prit conscience de l'état de délabrement de sa vieille maison. Une porte de derrière avec une grande vitre, idéale pour qui voudrait la fracasser, et un chambranle en bois friable très facile à forcer avec un pied-de-biche.

Je vais souffler, souffler, et ta maison s'envolera...

Elle tremblait à présent, un goût de peur, comme de la bile au fond de la gorge. Le pistolet semblait trop lourd dans sa main, son bras trop faible. Elle était souvent à peine capable de marcher, alors comment était-elle censée soulever ce machin, sans parler de viser...

Mais elle eut bientôt honte de sa lâcheté. Elle n'était pas une idiote. Elle était de la race des survivants, la dernière de sa lignée. C'était sa maison. Bon sang, elle n'allait pas se laisser faire.

Elle passa de pièce en pièce. Inspecta tous les recoins, vérifia toutes les serrures. Peut-être qu'au matin, quand elle serait plus fraîche et dispose, elle pourrait changer quelques meubles de place. Et elle avait un peu de bois dehors. Elle pourrait le tailler en baguettes et s'en servir pour renforcer les fenêtres.

Et des cloches. Celles des décorations de Noël. Les accrocher çà et là pour se faire son propre système d'alarme.

Oui, monsieur, elle avait encore plus d'un tour dans son sac.

Réconfortée, elle alla de son pas traînant jusqu'à l'escalier et commença péniblement à se hisser jusqu'à l'étage.

Lorsqu'elle rejoignit enfin son lit, elle s'écroula sur les couvertures et s'endormit d'un sommeil de plomb. Ses toutes premières heures de sommeil depuis des semaines.

À son réveil, la porte de sa chambre était ouverte et son pistolet soigneusement posé sur l'oreiller à côté d'elle.

Le garçon était parti.

Elle se demanda si elle le reverrait.

21

« Les araignées violonistes possèdent six yeux ; leurs pattes s'étendent dans toutes les directions. Elles tissent une toile de soie gluante dans laquelle elles prennent les insectes. »

Tiré de *Spiders and Their Kin*,
Herbert W. et Lorna R. Levi,
St. Martin's Press, 2002

HENRIETTA N'ALLAIT PAS FORT. La veille au soir, il avait écrasé un criquet entre le pouce et l'index pour mettre au jour ses organes internes avant de le poser dans l'obscurité sécurisante de l'unité de soins intensifs, près des crochets d'Henrietta. Il avait jeté un œil au saut du lit. L'insecte broyé restait bien en vue. Henrietta elle-même avait reculé de quelques centimètres, manœuvre laborieuse avec ses pattes meurtries.

Il se rappela que les vieilles mygales jeûnent souvent pendant des semaines après la mue. Un jour, il avait entendu parler d'un spécimen qui, après avoir passé une année entière sans se nourrir, s'était pourtant remise.

La dénutrition n'était pas un danger. Mais la déshydratation, oui.

Il allait l'aider. Ils avaient fait tout ce chemin ensemble. Il l'accompagnerait jusqu'au bout.

Il n'alluma pas la lumière. Au contraire, il évoluait dans la grande salle de bains sombre avec l'aisance d'un homme accoutumé à l'obscurité. Il avait déjà monté une soucoupe de la cuisine, stérilisée dans de l'eau bouillante. Il la remplit de quelques gouttes d'eau, puis cala un bord sur deux bouts de coton de manière à l'incliner suffisamment pour que l'eau forme une petite flaque à l'autre extrémité. Parfait.

Maintenant, le plus délicat. Contrairement à ce que croient les gens, les araignées sont excessivement fragiles. Même les mygales les plus impressionnantes ne sont en réalité que des créatures relativement petites et myopes qui se déplacent à une vitesse limitée. On les écrase aisément pour peu qu'on les manipule mal. Sans parler des dangers inhérents à la mue, aux pesticides, aux parasites et aux guêpes mangeuses d'araignées. Pas étonnant qu'elles préfèrent vivre en solitaires dans des coins sombres.

Mais Henrietta ne pouvait plus se cacher. Elle avait besoin d'eau.

Il passa la main dans le pot et entoura le corps d'Henrietta comme s'il s'agissait d'un œuf, en prenant soin de ne pas trop la serrer afin d'éviter à sa propre peau le désagrément des poils urticants. Ses doigts recouvrirent les pattes d'un côté tandis que son pouce recouvrait celles de l'autre côté et que son index entourait les crocs. D'un mouvement souple, il retourna sa main, Henrietta délicatement nichée à l'intérieur.

Il la renversa au-dessus de la soucoupe d'eau qu'il avait préparée et la posa avec les crocs dans l'eau, le reste du corps en amont. Il la lâcha en l'observant de près pour s'assurer qu'elle ne glissait pas dans la petite flaque où elle se noierait.

Après quelques instants, comme elle restait bien en place, il rebascula sur ses talons avec un hochement de tête satisfait et consulta sa montre. Trois quarts d'heure devraient suffire. Après quoi, il la remettrait dans l'unité de soins avec un criquet fraîchement éventré. Avec un peu de chance, ça ferait l'affaire.

Maintenant il fallait qu'il s'occupe d'autres petites protégées.

La chambre était spacieuse. D'immenses baies sur deux côtés, un plafond voûté plein de charme. À l'époque, ce devait être le joyau ensoleillé de la luxueuse résidence d'été. Une galerie couverte qui courait sur deux flancs de la maison. Un grand salon orné de vitraux. Trois cheminées, six chambres, un jardin d'hiver.

Le temps avait décoloré le papier peint à fleurs, tout comme les années sans entretien avaient entraîné peintures écaillées, planches cassées, fondations affaissées. Au rez-de-chaussée, certaines fenêtres ne fermaient plus. Des portes n'ouvraient plus. La maison tout entière penchait vers la droite, ce qui lui donnait l'air de guingois.

Et pourtant elle était parfaite. Pleine de recoins, d'escaliers tortueux, de vieux placards, de poutres apparentes. Lorsqu'il avait vu pour la première fois cette propriété à l'abandon, tout le plafond de la grande chambre n'était qu'un enchevêtrement de toiles d'araignées. Au cours de la visite, non pas une mais deux araignées étaient tombées des chevrons sur l'épaule de l'agente immobilière effarouchée. Les deux fois, elle avait poussé un hurlement. Et il avait su dans la seconde qu'il allait prendre la maison.

Il avait réparti sa collection dans les chambres de l'étage. Les mygales dans la grande chambre, les violonistes dans la chambre d'enfant attenante, les theridiidae au bout du couloir. Elles vivaient dans des terrariums ou sur des cadres pour toile d'araignées nettoyés une fois par mois et rechargés en eau en quantité suffisante. Les stores des chambres tenaient le soleil en respect. Les humidificateurs entretenaient dans les lieux le degré d'hygrométrie adéquat. Dans certaines des chambres, il avait apporté de l'humus pour en recouvrir le plancher. Du bon vieux terreau, plein de feuilles, de débris et de vers de terre. Cette couche contribuait à isoler les parquets pleins de courants d'air et exhalait un relent de mort et de décomposition. L'atmosphère idéale pour les arachnides.

Lui-même détestait la terre. Son odeur. Cette sensation quand elle coulait entre ses doigts, s'infiltrait entre ses orteils. Il aurait pu dire qu'il en avait peur, mais c'était un sentiment qu'il ne s'autorisait pas à éprouver. Au contraire, il s'entourait de cette matière même dont l'odeur lui soulevait parfois le cœur et le renvoyait à ses pires pensées.

Il respectait ces araignées. Il les étudiait, s'en occupait, se servait d'elles pour retrouver l'araignée qui était en lui.

En contrepartie, sa collection lui offrait un refuge. Un endroit où venir broyer du noir dans les mauvais jours, lorsque chacun sentait qu'il fallait éviter son regard. Il s'allongeait sur le plancher couvert de terre et se remémorait toutes ces choses qu'il voulait oublier, jusqu'à ce que sa rage remonte en bouillonnant à la surface. Alors il ôtait ses vêtements, ouvrait le couvercle des terrariums et regardaient les colonies d'araignées violonistes s'en déverser. Il les mettait au défi de déchaîner leurs pires instincts. Il les suppliait.

Mais les araignées restaient des créatures foncièrement timides. Certaines violonistes se promenaient sur ses pieds, grimpaient sur ses jambes poilues, auscultaient les veines de son bras. Mais la plupart disparaissaient dans les fissures de la vieille maison, jusqu'à ce qu'il soit obligé de disposer des feuilles adhésives pour les capturer.

Les feuilles adhésives les tuaient, naturellement. Parce que c'était ce qu'il faisait le mieux : détruire, même ce qu'il aimait.

Il commença par les mygales, passant méthodiquement d'un récipient rectangulaire vitré au suivant. Elles étaient alignées avec soin sur les étagères métalliques le long des murs et chaque terrarium portait une étiquette indiquant le nom de l'espèce et une fiche où il notait la nourriture prise chaque jour. Une nouvelle captive pouvait manger une douzaine de criquets par semaine, alors que la moyenne était de six à huit criquets par mois. Avant et après la mue, certaines mygales ne mangeaient rien du tout.

Se posait également le problème de la variété. Certaines mygales ne mangeaient que des criquets et des vers de farine. Mais les espèces de taille plus importante préféraient les souriceaux et les jeunes rats, morts mais à température ambiante (il les achetait congelés et les passait sous l'eau chaude du robinet ; il avait appris à ses dépens à ne jamais réchauffer une souris morte au micro-ondes : il lui avait fallu des siècles pour débarrasser la cuisine de cette odeur). Dans les premiers temps, il attrapait des insectes dans le jardin (sauterelles, cigales, cafards, papillons de nuit, chenilles, vers de terre), mais les insectes pris dans la nature n'étaient pas une alimentation sans danger : potentiellement contaminés par les pesticides, ils risquaient d'empoisonner malencontreusement ses protégées. Désormais, il achetait l'essentiel de la nourriture dans des animaleries en ligne, en diversifiant ses sources d'approvisionnement pour ne pas attirer l'attention.

Sa collection comptait à présent plus de cent vingt spécimens, sans compter les violonistes aux délicats corps bruns qui devaient être près d'un millier. Il avait des araignées capturées dans le jardin, des araignées achetées à l'étranger, des araignées qu'il avait élevées lui-même et, évidemment, une pouponnière pleine de jeunes.

Et, comme tout passionné qui se respecte, il continuait à enrichir sa collection.

Il en était au dernier terrarium. Même dans la pénombre, il sentait les yeux qui l'épiaient, féroces, calculateurs, avides.

Cela le fit sourire.

Theraphosa blondi. La plus grosse araignée du monde, avec une envergure de près de trente centimètres. Il avait fait venir ce mâle d'Amérique du Sud la semaine précédente. À son arrivée, la mygale s'était dressée sur ses pattes arrière en émettant une stridulation audible de l'autre bout de la pièce. Avec ses énormes crochets et son corps recouvert de poils urticants, c'était une machine de guerre fine et cruelle, connue pour s'attaquer à tout, depuis les rongeurs jusqu'aux petits oiseaux.

La plupart des mygales sont de bons géants. La *T. blondi,* en revanche, est célèbre pour son agressivité, et sa morsure peut coûter un doigt sinon une main au collectionneur non averti.

Il sentait l'araignée qui l'observait tard le soir. Il l'avait observée à son tour pendant qu'elle explorait son nouvel habitat, tapotant délicatement la vitre comme à la recherche d'éventuelles failles. Il avait l'impression d'une intelligence débridée, en ébullition. La mygale analysait, guettait, conspirait.

Si l'homme laissait une ouverture, elle frapperait.

Il se pencha, examina l'araignée brune marbrée, tapie dans un coin au fond de sa cage.

« Hé, dit-il, ça te dirait, une souris ? »

Il lui fit miroiter le cadavre d'une souris blanche, attendant de voir sa réaction. Quelques pattes se levèrent, explorèrent l'espace devant elle.

« Voilà ce qui va se passer : si tu es sage, tu auras ton petit-déjeuner. Si tu attaques, tu crèveras de faim. Compris ? »

Il attendit encore une fraction de seconde. Comme la mygale ne se jetait pas contre la paroi et ne se cabrait pas non plus en signe d'hostilité, l'homme se redressa et, posant la main sur le couvercle grillagé et lesté, se prépara.

Un, deux, trois. Il souleva le couvercle d'un coup sec, laissa tomber la souris et regarda trente centimètres de mygale jaillir du coin et attraper la dépouille en plein vol. La souris morte et l'araignée atterrirent avec un bruit mat, le corps sombre enserrant déjà farouchement son nouveau trésor. Puis la mygale leva la tête, les crochets bien en vue…

L'homme laissa retomber le couvercle plus précipitamment qu'il n'en avait eu l'intention et recula.

Il se reprit, apaisa les battements de son cœur, considéra la *T. blondi* avec un respect renouvelé.

Il tapota la vitre de son doigt replié.

« Bienvenue dans la collection », dit-il, après quoi, avec la sensation d'avoir eu le dernier mot, il descendit au rez-de-chaussée d'un pas léger.

Le gamin était dans le séjour à jouer à des jeux vidéo. Il avait toujours une télécommande à la main, les yeux vitreux, l'air maussade. L'adolescence.

L'homme l'observa depuis le pas de la porte, en pleine réflexion.

Le temps était compté à présent. Une semaine, peut-être davantage. Il fut surpris de ressentir une bouffée de nostalgie, comme un maître pour son élève, un père pour son fils.

Il entra dans la pièce, éteignit la télé. Le garçon ouvrit la bouche pour protester, mais se ravisa. Il se ramassa sur lui-même, attendit.

« Tu ne sais pas dire bonjour ? demanda l'homme, debout à côté du canapé.

– Bonjour.

– Merde, ça ne te ferait pas de mal d'être un peu poli. Qu'est-ce que je t'ai appris ? »

Le gamin releva la tête, les yeux enflammés, boudeurs. « J'ai dit bonjour !

– Ouais, mais nous savons tous les deux que tu ne le pensais pas. » L'homme recula, perdu dans ses pensées. « Tu as eu de ses nouvelles ? demanda-t-il tout à coup.

– Pas encore, répondit le gamin en détournant le regard.

– Tu crois qu'elle va le faire ? »

Haussement d'épaules.

« Pas faux, convint l'homme. On ne gagne jamais rien à faire confiance à une femme. Alors, petit, la pression monte ? C'est ton examen de passage, tout de même ! Ça n'arrive pas tous les jours. »

Le gamin haussa à nouveau les épaules. L'homme ne fut pas dupe.

Il eut un grand sourire, mais chez lui ce n'était pas beau à voir. « Dis-moi la vérité, fiston. Tu crois qu'elle t'aime, hein ? Ginny et toi, deux vrais petits tourtereaux. Vous allez vous marier ? Élever le bébé ? Habiter une maison avec une clôture de piquets blancs ? Faire comme si rien de tout ça ne s'était passé ? » demanda-t-il avec un large geste de la main.

Le gamin ne répondit rien.

« Je vais te dire, fiston, je vais te dire exactement ce qui va se passer. Tu vas réussir ton examen de passage, je vais t'offrir un gros paquet de fric et tu auras envie de me le balancer en travers de la gueule. Mais tu ravaleras ta fierté. Tu prendras mon fric. En te disant que tu me le rendras plus tard. Quand quoi ? Quand tu gagneras ta vie en faisant la pute, le mac ou le dealer ? Parce qu'il faut que tu saches : les gens qui s'arrêtent à l'école élémentaire ne vont pas franchement à l'université et ils n'ont pas non plus de diplôme d'électricien ou de garagiste.

« Mais ça, tu l'as pas encore pigé. Tu te figures que tu seras libre d'ici quelques jours et que tout sera forcément mieux qu'ici.

« Tu parles, je te donne deux mois, maximum. Ensuite tu seras à la rue, tu feras des pipes pour cinq dollars à des vieux dégueulasses ou bien tu t'injecteras tout ce qui te tombera sous la main. Et tu commenceras à te poser des questions. Est-ce que c'était vraiment si mal que ça ici ? Une bonne vieille baraque. La nourriture gratos. Les jeux vidéo. La télé par câble.

« Je t'ai bien traité, petit. Tu t'en apercevras toujours assez tôt. Je t'ai bien traité. »

L'homme se dirigea vers la cuisine. C'était l'heure du petit-déjeuner, après quoi il fallait qu'il pose son cul devant l'ordinateur. Les réserves de liquide baissaient. Il fallait bosser un peu.

Mais, au dernier moment, le garçon posa une question.

« Combien ? demanda-t-il depuis le canapé en s'éclaircissant la voix. Combien d'argent ?

– Pourquoi ? Qu'est-ce que ça peut te foutre ? Il faut d'abord que tu passes ton examen.

– Je veux savoir. » Il avait à nouveau cette expression, des yeux sans éclat, scrutateurs. Comme la *T. blondi* à l'étage. Le gamin grandissait. Il faisait aussi quelques centimètres de plus que l'homme maintenant et ils le savaient tous les deux. « Je veux savoir combien vaut ma vie exactement. »

L'homme considéra la question. Il fit demi-tour, revint vers le canapé et eut la satisfaction de voir le garçon se raidir, comme s'il se préparait à prendre un coup. Mais l'homme ne frappa pas. Au lieu de ça, il se pencha et dit ces mots presque avec tendresse, les soufflant à l'oreille du garçon : « Tu ne vaux pas le préservatif usagé dont tes parents se sont servis le jour où ils t'ont conçu, petit merdeux. Mais je vais avoir pitié de toi. Je vais te filer cent dollars. Dix par année de service. Dis merci. »

Le garçon le regarda. « Je veux dix mille.

– Chéri, tu n'étais pas un si bon coup.

– Je veux dix mille », insista le garçon, et la vacuité même de son regard effraya un peu l'homme et lui hérissa les poils de la nuque, bien qu'il eut soin de ne pas le montrer.

Il regarda le garçon, pensif. « Dix briques ? Sérieux ?

– Je les *mérite.* »

L'homme éclata brusquement de rire, passa la main dans les cheveux du garçon. « Tu veux de l'argent de poche, fiston ? Alors tu ferais mieux de le gagner. Que je te parle de cette nouvelle araignée que j'ai là-haut… »

22

« L'araignée violoniste chasse ses proies la nuit, des insectes morts ou vifs. »

Tiré de *Brown Recluse Spider*,
Michael F. Potter, entomologiste urbain,
Département d'agriculture de l'université du Kentucky

« IL EXISTE TRENTE-CINQ *MILLE* ESPÈCES d'araignées connues, expliquait Sal. D'après ce que j'ai lu, les spécialistes pensent que ça ne représente qu'un cinquième du total. Et le plus beau, c'est que ce sont les "nouveaux animaux de compagnie" les plus en vogue aux États-Unis. Moi qui croyais que tous les détraqués collectionnaient les pythons.

– Les pythons deviennent trop gros, l'informa Kimberly. Ils finissent relâchés dans les Everglades en Floride où ils dévorent tout ce qui bouge. Je crois que les alligators ne sont pas trop ravis. »

Sal et Kimberly se trouvaient à l'arrière d'une camionnette blanche vaguement camouflée en véhicule utilitaire mais qui appartenait en réalité aux services techniques du GBI. C'était la quatrième nuit de l'opération Attrape-Mouches. Ginny était à l'intérieur du Foxy Lady où, équipée d'un micro, elle attendait au cas où Dinechara se pointerait. Sal et Kimberly montaient la garde dans le véhicule technique, dont le sol était jonché de gobelets de café vides (Sal) et de bouteilles d'eau (Kimberly). Ils étaient assistés d'un preneur de son, Greg Moffatt, et d'un agent spécial en civil, Jackie Sparks. Moffatt, assis tout au fond, surveillait les barres lumineuses d'une console audio tout en marmonnant une kyrielle de termes techniques qu'il était le seul à comprendre. Quelque part dans la boîte, Sparks, dans le rôle d'une fille qui avait juste envie de s'amuser, tenait Ginny à l'œil.

Ginny savait pour Moffatt, mais pas pour Sparks. Après tout, ce n'était pas parce qu'elle risquait sa peau en portant un micro qu'il fallait tout lui dire. Ils avaient vérifié les branchements. Lui avaient inventé une histoire à raconter. L'avaient relâchée.

Sa mission : faire avouer à Dinechara qu'il avait abattu Tommy Mark Evans ou établir un lien entre lui et l'une des six filles de la série de permis de conduire. Ceci fournirait la confirmation dont Sal avait besoin pour mettre sur pied une cellule d'enquête officielle qui poursuivrait pour de bon Dinechara.

Mais quatre nuits plus tard, Dinechara ne s'était toujours pas montré et l'équipe commençait à être sur les nerfs. Sal avait dû faire des pieds et des mains pour obtenir tous ces moyens de la part du GBI. Encore une nuit ou deux et, si l'opération ne donnait rien, ça s'arrêterait là.

« En fait, continua Sal, un casque le reliant à Ginny collé à l'oreille gauche et un minuscule écouteur noir le reliant à l'agent spécial Sparks dans la droite, le marché des collectionneurs d'araignées n'est pas aussi restreint que je le croyais. Il y a des centaines de marchands sur Internet qui proposent tout et n'importe quoi, depuis une jeune araignée pour quelques sous jusqu'à une *Brachypelma baumgarteni* femelle adulte à huit cents dollars.

– *Huit cents dollars ?*

– Ouais. Les femelles coûtent cher. Elles vivent deux à trois fois plus longtemps que les mâles et on peut s'en servir pour faire de l'élevage. C'est d'ailleurs l'autre chose que j'ai apprise : tu n'imagines pas le nombre d'articles sur la façon de déterminer le sexe d'une mygale. »

Kimberly le dévisagea.

« C'est très important, lui assura-t-il. Ça te plairait de te fendre d'un supplément pour avoir une femelle et qu'on t'envoie un mâle par erreur ?

– Franchement, j'espère ne jamais avoir ce problème.

– Et puis, il y a les différentes associations d'amis des araignées. Sans compter ArachnoCon, le rassemblement annuel des passionnés. Sérieusement, tu tapes "mygale" sur Google et ça te sort toutes les réponses possibles et imaginables. Les araignées sont partout.

– Sans blague.

– Je suis aussi tombé sur des allusions à des importations illégales, continua Sal avec entrain. Les spécimens vraiment exotiques sont difficiles à trouver pour les accros et certains (ou certaines) sont du genre pressé. Alors, du moment qu'un Colombien fait entrer des drogues, pourquoi ne pas rajouter une *Xenesthis immanis* en prime et se faire une brique de plus facile ?

– Une xenthis quoi ?

– *Xenesthis immanis.* Une sorte de mygale avec des taches violettes sur les articulations des pattes, qui se terminent par des extrémités argentées. Les photos sont très jolies sur Internet, faut reconnaître. Non pas que je sois client. Ce qu'il y a, c'est que cette espèce particulière ne se trouve plus à cause de l'embargo sur les importations en provenance de Colombie. Alors il arrive que les collectionneurs enragés emploient des méthodes détournées. L'araignée est expédiée au Mexique, puis du Mexique au Texas et du Texas au collectionneur enragé, le tout en graissant pas mal de pattes au passage. C'est plus fréquent que tu ne penses.

– Étant donné que je n'y pense jamais, marmonna Kimberly, il y a des chances.

– Ça nous fournit un autre angle d'attaque. Admettons que Dinechara se pointe et qu'on en ait assez sur l'enregistrement pour justifier un mandat de perquisition. Bon, à moins qu'il laisse traîner ses gants ensanglantés à la vue de tout le monde, ça m'étonnerait qu'on arrête qui que ce soit aujourd'hui. En revanche, le ministère de l'Environnement ou de l'Agriculture ou l'organisme quelconque qui s'occupe de ces petites bestioles pourrait peut-être l'inculper pour importation illégale d'araignées. Ce qui nous donnerait du temps et un prétexte pour fouiller dans ses petites affaires.

– Bien vu, répondit Kimberly, bluffée.

– Enfin ça, c'est le plan B, répondit Sal avec modestie. Au départ, je pensais pouvoir utiliser cette piste pour remonter jusqu'à lui, mais quand je me suis rendu compte que la moitié d'Atlanta était fétichiste des araignées, j'ai dû changer mon fusil d'épaule.

– Ces tatouages me laissent rêveuse, murmura Kimberly. Il est impressionnant, celui qui grimpe dans le cou de Ginny. Combien tu paries que Dinechara l'a emmenée lui-même au salon de tatouage, un endroit qu'il connaissait pour y être déjà allé lui-même ?

– On devrait photographier son cou, convint Sal. Faire circuler le cliché. Voir si quelqu'un reconnaît l'artiste. Oh, qu'est-ce que je donnerais pour avoir une vraie cellule d'investigation à ma disposition.

– Tu veux dire : avec d'autres agents que notre tandem surmené dont une moitié pourrait bien être obligée d'abandonner l'enquête pour donner la vie ?

– Ça complique les choses.

– C'est toute l'histoire de ma vie, constata Kimberly. Compliquée. »

Elle soupira, regarda dehors à travers le pare-brise de la camionnette. Elle ne voulait pas penser à sa vie privée. À la détente précaire qui marquait ses rapports quotidiens avec Mac. Au fait qu'ils avaient une semaine pour décider du reste de leur vie, que quatre jours étaient déjà passés et que, une fois de plus, elle travaillait tard.

Mac ne lui posait plus de questions. Ne s'immisçait pas. Il se contentait d'attendre et elle trouvait son silence plus déstabilisant que ses grands discours.

Il fallait qu'il accepte ce poste de cadre à Savannah. Ne pas le faire serait stupide. Il avait raison : leur vie était en train de changer. Autant se focaliser sur la carrière de Mac parce que, quoi qu'il arrive, la sienne allait passer au point mort. Oh, puis merde. Elle allait rester à la maison. S'occuper du bébé. Regarder des talk-shows. Lire des guides de développement personnel.

Sauf que ça ne lui ressemblait pas. Elle était égoïste, handicapée des sentiments et obsédée du travail. Et, à sa façon, heureuse.

« Ça parle », intervint Moffatt, le preneur de son.

Sal et Kimberly se redressèrent, se mirent docilement à l'écoute de leurs casques. Jusque-là, Ginny avait reçu une demi-douzaine de propositions. Si cela avait été un coup de filet antiprostitution, la pêche aurait été bonne.

Mais là, ça semblait plus sérieux.

« *Il faut qu'on se parle* », disait Ginny d'une voix pressante. Elle paraissait agitée, inquiète.

« *Pourquoi t'es pas au taf ?* dit une voix d'homme. *Sors d'ici et fais-moi marcher cette pompe à fric, ma belle.*

– *D'abord il faut qu'on se parle* », insista Ginny.

Sal prit la radio portable noire sur ses genoux et s'adressa à l'agent spécial Sparks : « Il nous faut une description : homme non identifié, discute avec Jones.

– Compris, répondit-elle dans un crépitement, puis il y eut une courte pause pendant qu'elle se frayait un chemin dans la boîte.

– *Je veux une prise de sang,* disait Ginny d'une voix plus stridente. *J'ai lu des trucs sur les tatouages et le risque d'hépatite* (une idée de Kimberly). *Comment savoir si je n'ai rien ? Et mon bébé ? S'il attrape la maladie, lui aussi ? Il faut que tu m'aides.*

– J'ai une description, indiqua l'agent spécial Sparks à voix basse : je vois un homme blanc, le milieu de la trentaine, un mètre quatre-vingts, de quatre-vingts à quatre-vingt-cinq kilos. Porte des chaussures de chantier marron foncé, un jean bleu et une chemise verte à manches longues, retroussées jusqu'au coude. Une vieille casquette de base-ball rouge descendue sur le front, qui masque son visage.

– *Qu'est-ce que c'est que ces conneries ?* la rudoya-t-il. *Tu m'as fait venir ici pour une prise de sang ? Tu me prends pour une mutuelle ou quoi ?*

– *J'ai besoin d'argent...*

– *Alors retourne bosser !*

– *Je ne peux pas,* geignit-elle. *Je suis tout le temps fatiguée, les mecs ne veulent pas de moi. Ça les fait fuir, tu sais, une pute enceinte.*

– *Fallait y penser il y a quatre mois. Si tu veux bouffer, je te conseille de trouver une bonne âme qui paiera un supplément pour baiser la fille qui n'a pas eu de bol.* »

Kimberly entendit un bruissement de jean. L'homme qui tournait les talons ? Puis un claquement sec, Ginny qui le rattrapait par le bras.

« *Je veux négocier,* dit-elle avec désespoir. *Écoute-moi : j'ai quelque chose à te dire.* »

Kimberly et Sal échangèrent un regard.

« *Comment ça, négocier ?* demanda l'homme, soupçonneux.

– *Pas ici. En privé.*

– Et merde, dit Sal.

– Elle va nous filer entre les doigts », renchérit Kimberly.

Ginny avait reçu l'ordre formel de rester en public. Ils auraient dû se méfier.

« Jackie..., grommela Sal dans la radio.

– Je suis sur le coup, répondit l'agent spécial.

– *Déconne pas avec moi,* disait l'homme d'une voix menaçante.

– *Je veux juste discuter. D'accord ? On va dans ta voiture. On s'amuse un peu. Comme au bon vieux temps.* »

L'homme ne répondit rien. Kimberly se représenta Ginny en train de l'entraîner à travers la foule bouillonnante.

« L'individu s'approche de la sortie, prévint l'agent spécial Sparks à la radio. Sortie dans trois, deux, un… »

Les portes s'ouvrirent. Ginny émergea la première, l'air chancelante et fébrile. Elle portait la micro-jupe habituelle, mais un haut plus long pour camoufler le matériel qu'ils avaient installé dans son soutien-gorge à balconnets. Justement, comme elle le tripotait, secouait légèrement les bonnets, un flot de parasites déferla dans les écouteurs.

« Ne me dis pas qu'elle vient de… », commença Sal, mais le son revint. Il poussa un soupir de soulagement, mais Kimberly ne les voyait pas encore tirés d'affaire.

Un homme était apparu derrière Ginny. Physique mince, nerveux. Brun, les avant-bras bronzés. Jean et chemise de meilleure facture qu'elle ne s'y attendait. Moins le genre éleveur de poules, plus le genre Eddie Bauer. La visière d'une casquette rouge décolorée descendue sur son visage laissait l'impression d'avoir vu un chapeau plutôt qu'une personne. Pas vu, pas pris.

L'homme s'engagea sur le trottoir avec Ginny, désormais muette mais pendue à son bras. Un instant plus tard, la porte s'ouvrit et Sparks apparut, alluma ostensiblement une cigarette et partit sans se presser dans la même direction que le couple, la cigarette au bout des doigts.

Sal et Kimberly échangèrent à nouveau un regard.

« Mais qu'est-ce qu'elle fout, Ginny ? murmura Sal, sur des charbons ardents.

– Je ne sais pas.

– On est baisés.

– Tu veux dire à Sparks de couper court ?

– Non, répondit Sal avec nervosité. Pas encore. »

Ils retournèrent à leurs casques pour écouter Ginny d'une oreille et l'agent spécial Sparks de l'autre.

À gauche, un bruit de portière ouverte, puis refermée. Le petit rire aigu de Ginny. « *Alors comme ça, ça te fait vraiment plaisir de me voir…* »

À droite, la voix télégraphique de Sparks : « L'individu et Jones sont montés dans un Toyota FourRunner noir, intérieur chrome. Véhicule maculé de boue : plaque d'immatriculation illisible.

– On peut le faire coincer pour une infraction mineure, murmura Sal.

– Chut, dit Kimberly, un doigt sur la bouche.

– *Alors, qu'est-ce que ce sera, mon grand,* disait Ginny, *une pipe ou une baise ?*

– *Parle, connasse. Je ne suis pas venu jusqu'ici pour me faire entuber par une pute. Qui me demande de raquer pour une prise de sang. C'est quoi, ton problème ?*

– *Ce n'était pas mon idée,* répondit précipitamment Ginny. *Enfin, je ne voyais pas d'autre moyen d'attirer ton attention.* »

Long silence.

« *Tu ferais mieux de vider ton sac ou je te jure que l'hépatite deviendra le cadet de tes soucis.*

– *Ils posent des questions sur moi.*

– *Qui ?*

– *Des agents spéciaux. Du GBI. Ils racontent qu'il y a des prostituées qui disparaissent. Ils veulent savoir ce qui se passe. Ils n'arrêtent pas de demander après Ginny Jones.*

– *Qu'est-ce que tu leur as dit ?*

– *Rien ! Quoi, il y a tout le temps des filles qui s'en vont au Texas, non ? J'ai dit qu'ils devraient peut-être aller voir là-bas.*

– *Ils ont cité d'autres noms ?* insista-t-il.

– *Je ne sais pas.* »

Il la gifla. Le claquement sec prit Kimberly par surprise, la fit sursauter.

« *Me raconte pas d'histoires.*

– *Je n'ai pas...* »

À nouveau le choc d'une peau contre une autre. Sur le casque, les doigts de Sal étaient devenus blancs. Il avait sa mine des mauvais jours.

« *ME RACONTE PAS D'HISTOIRES !*

– *Je ne sais plus ! Je suis désolée, ils parlaient, il y avait tellement de noms et j'essayais de me faire petite, de ne pas attirer l'attention. Non, me frappe pas, je dis la vérité, je te jure, je te jure, je te jure.* »

Un autre coup. Encore des cris.

« Arrête ça, dit Kimberly en regardant Sal dont le visage était tout creusé de rides. Elle est cuite. Faut la sortir de là. »

Mais Sal secoua la tête. « Non, il fait seulement mumuse avec elle. Il plaisante encore. C'est bien ça, le plus glauque. Il n'est même pas encore sérieux. »

Et Sal avait peut-être raison parce que le silence se fit à l'autre bout des écouteurs.

« *T'as trente secondes, ma fille. Qu'est-ce que tu veux, au juste ?* »

Le silence à nouveau, long et tendu. Puis Ginny s'exclama précipitamment : « *Je veux voir ma mère, okay ? Je veux juste... la voir.*

– *Hein ?*

– Nom de Dieu, dit Sal.

– Elle n'y va pas de main morte », reconnut Kimberly, avant de s'apercevoir qu'elle était assise au bord de son siège.

Ginny avait renoncé à faire prononcer le nom des filles disparues par Dinechara. Elle essayait maintenant de le relier au meurtre de sa mère. Kimberly était écartelée entre l'envie d'entendre ce que Ginny allait dire et celle de dévaler la rue en trombe jusqu'au 4x4 boueux parce que ça allait mal finir.

« *Je me souviens de la cassette,* murmurait Ginny. *Je sais qu'elle est morte... ce que tu lui as fait. J'ai essayé de me dire que ça n'avait pas d'importance. Vu qu'elle n'en avait jamais rien eu à foutre de moi.*

– *Tu insinues que j'ai fait quelque chose de mal, Ginny Jones ?* demanda froidement l'homme.

– *Je dis seulement...*

– *Toi, une fille qui n'a même pas fini le lycée, qui s'est tirée de chez elle pour vendre son cul à vingt-cinq dollars la passe, en cloque de quatre mois ?*

– *Arrête...*

– Tu vois, si j'étais flic, je trouverais que tu as bien la tête de l'emploi. La fille sortie de sa petite ville, que personne n'a jamais aimée. Qui a tué sa mère pour se faire la malle, tué ses rivales pour limiter la concurrence. On exécute par injection mortelle en Géorgie ? Je ne sais plus, mais il me semble que ça ne poserait pas trop de problèmes à un jury d'envoyer une merdeuse comme toi à la place qui lui convient : derrière des murs de pierre, sans son bébé, sanglée sur un lit pendant qu'une aiguille s'enfonce dans sa veine...

– Je te déteste, murmura Ginny. *Pourquoi tu es comme ça ? Tellement cruel.*

– Pourquoi tu es une telle ratée, Ginny ? Pourquoi tu vends ton corps, tu te fais mettre en cloque ? Merde, il me semble que c'est toi qui as des problèmes. Compte pas sur moi pour t'appeler et te tenir la main toute la nuit.

– Tu es un monstre.

– Non, mais c'est moi qui commande. Et tu ferais bien de t'en souvenir. Maintenant casse-toi et arrête de m'emmerder. C'est le boulot des flics de poser des questions. Le tien, c'est de fermer ta gueule. Compris ?

– Je veux la voir.

– Ginny, tu n'as pas écouté...

– C'était ma mère ! Et je vais devenir mère. Et ça... ça ne paraît pas bien que ça se termine comme ça. Je veux lui reparler. Lui annoncer pour le bébé. Faire la paix. Dire adieu.

– Qu'est-ce qui te prend, tu as pété un câble ?

– Elle est quelque part, non ? Tu l'as bien enterrée, ou bazardée, ou brûlée, ce que tu fais avec les corps. Mais elle est quelque part. Une tombe. Si tu pouvais juste me dire où, pour que j'aille la voir... je ne toucherai rien. Je veux seulement parler. »

– Jackie..., murmura Sal, nerveux.

– Tu as un micro sur toi ? tonna soudain Dinechara.

– Qu-qu-quoi ? Tu débloques...

– Tu essaies de me piéger ? Toi, tu essaies de me piéger ? »

Une inspiration précipitée, le petit cri aigu de Ginny.

« Jackie ! » cria Sal dans la radio d'une voix désormais impérieuse.

Kimberly, qui s'était levée de son siège, essayait de décider quoi faire.

« *Il est où ? Dis-le-moi ! TOUT DE SUITE !*

– *Arrête ! Arrête ! Tu me fais mal ! Lâche mon bras. Je veux juste parler à ma mère. Tu n'as jamais vu une femme enceinte ? C'est les hormones. Sérieux !*

– *Il est où, il est où ? Putain de bordel de merde...*

– *Arrête, arrête, tu me fais mal. Oh, merde, lâche-moi...* »

Kimberly bondit vers la portière de la camionnette, la main sur la poignée, s'apprêtant à ouvrir. Alors que Ginny recommençait à crier dans son oreille, des petits cris suraigus, un brusque martèlement lui parvint de l'autre côté du cerveau.

« *Salut,* s'éleva la voix écervelée de l'agent spécial Sparks au milieu du désordre, *c'est la fête, on dirait. On peut participer ?* » Nouveau gloussement aigu, le claquement d'un chewing-gum. « *Hé, elles sont chouettes, tes roues, mon vieux. Tu aimes le 4x4 ? Ça te dirait de m'emmener faire un tour ?* »

« Bordel de merde. » Sal avait l'air en proie à une crise cardiaque, plié en deux sur son siège, les mains sur la tête.

Kimberly hésitait à côté de la portière, tout aussi paralysée.

Sparks continuait à babiller. « *La vache, regardez-moi ça. J'ai pas vu autant de boue depuis que je conduisais le John Deere de mon père à la ferme.*

– *Tire-toi, c'est privé.*

– *Allez, mon vieux. Ça marche pas fort, ce soir. Tu peux pas m'en vouloir de tenter le coup, surtout avec un homme aussi séduisant. Ça fait un bail que j'en avais pas vu un qui a encore toutes ses dents, si tu vois ce que je veux dire. Hé, t'es* enceinte, *chérie ?*

– *Je suis fatiguée,* dit Ginny, *je crois que je voudrais y aller.*

– *Oh, ça vaudrait mieux, chérie. Tu travailles alors que tu es enceinte ? C'est pas une vie.*

– *Eh, merde. Moi aussi, je suis fatigué,* dit Dinechara.

– Oh, allez, sois pas comme ça. Hé, si tu cherches vraiment la bagarre, mon grand… »

Grincement de portière. Bruits d'une petite échauffourée. Une exclamation de surprise de Ginny. Un juron grave de l'homme. « *Enlève tes sales pattes de là !*

– Alors, mon papounet…

– Je ne suis pas ton père. Descends de ma bagnole !

– C'est bon, c'est bon, pas la peine de s'exciter. Je peux pas résister à des sièges en cuir, c'est tout. Ça me rappelle les cochons à la ferme de mon père…

– DESCENDS !

– J'y vais, j'y vais, te bile pas. Les mecs. Suffit qu'ils aient des jantes alliage et ils se prennent pour les rois du monde. »

Des bruits de pas. Un claquement de portière. Un rugissement de moteur.

Sparks, de nouveau dans l'oreillette, d'une voix claire et précise. « *Suspect parti en direction du nord…* »

Son ton les remit tous deux en ordre de marche. Sal attrapa la radio et, donnant le signalement du véhicule, demanda une interception. Kimberly ouvrit la portière de la camionnette pour que Ginny et Sparks puissent se ruer à l'intérieur.

Elle aperçut Sparks à quelques immeubles de là, qui courait en traînant Ginny derrière elle. La joue droite de Ginny arborait une marque rouge laissée par la main de l'homme. Son nez coulait, ses cils étaient collés par les larmes.

« Qui c'est, ça ? invectiva-t-elle immédiatement Kimberly. Vous avez envoyé quelqu'un pour m'espionner ?

– Pour vous couvrir, plutôt », répondit Kimberly.

Elle les aida à grimper, un regard à gauche, un regard à droite. Jusque-là, tout allait bien. Elle referma la portière derrière elles pendant que Sparks lâchait sa protégée et levait triomphalement l'autre main.

« J'ai un petit cadeau pour vous, déclara-t-elle. Regardez ce qui est tombé de la voiture dans la bagarre : une chaussure du type ! »

23

« Pour la majorité des espèces [...] la place du mari se trouve “dans le tube digestif de sa compagne”. »

Tiré de l'article « Spider Woman »
Burkhard Bilger, *New Yorker*, 5 mars 2007

KIMBERLY RENTRA À LA MAISON toute guillerette. À trois heures du matin, la GA 400 était enfin déserte et elle filait en fredonnant et tapotait le volant des doigts en regrettant de ne pas être au volant d'une Porsche. C'était une de ces nuits où ce serait le pied de voir ce qu'elle avait dans le ventre en regardant l'aiguille s'envoler.

Au lieu de cela, Kimberly maintenait sagement son break Passat en dessous des cent dix, mais cela n'empêchait pas son cerveau de s'emballer.

Le lendemain à la première heure, Sal allait demander la création d'une cellule plurijuridictionnelle. Dinechara n'avait pas comme par magie avoué l'enlèvement et le meurtre d'une des prostituées de la liste de Sal, mais il ne s'était pas non plus exprimé ou comporté en innocent. Ils étaient sur une piste et l'enregistrement de ce soir accréditerait leur thèse.

Malheureusement, les patrouilles en uniforme n'avaient jamais croisé la voiture de Dinechara pour procéder à l'interception demandée. Cela ne la surprenait pas plus que ça. Malgré son vocabulaire brut de décoffrage, Dinechara lui donnait l'impression d'une intelligence froide et calculatrice. Même sur son terrain, il gardait sa casquette bien baissée et masquait sa plaque d'immatriculation avec de la boue. Elle soupçonnait qu'il avait dû redoubler de précautions en sortant de Sandy Springs.

Pour autant, l'avis de recherche tenait toujours et on pouvait donc espérer que quelqu'un localiserait le véhicule dans les jours à venir. Et Sal allait faire asseoir l'agent spécial Sparks et Ginny à la même table qu'un dessinateur pour mettre au point un portrait-robot à faire circuler.

Avec un peu de chance, d'ici une semaine, ils connaîtraient le nom de Dinechara et l'essentiel de ce qu'il y avait à savoir sur lui. Et là, ça deviendrait drôle.

Elle fredonna à nouveau « Tainted Love » en marquant le rythme du bout des doigts.

Elle s'aperçut qu'elle était impatiente de rentrer chez elle. Qu'elle avait envie de se garer dans son allée, de se précipiter dans sa maison. Envie, plus que tout au monde, de voir son mari.

Voilà. Fini les bêtises. À la minute où elle rentrerait, elle réveillerait Mac. Ils allaient régler cette histoire une bonne fois pour toutes. Il pouvait s'installer à Savannah à titre d'essai, ils pouvaient trouver une maison quelque part à mi-chemin, elle pouvait étudier les possibilités qu'il y aurait pour elle dans une des antennes régionales du FBI. Il y avait une solution, il y en a toujours. Il suffisait qu'ils se parlent.

Et ensuite elle lui sauterait dessus, parce qu'il n'y avait rien de tel qu'une bonne nuit de travail pour l'émoustiller.

Kimberly se gara enfin dans son allée. La voiture de Mac n'était pas là. En revanche, en rentrant dans son salon, elle découvrit son père et sa femme, Rainie. Quincy, assis dans le fauteuil relax, feuilletait le journal.

Rainie, recroquevillée dans un coin du canapé et manifestement à moitié assoupie, regardait une sitcom. Tous deux se levèrent à son arrivée.

« Mais qu'est-ce que vous faites là ? laissa échapper Kimberly.

– Je me suis dit que ça faisait trop longtemps qu'on n'était pas venus », répondit simplement son père. Quincy avait toujours été imperturbable.

Alors Kimberly se souvint : la dernière dispute avec Mac, son message au milieu de la nuit. Elle rougit, et d'un seul coup se sentit démunie et mise à nue. Elle aurait dû rappeler son père immédiatement, lui dire de ne pas tenir compte de sa demande, c'était juste un mauvais moment à passer. Elle aurait dû... faire quelque chose.

« Tu travaillais ? demanda Rainie en réprimant avec peine un bâillement. Une affaire intéressante ?

– Non. Enfin, peut-être. À quelle heure êtes-vous arrivés ? Vous avez mangé quelque chose ? Est-ce que Mac vous a montré votre chambre ? Je suis désolée de vous faire veiller aussi tard.

– Nous sommes à l'heure de l'Oregon, lui assura son père avec flegme, toujours assis dans le fauteuil, toujours le journal à la main. Il n'est pas si tard. »

Rainie lui jeta un regard de côté, étouffa un autre bâillement et dit : « Nous sommes arrivés peu après dix heures. Mac était là, mais il a été appelé. J'avoue que nous avons mangé tout le restant de pizza...

– *Nous* ? la reprit Quincy.

– Okay *j'ai* mangé toute la pizza. Le Géant Vert que voici, dit-elle en désignant Quincy du pouce, a fait une salade.

– On a des légumes ? s'étonna Kimberly.

– De la laitue iceberg, des oignons rouges et des tomates, répondit son père. Je suppose que ce sont des condiments dans cette maison, mais on peut en faire une salade composée si on veut.

– Oh. »

Rompant enfin la glace, Rainie traversa la pièce pour accueillir Kimberly en la prenant dans ses bras.

« Comment tu te sens ? demanda-t-elle.

– Bien. Bien. Très bien.

– Et le bébé ?

– La forme, il grandit, il donne des coups.

– Tu le sens bouger ? »

La voix de Rainie monta dans les aigus, prit fugitivement des accents de regret. La belle-mère de Kimberly avait décidé à un âge tardif qu'elle voulait des enfants. Elle et Quincy avaient envisagé l'adoption, mais les choses ne s'étaient pas passées comme prévu. Jamais ils n'en parlaient, mais Kimberly était relativement sûre que cette possibilité était désormais fermée à Rainie et que les seuls enfants qui peuplaient son existence étaient ceux qu'elle aidait en tant que défenseur de l'enfance maltraitée.

La grossesse de Kimberly la rendait-elle jalouse, avivait-elle de vieilles blessures, de nouveaux regrets ? Rainie avait autrefois travaillé dans la police, elle était experte dans l'art de ne rien laisser paraître et de tenir sa langue. Quoi qu'elle pût ressentir en son for intérieur, il y avait peu de chances que cela transparaisse jamais.

« Tu veux toucher ? demanda Kimberly.

– Oui. »

Elle prit la main de Rainie, la posa sur son côté gauche, juste sur la courbe. Bébé McCormack, en pleine gymnastique nocturne, ne déçut pas.

« Fille ou garçon ? demanda Rainie. À ton avis ? »

Quincy avait quitté le fauteuil et se tenait à côté de sa femme. Jamais il ne demanderait, alors Kimberly lui prit la main et la colla sur son flanc. Le bébé donna un nouveau coup. Son père tressaillit, retira brusquement sa main. Et sourit.

« Un garçon ! » dit-il immédiatement. Il remit sa main, paume à plat sur le flanc de Kimberly.

« Je dirais garçon aussi, renchérit Rainie. Les filles sont censées voler la beauté de leur mère et tu m'as l'air encore bien jolie. »

Kimberly faillit rougir. « Bien, bien, bien. Donnez donc un peu d'air à la jolie maman. Et un verre d'eau. »

Elle se dirigea vers la cuisine, prit un verre d'eau pour elle-même, un autre pour Rainie. Quincy était un buveur de café invétéré, alors même s'il était trois heures du matin, elle lui en prépara. Ils s'installèrent tous à la table de cuisine – charmant tableau familial sauf qu'aucun d'eux n'avait songé à allumer le plafonnier. Ce seul fait en disait assez long sur leur métier d'élection.

« Mac a dit quelque chose avant de filer ? demanda Kimberly.

– De ne pas l'attendre. »

Kimberly grogna, se mordilla la lèvre inférieure en essayant de deviner ce qui pouvait se passer. Elle ne savait pas sur quoi Mac travaillait en ce moment. Ils avaient parlé de ses affaires à elle, pas de celles de Mac.

« Et ta nuit ? demanda son père.

– Une planque. Le type n'a pas avoué comme par enchantement, mais il a fichu une raclée à notre informatrice, ce qui semble indiquer que nous sommes sur la bonne piste. »

Quincy leva un sourcil, intéressé. « Quel genre d'affaire ?

– Meurtres en série. Des prostituées ont disparu, notamment six filles dont les permis de conduire ont été déposés sur le pare-brise d'un agent spécial. Nous pensons que le type pourrait être notre homme. Le problème, reprit Kimberly en se mordillant à nouveau la lèvre, c'est que nous n'avons retrouvé aucun des corps. Vu la vie qu'elles mènent, la défense pourra prétendre que les filles sont simplement parties voir ailleurs. Ça donnerait un procès très confus. Quoi que ça pourrait marcher, en fait, si on obtenait que la cassette constitue une preuve recevable.

– La cassette ? intervint Rainie.

– Un enregistrement audio de l'assassinat d'une des disparues. En tout cas, on jurerait que c'est un assassinat. Imaginez ça : l'individu demande à chaque victime de choisir la suivante. En l'occurrence, la femme, Veronica Jones, donne le nom de sa fille, Ginny Jones, laquelle est aujourd'hui notre informatrice. »

Rainie proféra alors une évidence : « Mais il n'a pas tué Ginny Jones.

– À l'écouter, elle l'a convaincu de ne pas le faire. L'individu a un faible pour les araignées. Ginny aussi. Étant donné leur passion commune, il l'a laissée en vie – si on peut appeler ça une vie, de se prostituer jusqu'à la fin de ses jours en reversant la moitié de ses revenus.

– Il reste aux commandes, conclut Quincy.

– Exactement. Le monsieur aime bien commander.

– Je peux écouter la cassette ? demanda Quincy.

– Elle est au bureau. Je pourrai la prendre demain.

– Comment il a demandé à la femme de choisir la victime suivante ?

– En la torturant. Il disait qu'il s'arrêterait quand elle lui donnerait le nom de quelqu'un qu'elle aimait. »

Quincy avait l'air sombre. « La victime a obtempéré immédiatement ?

– En fait, elle a essayé de lui donner un nom bidon. Mais quand il l'a harcelée de questions, pourquoi ce nom, pourquoi elle tenait à cette personne, elle a perdu pied. On entend qu'elle est stressée, désorientée par la douleur. C'est déjà difficile de réfléchir dans ces conditions, alors mentir…

– Donc elle a donné sa propre fille. Ça sous-entendrait que toutes les victimes ont un lien quelconque aux yeux du type.

– On y travaille. En fait, un agent du GBI y travaille. Sal sait déjà que trois des prostituées habitaient le même appartement ; elles ont disparu les unes après les autres. Mais c'est clair qu'il nous manque des pièces importantes du puzzle. Il y a sans doute des filles qui sont vraiment parties au Texas dans notre liste de disparues, et d'autres qui ont disparu sans que nous le sachions encore.

– Elles viennent toutes d'une zone géographique précise ? demanda Rainie. À quoi ressemble le milieu de la prostitution en Géorgie ?

– Il est vaste et varié. Il y a celles qui font le trottoir dans les quartiers chauds comme Fulton Industrial Boulevard – pour la plupart noires, pour la plupart toxicos. Ensuite, il y a les salons de massage dans des villes comme Sandy Springs – pour la plupart asiatiques, pour la plupart esclaves sexuelles. Et puis il y a les boîtes, où on trouve un peu de tout, Blanches, Latinos, Noires, Asiatiques, droguées, pas droguées. Et, pour finir, les activités habituelles autour de la base de l'armée de l'air à Marietta : les filles du coin qui proposent quelques services en extra tout en servant à table.

» La Géorgie est un État immense, avec une grande diversité géographique et socioprofessionnelle. Si notre individu joue à la marelle dans ces milieux clandestins, il va falloir beaucoup échanger avec un paquet de services de police pour faire des rapprochements, ce qui explique en partie pourquoi il a réussi à passer inaperçu pendant tout ce temps.

– Que savez-vous d'autre sur lui ? reprit Quincy.

– Bon, l'ayant vu ce soir pour la première fois... Le milieu de la trentaine.

– Aguerri. Capable de se déplacer, de prendre son temps, de traquer sa cible.

– À en juger par l'enregistrement, je dirais que Veronica Jones n'était pas sa première victime. Il a eu le temps de peaufiner sa méthode. Physiquement, il est blanc, un mètre soixante-quinze, un mètre quatre-vingts, quelque chose comme quatre-vingt-cinq kilos. Pas immense, mais mince, nerveux. Le genre qui aime vivre au grand air : chaussures de randonnée, jean, le 4x4.

– Chasseur ?

– Dans cet État, il y a de fortes chances.

– Un solitaire.

– Curieusement, nous ne pensons pas. L'agent spécial du GBI dont je parlais a trouvé deux enveloppes sur son pare-brise. Les deux contenaient les permis de conduire de prostituées disparues. Étant donné qu'il n'y a eu ni message, ni autre tentative de communication, Sal pense que les colis venaient peut-être d'un proche du tueur et non du tueur lui-même. »

Quincy haussa un sourcil, étudia la question. « Ça se tient. À supposer qu'ils entrent en contact, la plupart des tueurs cherchent à nous narguer un peu, tant qu'à faire.

– Comme tu dis. Malheureusement, les enveloppes n'ont fourni aucun indice matériel, donc nous devons encore identifier et retrouver le tueur par nos propres moyens. Mais quand nous saurons de qui il s'agit, nous serons peut-être en mesure d'identifier un conjoint ou un membre de la famille qui pourra nous aider.

– Profil socioéconomique ? poursuivit Quincy.

– Difficile à cerner. Il parle comme un voyou, mais il peut aussi être très concis quand il veut. Et le 4x4 est luxueux : un Toyota FourRunner, série limitée. Les vêtements aussi ; il a l'air décontracté, en jean et chemise à carreaux, mais c'est de la qualité. Peut-être un ancien péquenaud passé jeune cadre dynamique.

– Il est monté dans l'échelle sociale. Apprécie les biens matériels, conclut Rainie.

– Je crois.

– Ça va nous ramener à une histoire d'argent, dit Rainie en regardant Quincy. Un tueur expérimenté comme ça, au moins une dizaine de victimes. Faut voir la somme de temps et d'énergie que ça lui prend. Préparer le matériel du meurtre, partir en chasse, brouiller les pistes, cacher les corps, c'est un boulot à plein temps, surtout s'il les traque un moment.

– Il n'a pas le choix, intervint Quincy. Laisser la victime A choisir la victime B l'oblige à se livrer à une longue reconnaissance sur la victime B avant de pouvoir passer à l'acte.

– Donc il est très pris, continua Rainie. Ça lui demande beaucoup de travail. Ce qui signifie qu'il n'occupe probablement plus un emploi rémunéré et qu'il doit se tourner vers d'autres activités pour financer son train de vie.

– Comme de jouer les maquereaux, murmura Kimberly.

– Oui. Ou bien l'escroquerie, le cambriolage, la drogue. Il y a eu cette affaire, il y a quelque temps, d'un type arrêté par le Trésor pour contrefaçon de chèques. Quand ils ont fouillé son garde-meubles, ils ont retrouvé des cartons entiers de photos de femmes ligotées et bâillonnées qu'il avait agressées sexuellement. Pour finir, c'était un sadique sexuel classique qui avait sévi pendant des années sur la côte Est où il kidnappait, violait et tuait des femmes. Contrefaire des chèques n'était qu'une manière de couvrir ses frais.

– Tu as déjà entendu parler d'une association qui s'appelle NecroSearch International ? » demanda Quincy.

Kimberly fit signe que non.

« On les appelle souvent les "amis des cochons". C'est une organisation à but non lucratif essentiellement composée de scientifiques et de policiers à la retraite. J'envisage de les rejoindre.

– Voilà autre chose », dit Rainie avec humour.

Mais Kimberly regardait son père avec intérêt. « Quel est leur but ?

– Retrouver des cadavres. Ils sont surtout connus parce qu'ils enterrent des cochons pour mettre au point des techniques de repérage des tombes clandestines. Ce sont eux aussi qui ont localisé le corps de Michele Wallace près de vingt ans après sa disparition dans le Colorado.

– Michele Wallace ? répéta Kimberly en fouillant rapidement sa mémoire, mais en vain. Désolée, ça ne me dit rien.

– Tu étais trop jeune. 1974. Wallace avait vingt-cinq ans et vivait à Gunnison dans le Colorado. Randonneuse expérimentée, elle est partie en week-end dans le parc de Schofield avec son berger allemand. En regagnant son véhicule, elle a croisé deux hommes dont la voiture était en panne et leur a proposé de les emmener. On ne l'a plus jamais revue.

« D'après l'un d'eux, Chuck Matthews, Wallace l'avait déposé en ville et avait continué avec son ami, Roy Melanson. Celui-ci a été arrêté peu de temps après sur mandat d'amener. La police a retrouvé en sa possession le permis de conduire de Wallace, son matériel de camping, jusqu'au sac pour son chien. Plus ils fouillaient dans le passé de Melanson, plus les policiers étaient inquiets. Le type était recherché dans le cadre de trois affaires de viol, plus un meurtre au Texas.

» La police a commencé à lui mettre la pression tout en lançant une vaste fouille pour retrouver le corps de Wallace dans le parc de Schofield. Et tu sais ce qui s'est passé ?

– Quoi ?

– Rien. La police n'a pas trouvé la moindre preuve qu'il y avait eu meurtre, moyennant quoi elle n'a pas pu saisir le tribunal. Melanson prétendait que Wallace lui avait tout offert. Qui pouvait le contredire ? Melanson a finalement été jugé coupable d'escroquerie pour avoir encaissé des chèques volés et il a fait treize ans avant d'être relâché. La mère de Michele Wallace, en revanche, s'est suicidée en laissant un message demandant, au cas où la dépouille de sa fille serait retrouvée, qu'on veuille bien l'enterrer à côté d'elle.

– Mon Dieu.

– En 1979, toujours dans le parc de Schofield, un autre randonneur est tombé sur une masse de cheveux au milieu d'un sentier, encore attachés au cuir chevelu et coiffés en deux nattes impeccables – exactement comme celles que portait Michele Wallace. La police a mis ça en magasin et les choses en sont restées là. Jusqu'en 1990.

« Une nouvelle enquêtrice, Kathy Young, a contacté NecroSearch International à propos de cette affaire. NecroSearch a fait appel à un botaniste, un anthropologue judiciaire, un archéologue et d'autres spécialistes. Le botaniste a étudié les matières végétales retrouvées dans les nattes et, en se fondant sur les différents types d'aiguilles et d'écorces, a établi que, dans tout le parc, il n'y avait que quelques secteurs où l'on trouvait ces espèces d'arbres dans les mêmes proportions. Les scientifiques se sont concentrés sur ces zones et, après quelques jours d'exploration méthodique et harassante, ils ont découvert le crâne de Wallace. En septembre 1993, Roy Melanson a finalement été jugé coupable du meurtre. Et en avril 1994, la dépouille de Michele Wallace a enfin été ensevelie aux côtés de celle de sa mère.

– Seigneur », murmura Kimberly, qui détourna un instant le regard.

Cette histoire l'avait prise à la gorge. Elle avait horreur de ça.

« Là où je veux en venir, continua son père, c'est que les corps ont une importance. Si ta théorie est la bonne, il y a au moins une demi-douzaine de cadavres planqués quelque part. Si la police ne les retrouve pas par les méthodes classiques, peut-être qu'un bon expert peut le faire. »

Kimberly réfléchit à la question. « On aurait bien une nouvelle piste : un agent spécial a récupéré une chaussure de randonnée boueuse dans la voiture du mec. Je pensais contacter un de mes copains de l'Institut de géologie. Histoire de voir si on ne pourrait pas faire analyser un échantillon de terre, ce genre de choses.

– Cherchez des traces de chaux ! s'exclama immédiatement Quincy.

– Je sais.

– Et trouvez un botaniste. Il y a souvent beaucoup de fougères dans les ravins... Peut-être un entomologiste ou un arachnologue, aussi. Tu parlais d'araignées...

– Je sais, papa, répondit Kimberly avec impatience.

– Je fais encore le donneur de leçons ? » demanda Quincy en souriant.

Elle se reprit. « Non. Tu essaies de m'aider et Dieu sait que, dans cette affaire, on en aurait bien besoin. C'est juste… qu'il est tard.

– Bien sûr. Le bébé. Tu devrais dormir.

– Oui, je devrais. »

Mais personne ne quittait la table. Kimberly but encore de l'eau. Elle pensait aux araignées, à la terre, aux endroits où les tours et les détours d'une affaire peuvent vous mener. Comme la dernière fois où elle avait travaillé avec l'Institut de géologie et où elle s'était retrouvée à jouer les cabris au milieu d'empilements rocheux infestés de crotales, à faire de la spéléo dans une grotte polluée, à traverser à toutes jambes un marécage en feu. Sa vie quand elle était plus jeune, plus rapide et responsable de sa seule personne.

« Vous restez combien de temps ? songea-t-elle enfin à demander.

– Nous n'avons pas fixé de date de retour, répondit Rainie avec désinvolture en échangeant un regard avec Quincy. Nous n'avons jamais passé beaucoup de temps en Géorgie. On s'est dit que ça pourrait être sympa de faire un peu de tourisme. »

Kimberly les regarda avec scepticisme. « Et vos affaires à vous ?

– Les joies d'être consultant indépendant, lui assura son père. On peut toujours emporter son travail avec soi.

– Parce qu'il est toujours incapable de le laisser à la maison ! » se moqua Rainie.

Kimberly acquiesça. Finit son verre. Rainie avait terminé le sien.

« Je vous accompagne à votre chambre », dit-elle en ramassant les verres de chacun et en guidant ses hôtes dans le couloir.

Rainie entra la première dans la chambre d'amis, façon discrète de laisser Kimberly et son père un instant en tête-à-tête.

Kimberly ne savait jamais quoi dire. Si son père excellait dans l'art du silence, elle-même se sentait trop souvent suffoquée par tous les mots qui se bousculaient dans sa gorge. Elle voulait lui demander s'il était heureux. Si toute une vie de dévouement à son métier avait valu ce qu'il avait perdu en cours de route.

Elle voulait l'interroger sur sa mère, lui demander comment c'était lorsque, jeune couple, ils attendaient leur premier enfant. Elle voulait tout lui demander, alors elle ne lui demanda rien du tout.

Son père se pencha vers elle et l'embrassa sur la joue.

Un instant, ils restèrent tous les deux comme ça, les yeux clos, front contre front.

« Merci d'être venus, murmura Kimberly.

– Quand tu veux », répondit son père.

24

« En cas de pénurie de nourriture et si les jeunes ont faim, il arrive même qu'ils s'entre-dévorent. »

Tiré de *Spiders and Their Kin*,
Herbert W. et Lorna R. Levi,
St. Martin's Press, 2002

LE GARÇON REVINT. Par un après-midi radieux, il frappa sagement à la porte de derrière, alors elle l'embaucha pour fendre du bois. Il s'activa pendant plus d'une heure, assez longtemps pour enlever sa chemise et découvrir son torse maigrichon, ses côtes tragiquement décharnées. Après cela, elle lui prépara une omelette au fromage avec quatre épaisses tranches de pain grillé et deux verres de lait. Il mangea tout, sauça l'assiette avec le pain pour récupérer jusqu'à la dernière goutte de graisse de l'omelette et se lécha les doigts un par un.

Ils passèrent aux travaux d'intérieur. Elle lui montra comment coincer du petit bois dans les châssis des fenêtres pour plus de sécurité. Puis elle l'envoya à la cave chercher son carton de décorations de Noël. Il remonta avec le carton dans les bras et une grosse araignée domestique brune sur l'épaule. Lorsque Rita essaya de la chasser d'un revers de la main, il s'offusqua et insista pour s'asseoir dans sa cuisine et jouer avec la bestiole comme avec un animal de compagnie.

« Les araignées ne font pas de mal, lui expliqua-t-il. Elles tuent les insectes, pas les gens. Et puis elles sont vraiment cool. Tu as déjà goûté une toile d'araignée ? »

Elle le laissa avec son animal et accrocha des clochettes de Noël aux poignées de sa porte d'entrée et de sa porte de derrière – l'alarme du pauvre. Il lui restait quelques dernières tâches à accomplir, mais d'abord elle avait deux courses à faire.

« Eh bien, mon garçon, tu viens ou non ?

– On va où ? demanda-t-il en se levant d'un bond.

– À la quincaillerie. »

Elle enfila tant bien que mal son manteau, son chapeau, ses gants. Le garçon ne portait qu'une fine chemise, alors elle l'envoya à l'étage dans la chambre de Joseph. Il revint avec une chemise à carreaux qui lui tombait presque aux chevilles. Elle fouilla dans le placard de l'entrée jusqu'à ce qu'elle trouve un des vieux manteaux bleu marine de sa mère. Cela lui allait mieux que les vêtements de son frère.

Ils sortirent dans l'allée et le garçon s'arrêta à côté du garage, l'air d'attendre quelque chose.

« Ne sois pas ridicule, mon garçon. Ce n'est pas pour rien que le bon Dieu nous a donné des jambes.

– Ce n'est pas pour rien non plus qu'il nous a donné des voitures, rétorqua le garçon et, surprise, elle pouffa.

– J'ai vendu la mienne il y a près de dix ans, lui expliqua-t-elle. À mon âge, j'ai déjà assez de mal comme ça à marcher droit, alors conduire… »

Elle s'engagea dans la descente et le garçon lui emboîta le pas. Comme elle était trop lente pour lui, il se mit bientôt à folâtrer devant et sur le côté, prenant de l'avance, revenant en arrière, comme le font les jeunes garçons, à la manière des chiots. Il donnait des coups de pied dans des tas de boue, sautait dans les flaques. Crottait les vêtements qu'elle lui avait prêtés.

Cela n'ennuyait pas Rita. Il était normal qu'un beau et jeune garçon comme lui joue, saute et se crotte.

Mais il n'était pas normal qu'il passe son temps avec une vieille femme.

Il fallut près d'une heure à Rita pour rejoindre la quincaillerie de la ville. Le garçon entra avec elle, mais, une fois à l'intérieur, elle le perdit de vue, car elle devait se concentrer. Elle avait besoin de cadenas. Trois. Quelque chose de solide qui ne casserait pas.

Elle n'en revint pas de voir le prix des cadenas, les mains tremblantes sur son sac.

En fin de compte, elle n'en prit que deux, et cela lui coûtait déjà assez comme ça.

Quand elle eut terminé, elle découvrit le garçon dehors, qui l'attendait.

« Et maintenant ?

– L'épicerie. Tu pourras manger, jeune homme. »

Elle se dirigea clopin-clopant vers la supérette. Le garçon gambadait à ses côtés.

Mel tenait la caisse. Levant les yeux à l'entrée de Rita, il la salua d'un signe de la main. Lorsqu'il aperçut le garçon, son visage se figea, sa main retomba sur le côté, mais il ne dit rien. Il semblait sur ses gardes, cependant, vigilant.

« Je veux des Froot Loops, dit le garçon.

– Trop cher.

– S'te plaît, s'te plaît, s'te plaît.

– Mon enfant, j'achète de la nourriture, pas du sucre soufflé. Si tu veux des Froot Loops, tu t'en achètes. »

Le garçon partit lorgner les barres chocolatées. Rita regarda les œufs avec des yeux ronds en se demandant depuis quand tout était devenu aussi cher. Il lui restait douze dollars. Il fallait que ça lui fasse au moins une semaine. Mais il était évident que le garçon avait besoin de manger davantage.

Elle préparerait plus d'omelettes, en battant les œufs avec de l'eau pour rallonger la sauce. Elle pouvait aussi fabriquer ses pâtes elle-même, elle le faisait tout le temps à une époque. De grosses pâtes aux œufs poêlées avec les tomates en boîtes qu'elle avait à la cave constitueraient un excellent repas.

Elle aurait voulu pouvoir acheter du jus d'orange ; les vitamines ne feraient pas de mal au garçon et ça avait un bon petit goût acidulé sur la langue. En fin de compte, elle se décida pour du lait en poudre, ce qui ferait probablement faire la grimace au garçon, mais, après toutes ces années, c'était bien assez bon pour elle.

Les saucisses étaient exclues, le bacon aussi. Elle trouva le pain périmé et quelques pommes farineuses dans le coin des bonnes affaires. Elle transformerait les pommes en compote, grillerait le pain. Dans le même esprit, elle trouva du bœuf à moitié prix et des carottes et des oignons moisis, parfaits pour un ragoût.

Tout de même, ça lui fendait le cœur de compter chacune de ses précieuses pièces et de ne recevoir en retour que deux sacs. Elle regarda Mel avec espoir, attendant qu'il passe dans la réserve pour accomplir leur petit manège.

Au lieu de cela, il observait le garçon, toujours au rayon des confiseries.

« Un ami à vous ? demanda-t-il à Rita d'un air pincé.

– Il m'a aidé à fendre du bois. »

Cette réponse fit perdre un peu de sa raideur à Mel qui désormais semblait juste mal à l'aise. « Je ne lui confierais pas de travaux d'intérieur », dit-il dans sa barbe, mais tout de même suffisamment fort pour qu'elle soit certaine que le garçon à l'ouïe fine avait entendu.

« Occupez-vous de vos affaires, Mel. Je m'occuperai des miennes. »

Elle attrapa les deux sacs, éprouva quelques difficultés à les descendre du comptoir et Mel eut l'élégance de rougir d'un seul coup.

« Pardon, Rita, je vais vous aider… »

Mais elle n'avait plus envie d'avoir affaire à des gens comme lui. Elle se dirigea toute seule vers la sortie. « Mon garçon », appela-t-elle, parce qu'elle n'aimait pas prononcer le nom de Scott, jugeant qu'il ne lui allait pas mieux que la vieille chemise de son frère. « On a fini. »

Le garçon s'approcha docilement, la suivit dehors. Il avait les mains dans les poches. Elle dut se racler la gorge trois fois avant qu'il comprenne l'allusion et prenne l'un des sacs. Puis, de nouveau en silence, ils gravirent péniblement la côte.

À un quart du chemin, Rita dut s'arrêter pour reprendre son souffle. Son estomac grondait, protestait contre son petit-déjeuner frugal, car elle avait donné son pain au garçon. À son âge, elle rapetissait d'année en année, de toute façon. Le gamin avait besoin de calories pour grandir.

Elle leva les yeux et le découvrit en train de manger un Kit Kat.

« Tu en veux un ? demanda-t-il poliment, juste avant qu'elle l'attrape par l'oreille.

– Où as-tu pris cette friandise ?

– Aïe !

– Réponds-moi, mon garçon ! Tu l'as payée ? Tu es passé à la caisse, tu as compté tes sous pendant que je ne regardais pas ?

– Je... je...

– Tu l'as volé, c'est ça !

– Je voulais seulement t'aider ! Tu n'as presque pas d'argent et lui, il a ce grand magasin tout plein de nourriture. Et puis c'est quoi, une petite barre chocolatée ? Il ne s'en apercevra même pas !

– Montre-moi tes poches. »

Elle lâcha son oreille le temps de le forcer à retourner ses poches. Il avait deux barres chocolatées, un sachet de cacahuètes et trois paquets de bœuf séché. Elle secoua la tête avec dégoût.

« Bon, il n'y a plus qu'une chose à faire », dit-elle en ramassant les sacs pour redescendre la côte au pas de charge.

– Tu vas où ? » demanda le garçon en s'efforçant de la suivre.

Quand Rita était en colère, elle avait encore du ressort, or dans le cas présent elle était sacrément en colère.

« Je compte bien te ramener au magasin, jeune homme. Où tu rendras *tout* à Mel. Et ensuite tu balaieras sa réserve pour t'excuser. »

Le garçon s'arrêta. « *Pourquoi* ? Il te faut à manger. C'était pour t'aider. Tu vois, je suis utile. Tu n'aimes pas le bœuf séché ? Montre-moi ce que tu veux. J'en prendrai, la prochaine fois. Mais il faudra que tu continues à acheter des œufs. Ils sont trop gros pour que je les vole. »

Elle s'arrêta, rien que pour pouvoir le foudroyer du regard. « C'est mal, de voler.

– J'ai vu tes placards. Ils sont vides. Je peux t'aider.

– Aide-toi et le Ciel t'aidera.

– Voilà, exactement ! » répondit le garçon dont le regard s'illumina.

Elle s'avisa qu'elle n'avait peut-être pas choisi le meilleur proverbe.

« Mon enfant, s'enrichir aux dépens d'autrui est un péché. Je suis pauvre. Mes placards sont vides. Mais je suis forte et intelligente. Je m'en sortirai, et sans tomber dans la délinquance. Maintenant, en avant ! »

Elle lui donna un coup de pied dans la jambe pour le pousser à avancer. Il la regarda d'un air boudeur et fila, l'air plus perplexe que fâché. Mais, au pied de la côte, il se rebella et refusa d'entrer dans le magasin.

Elle lui reprit tous les articles, entra elle-même et les posa sur le comptoir.

« Toutes mes excuses, dit-elle à Mel. Ça ne se reproduira pas.

– Il va vous attirer des ennuis », murmura Mel, les bras croisés sur la poitrine.

Rita le regarda avec hauteur. « Il dit qu'il essayait seulement de m'aider. » Elle lui lança un dernier regard noir, puis sortit de la supérette d'un pas traînant, avec toute la dignité dont une vieille femme à moitié infirme était capable.

Le garçon s'était réfugié sur le trottoir d'en face. Il la suivit dans la côte, l'air de plus en plus renfermé. Ils approchaient de la maison de Rita lorsqu'il finit par éclater.

« C'était stupide ! *Tu* es stupide ! C'étaient mes friandises. Je les avais *gagnées.* Tu n'avais pas le droit de les rendre.

– Il y a des règles.

– Non, non, il n'y en a pas. Tu ne connais rien à rien ! »

Alors il prit son précieux sac de courses et le jeta par terre. Elle entendit les œufs se casser, vit les jaunes commencer à se répandre dans le sac.

« C'était bien la bêtise à faire. Maintenant nous allons tous les deux avoir faim.

– Tant mieux. Tant mieux, tant mieux, tant mieux ! » rugit le garçon.

Il leva le bras. Elle crut qu'il allait la frapper, lui donner un coup de poing au visage. Mais, au dernier moment, il laissa retomber son bras, tourna les talons et s'enfuit.

Elle le regarda s'éloigner, ses jambes fines qui martelaient le sol tandis qu'il gravissait la butte vers la demeure victorienne délabrée. Elle aurait voulu être en colère contre lui, mais elle se demandait surtout ce qui l'attendait là-haut.

Une autre minute s'écoula. Puis elle se pencha péniblement, ramassa le sac, le porta avec précaution à deux mains. Elle arriva dans la cuisine où, petit à petit, à l'aide d'une spatule en caoutchouc, elle transvasa les jaunes baveux dans un bol en verre.

Elle fit la seule chose qu'elle savait faire : sauver ce qui pouvait l'être.

25

Le Burgerman mijote quelque chose.

Je le sens qui m'observe quand il croit que je ne vais pas le remarquer. Je suis en train de regarder la télé, par exemple, et il arrive, il s'arrête sur le pas de la porte et il me regarde, fixement. Ensuite, il se gratte les couilles et disparaît.

Il passe beaucoup de temps seul en ce moment. En vadrouille, enfermé dans sa chambre. Parfois, je devine son humeur morose. Et parfois, elle correspond à la mienne. Nous sommes comme père et fils, méprisants l'un envers l'autre.

Il ne me touche plus ; je suis trop vieux. Je ne peux plus aller chercher pour lui non plus. Sur la plupart des aires de jeu, un adolescent blafard éveille automatiquement les soupçons. Les gens se disent que je suis peut-être une source d'ennuis, un dealer ou un petit délinquant. S'ils se doutaient…

Je suis encore petit. Le Burgerman ne me nourrit pas beaucoup – tentative désespérée pour retarder la puberté, j'imagine. Il y a encore l'argent des films, après tout, mais ça non plus, ça n'est plus ce que c'était. Dans le porno, c'est avec les enfants qu'on se fait vraiment du blé, pas avec des ados émaciés, le torse creux.

Depuis quelque temps, il parle d'un examen de passage. « Fiston, il y a un moment dans la vie de chacun où il faut commencer à penser à l'avenir. Tu grandis, mon garçon. Tu te prépares pour ton examen de passage. »

Je ne sais pas ce qu'il entend par examen de passage. Certainement rien à voir avec une remise de diplôme en toge univer-

sitaire, ni avec un aller simple pour la fac. Que croit-il que je vais faire ? Entrer dans une école de commerce, trouver un emploi ? M'installer dans un village de mobile homes avec tous les pervers ? Il n'y a qu'une chose que je sache faire. À quoi ressemble la cérémonie de remise des prix pour ça ?

Je sais que ces derniers temps, quand je rentre à la maison, ma main se fige après avoir glissé la clé dans la serrure. Je me demande si, quand je la tournerai, elle marchera encore. Et si c'est le cas, je me demande si, quand je pousserai la porte, le Burgerman sera encore là.

Parce que je commence à piger le truc, vous voyez. Toute vie doit avoir une valeur. Et il y a environ deux ans que la mienne ne vaut plus rien. Maintenant je suis comme le vieux canasson de l'écurie, incapable de courir, incapable de se reproduire, mais qui coûte une fortune en entretien. Vous savez, celui qu'on finit par envoyer à la boucherie.

Le Burgerman espère sans doute que je vais m'enfuir. J'y ai songé, vous pouvez me croire. Mais après toutes ces années, je ne sais pas où j'irais et ce que je ferais. C'est la seule vie que je connaisse ; le Burgerman est la seule famille qui me reste.

Peut-être qu'il va me planter là et disparaître.

Il y a, évidemment, d'autres possibilités.

La nuit dernière, le Burgerman est entré dans ma chambre et s'est posté au pied de mon lit ; il m'a regardé, fixement.

J'ai continué à respirer régulièrement, mais je l'observais entre mes paupières. Je me demandais s'il avait un couteau, un pistolet. Je me demandais ce que je ferais s'il attaquait.

Le Burgerman parle d'examen de passage.

Il faut que je reste sur mes gardes.

26

« À la sensation de brûlure succède généralement une douleur intense. Les tissus touchés localement par le venin sont détruits et se détachent peu à peu, laissant les muscles sous-jacents à découvert. »

Tiré de *Biology of the Brown Recluse Spider*,
Julia Maxine Hite, William J. Gladney,
J.L. Lancaster Jr. et W.H. Whitcomb,
Service d'entomologie, département d'agriculture,
université d'Arkansas, Fayetteville, mai 1966

HAROLD ADORA LA CHAUSSURE.

« La vache ! Tu sais ce que c'est ? s'exclama-t-il. Waouh, une Limmer. Où tu as pris ça ? Tu sais ce que ça représente ? »

Kimberly ignorait ce qu'était une chaussure Limmer et ce que représentait le fait d'en posséder une. C'était pour cette raison qu'elle avait demandé à Harold de descendre de l'Olympe du contre-terrorisme pour le petit bastion de la brigade criminelle au deuxième étage. Les agents du contre-terrorisme avaient horreur de se déplacer. Après tout, ils disposaient d'un étage entier avec une demi-douzaine de télés qui diffusaient Fox News à pleins tubes. La brigade criminelle, quant à elle, avait… des cartons, quelques plans et deux-trois rouleaux de ruban jaune pour scène de crime éparpillés ça et là pour la déco.

Par chance, Harold avait été intrigué par sa demande d'aide. C'était un passionné. Une des choses que Kimberly préférait chez lui.

Kimberly s'était adjugé un bureau vacant près d'une rangée de fenêtres et elle y avait posé la chaussure de randonnée marron foncé sur une feuille de papier de boucherie. Sur le côté, elle avait disposé son jeu d'instruments métalliques : lime, pinces, racloir, ribambelle de pics de tailles variées. Bien sûr, elle aurait pu opter pour les bâtonnets d'esquimau qu'affectionnent tant de techniciens de scène de crime, mais ça n'aurait franchement pas eu l'air aussi classe.

Elle avait terminé un premier examen de la chaussure et pris note de la pointure, de la couleur, de la marque, du dessin des semelles et des traces de surface. Elle avait relevé qu'il s'agissait d'une chaussure d'homme, du 42, présentant une forte usure de la face interne du talon et du gros orteil et semblant composée d'une empeigne cent pour cent cuir et d'une semelle en caoutchouc. Le lacet était marron mêlé de fils vert foncé. Elle avait pris une douzaine de clichés pour garder un témoignage de son état d'origine.

Ensuite, elle avait commencé à détacher petit à petit du dessous de la chaussure la boue séchée, les matières végétales et autres débris, et placé quelques échantillons dans des tubes à essai à envoyer au labo du FBI. Le reste serait laissé dans le papier de boucherie qui serait replié, glissé dans un sac à pièces à conviction en papier kraft et conservé en magasin en vue de futurs examens. Enfin, elle ferait un moulage de la semelle dans du plâtre dentaire coloré afin de pouvoir le comparer plus tard avec des traces retrouvées sur une scène de crime.

Dans la vie du collecteur d'indices, tout est question de méthode, de minutie et de patience exercée. Trier, analyser, préserver, le tout en prévision d'un futur hypothétique. Mais Kimberly ces temps-ci n'avait pas envie d'attendre. Elle voulait des réponses tout de suite. Harold, ancien naturaliste et employé de l'Office national des forêts, semblait sa meilleure chance.

« C'est spécial, une chaussure Limmer ? se risqua-t-elle à demander en se redressant, un pic métallique toujours dans la main droite.

– Tu parles. C'est la Rolls des chaussures de randonnée, fabriquée par un atelier familial dans le New Hampshire. Pas le truc que tu trouves dans le premier Wal-Mart venu. C'est une chaussure de passionné. Un mordu de randonnée, c'est sûr. »

Cette réponse éveilla l'attention de Kimberly. « La Rolls ? Qu'est-ce que ça implique ? Quantités limitées ? Possibilité de retrouver facilement le propriétaire ?

– Eh bien, répondit Harold d'une voix nonchalante en lui prenant le pic pour s'attaquer lui-même à la chaussure. De mon temps, les Limmer étaient réalisées sur mesure. Mais si je me souviens bien, ils ont passé un accord avec une autre boîte pour la fabrication d'une petite série en prêt-à-porter. Alors il me semble que la vraie question, c'est de savoir à quel genre de chaussures nous avons affaire ici : du fait-main sur mesure ou du prêt-à-porter fabriqué à la chaîne ? »

Il enfila une paire de gants en latex, souleva la chaussure et la fit tourner entre ses mains. « Soupèse-moi le machin. Un bon kilo, facile. Cambrion en nylon, intercalaire double densité, semelle Vibram. Belle bête.

– Si ces chaussures sont tellement extraordinaires, comment ça se fait que je n'en ai jamais entendu parler ? Je suis randonneuse.

– C'était quand, la dernière fois que tu as fait l'AT ? lui demanda Harold d'un air narquois.

– L'AT ? murmura-t-elle en se creusant la tête. L'Appalachian Trail ? Heu, c'est en projet.

– Voilà, tu fais des excursions d'une journée. Ça, ce sont des chaussures de pro. »

Kimberly proféra à mi-voix une remarque bassement désobligeante, mais elle ne pouvait pas le contredire.

« Donc si j'appelais Limmer, il se pourrait qu'ils sachent me dire qui a acheté cette chaussure ?

– Peut-être. Surtout si c'est du sur-mesure. Tu permets ? »

Le pic métallique toujours à la main, Harold l'agitait devant la semelle de marche en caoutchouc. Kimberly haussa les épaules et la lui abandonna. Elle observait cette chaussure depuis une heure maintenant, et le seul résultat pratique, c'était une migraine.

Elle partit chercher un verre d'eau. Lorsqu'elle revint, Harold s'était approché une chaise et il s'attaquait aux choses sérieuses.

« Beaucoup de minéraux, expliqua-t-il en passant au crible les fragments friables de boue séchée. Du quartz, du feldspath, même un peu d'améthyste. Tu as une lampe de poche ? »

Kimberly prit sa mallette de terrain sous son bureau et en sortit une lampe.

« Loupe », pépia Harold.

Elle sortit une loupe.

« Verre d'eau. »

Elle fit les gros yeux, mais alla docilement chercher de l'eau.

Harold ne la but pas, mais, à l'aide d'une pipette, en versa quelques gouttes dans un tube à essai avant d'ajouter un morceau de boue, puis encore de l'eau. Il transforma la boue en vase en la faisant tourbillonner dans le tube à essai et la renversa avec application dans un deuxième tube.

« Tu vois ça, toutes ces minuscules particules brillantes ? demanda-t-il en brandissant le premier tube à essai, désormais vidé de son eau saumâtre. Il s'agit d'un sol à forte teneur en métaux et minéraux. Tu as un microscope ? »

Kimberly parut interloquée. « Harold, on relève les indices, on ne les analyse pas. Personne n'a de microscope.

– Moi, j'en ai un.

– Quoi ?
– Eh, on ne sait jamais, expliqua-t-il comme pour se défendre. Ça peut servir. »

Kimberly ne voyait vraiment rien à répondre à cela. Elle l'envoya à l'étage chercher son microscope. À son retour, ils rincèrent l'échantillon minéral une deuxième fois et préparèrent une lamelle. C'était vrai, finalement, qu'un microscope, ça peut servir.

« De l'or, murmura finalement Harold. Surtout du feldspath et du quartz. Mais aussi une infime quantité d'or.
– Vraiment ?
– Bien sûr. Après tout, la première ruée vers l'or américaine a eu lieu ici même, en Géorgie. En 1829. » Harold se redressa, retourna à la chaussure et en détacha d'autres débris. « Dans la forêt nationale de Chattahoochee. D'où tu crois que vient l'expression "Y a de l'or dans c'te montagne" ?
– Je ne m'étais jamais posé la question.
– Tu devrais aller à Dahlonega un de ces quatre. Faire un tour dans le musée, visiter les anciennes mines. Il y a même un hôtel qui possède sa propre mine d'or en sous-sol.
– Je croyais que c'était une région viticole.
– L'or de la nouvelle génération, lui assura Harold. Ah, voilà qui est intéressant. Vise-moi un peu ça. »

Kimberly se pencha obligeamment vers lui. Harold avait détaché plusieurs fragments végétaux verts de la chaussure boueuse et il plaçait le premier sur une lamelle pour le glisser sous son microscope.

« Qu'est-ce que c'est ? le relança Kimberly.
– On dirait une feuille de laurier des montagnes écrasée. » Harold procéda à quelques réglages, puis retira la première lamelle pour la remplacer par une deuxième. « Et ça, ça ressemble à du pin blanc. Il y a aussi des feuilles de chêne sèches, des résidus de hêtre. Ouais, je dirais que ton suspect a été dans la forêt de Chattahoochee, aucun doute. Un secteur avec beaucoup de feuillus et

de conifères à feuillage persistant. Regarde, il y a même un peu de sapin du Canada. Hum…

– Ce serait un bon endroit pour dissimuler des corps ?

– La forêt nationale de Chattahoochee ? demanda Harold, toujours penché au-dessus du microscope.

– Oui. Nous pensons que cet individu a peut-être enlevé et tué dix femmes. Mais ce serait beaucoup plus simple si on pouvait localiser un corps. Peut-être que Chattahoochee serait un bon point de départ. »

Sans parler du fait que Chattahoochee, de par son statut de forêt nationale, se trouvait sous l'autorité du FBI.

« Si tu dois aller te promener là-bas, commenta distraitement Harold, je commencerais par commander une paire de Limmer. » Il en termina avec le microscope, retourna à la chaussure.

« Pourquoi ?

– Cette forêt couvre plus de trois cent mille hectares.

– *Quoi ?*

– Je te disais qu'il y avait des randonnées sympas à faire dans cet État.

– Putain.

– Attends. J'ai encore un cadeau pour toi. Pinces. »

Kimberly fouilla rapidement dans son nécessaire, trouva les pinces. « Encore de l'or ? demanda-t-elle, pleine d'espoir. Et pourquoi pas le permis de conduire d'une victime ?

– Mieux.

– Mieux ?

– Ouais. Vise-moi ça. Une mue d'araignée. »

Kimberly réussit à joindre Sal au téléphone peu après quinze heures. Elle avait mangé quatre crèmes dessert et un petit pain au lait pour le déjeuner et elle sentait le sucre déferler en elle.

« Donc j'ai discuté avec un type de chez Limmer Boot, raconta-t-elle d'une traite. Si on peut lui envoyer la chaussure, il se fera un plaisir de l'examiner pour nous. Il lui semble qu'il s'agit d'une de leurs chaussures d'alpinisme standard. On en trouve chez toute une série de détaillants aujourd'hui et le 42 est la pointure la plus courante, donc ça, c'est la mauvaise nouvelle. Mais si c'était du sur-mesure (il ne le saura pas avant de la voir), il pourrait peut-être retrouver le nom. »

Sal était loin de paraître aussi impressionné qu'il aurait dû : « Dinechara a acheté une chaussure dans le New Hampshire ?

– Peut-être. Ou par correspondance. L'important, c'est que c'est une chaussure de marche qui ne rigole pas, achetée en général par des randonneurs qui ne rigolent pas. Harold est convaincu que Dinechara a crapahuté dans la forêt nationale de Chattahoochee, de sorte que le périmètre de nos recherches passerait de tout l'État de Géorgie à la bagatelle de trois cent mille hectares. »

Sal grogna.

« Bon. Qu'est-ce que tu as fait aujourd'hui ? essaya encore Kimberly

– Je me suis fait souffler dans les bronches par mon boss.

– Oh-oh.

– Klein a rejeté ma demande de former une cellule d'enquête. Il trouve que nous n'avons pas suffisamment démontré l'existence d'un crime.

– Mais les permis de conduire des femmes disparues sur ton pare-brise. L'enregistrement du meurtre de Veronica Jones...

– Aucune preuve à l'appui.

– La conversation de Dinechara avec Ginny. Merde, la façon dont Dinechara a traité Ginny...

– Elle peut porter plainte quand elle veut.

– Oh merde, dit Kimberly, elle-même découragée à présent. Qu'est-ce qu'il attend de nous, exactement ?

– Un cadavre. Un témoin qui confirme. D'autres éléments qui prouveraient que ces femmes ont bel et bien disparu et pas simplement déménagé.

– Mais c'est pour ça qu'il nous faut une équipe. Pour aller chercher des confirmations sur le terrain. Ou, tiens pourquoi pas, retrouver un cadavre.

– Je sais.

– Et pendant ce temps-là, Ginny Jones se promène toute seule sans protection après avoir mis en rogne Dinechara.

– Je sais. »

Kimberly se renfrogna, se mordilla la lèvre inférieure. « Il y a vraiment des jours où ce boulot fait chier.

– Je sais. »

Ils restèrent en silence un moment, puis Sal dit, à brûle-pourpoint : « Mon père faisait ça. De filer des claques à ma mère. Rien de trop méchant, jusqu'à la disparition de mon frère. Là, mon père s'est mis à boire beaucoup. Il tabassait ma mère et elle se laissait faire. Comme si tout ce qu'il y avait de dégueu dans la vie était vraiment de sa faute. »

Kimberly ne savait pas quoi dire.

« Je ne le supportais pas à l'époque et je ne le supporte toujours pas. Merde, je voudrais juste arrêter cet enfant de salaud.

– Sal…

– C'est rien. Juste une mauvaise journée. Je m'en remettrai. Bon, reprit-il en s'éclaircissant la voix, j'ai trouvé la véritable adresse de Ginny en me servant de son immatriculation. Jackie est d'accord pour garder un œil sur elle ce soir. Je prendrai la soirée de demain, histoire de voir ce qui va se passer. »

Sal s'interrompit, attendant manifestement qu'elle se propose pour la troisième nuit. Kimberly tapota d'un doigt sur son bureau, songeant avec un sentiment de culpabilité à Mac qui voulait qu'elle rentre à la maison pour discuter de changements majeurs dans leur vie. Et puis il y avait son père et Rainie, qui avaient fait tout ce chemin depuis l'Oregon.

« Tu sais, souligna Sal, Dinechara est plutôt sur les nerfs. Un type comme ça, s'il juge qu'il court un risque, il ne va pas envoyer Ginny faire un tour à Disneyland. C'est nous qui lui avons posé le micro. Lui tourner le dos maintenant...

– Il faut que je regarde mon agenda.

– Oui, évidemment, si tu dois te laver les cheveux...

– Fais pas le con.

– Tout ce que j'en dis...

– Je sais, je sais. Dinechara est cinglé, Ginny est vulnérable. Les événements se bousculent. Pourquoi tu crois que j'ai passé tout l'après-midi penchée sur une chaussure de randonnée dégueulasse ? On va finir par piger. D'ailleurs, on a déjà trouvé de l'or. Oh, et une mue d'araignée.

– Une quoi ?

– Je ne te le fais pas dire. »

Ensuite, ce fut Mac qui appela.

« On dîne ensemble ? essaya-t-elle. J'ai promis des escalopes de poulet en sauce à Rainie. Elle fait les courses. Papa se charge de l'anticholestérol.

– Impossible. Je dois travailler tard.

– Mais tu adores les escalopes de poulet.

– Alors garde-moi une assiette. »

Il semblait déjà irrité. Kimberly se le tint pour dit et se tut. Mac n'ouvrit plus la bouche non plus ; le silence se prolongea.

« Une affaire compliquée ? osa finalement Kimberly.

– Tu sais ce que c'est.

– J'imagine.

– Ne m'attends pas pour dormir.

– J'imagine.

– On ne peut pas continuer comme ça, tu sais, dit-il tout à coup. Tu travailles tard, je travaille tard. On se croise la nuit, à peine si on se fait la bise. Qu'est-ce que c'est que cette vie ?

– C'est la nôtre, souffla-t-elle.

– Il faut que quelque chose change.

– Je suis prête à en discuter quand tu veux.

– Ben voyons, maintenant que tu n'es plus occupée. »
Son ton ouvertement hostile la laissa interdite. Elle se referma sur elle-même, avec la sensation de s'être aventurée en terrain miné et de ne plus savoir comment avancer.
« Et merde, dit Mac. Je suis fatigué, c'est tout. »
Et il lui raccrocha au nez.

Lorsque son portable sonna à nouveau, elle le prit sans réfléchir. Elle pensait que c'était peut-être Sal, avec d'autres nouvelles. Elle espérait que ce serait peut-être Mac, avec des excuses.
Au lieu de cela, elle eut du silence.
Et là, elle sut.
Elle s'adossa dans son siège, fouillant déjà dans sa veste pour retrouver son dictaphone.
« Pourquoi ça ne vous intéresse pas ? » demanda la voix, aiguë, métallique. Cette fois-ci, Kimberly crut percevoir une légère déformation, une pointe d'électronique.
« Je vous écoute, dit-elle en manipulant maladroitement le dictaphone pour enfin le poser sur le bureau et le mettre en marche.
– Je croyais que ça vous intéresserait… », reprit agressivement la voix qui passait par intermittence, « … feriez quelque chose.
– On pourrait se rencontrer, répondit-elle posément. Discuter en face à face. Je veux vous aider.
– Ce n'est pas de ma faute. "Viens dans mon salon", dit l'araignée à la mouche. Et elle y va, elle y va.
– Donnez-moi votre nom. Il me faut une adresse, un numéro de téléphone. Je vous mettrai sur la liste des informateurs confidentiels. Nous serons les seuls à savoir. »
Mais l'interlocuteur ne l'écoutait pas. Sa voix était devenu un gémissement aigu, comme furieux. « Pourquoi ne vous êtes-vous pas donné plus de mal ? Vous nous avez oubliés. Vous nous avez abandonnés dans sa

toile. Maintenant, c'est votre tour. Il va vous attraper. Mais ça m'est égal. Je *refuse* de m'y intéresser. Ce n'est pas de ma faute.

– Veronica Jones, dit-elle, tendue, les autres femmes... Je sais ce qu'il a fait, mais j'ai besoin de preuves. Que fait-il d'elles ? Où cache-t-il les corps ? Si vous m'aidez à les retrouver, je peux faire en sorte que ça s'arrête. »

Mais la voix ne répondit pas. Kimberly entendit du silence, puis de la friture. Puis, alors qu'elle avait presque renoncé : « Je vais réussir mon examen de passage. »

Elle hésita, et tenta sa chance : « Comme Tommy Mark Evans, vous voulez dire ?

– *Ce n'était pas de ma faute !* cria la voix. Vous ne savez pas ce que c'est. Une fois qu'il a pris sa décision, il n'y a *rien* à faire.

– Alors rencontrez-moi. Expliquez-moi. Aidez-moi à vous aider.

– Non. Trop tard. Vous avez eu votre chance. Maintenant c'est mon tour et je vais réussir mon examen de passage.

– Je ne sais pas ce que ça veut dire.

– Tout ce que j'ai à faire, c'est de vous tuer.

– Pardon ? »

L'interlocuteur était agité à présent. « Quelqu'un m'aimait à une époque. Il y a longtemps. Je voudrais me souvenir de son visage. Mais elle a disparu maintenant. C'est tout ce qu'il me reste. Je veux survivre. Je veux réussir mon examen de passage. Je *veux* vous tuer.

– *Laissez-moi vous aider !*

– Faites vos adieux », murmura la voix avant de raccrocher.

La nuit tombait lorsque Kimberly quitta le bureau en fin de journée, prit l'ascenseur jusqu'au rez-de-chaussée, sortit vers le parking couvert. Il faisait une petite dizaine de degrés, assez frais pour qu'elle contracte les épaules dans son manteau fauve, l'écharpe bien serrée autour du cou.

Le calme régnait dans l'immense zone de bureaux lorsqu'elle s'engagea sur le trottoir le long du talus, un petit ruisseau à sa droite, le parking à sa gauche. Elle avait une main dans sa poche, fermée sur ses clés de voiture, la plus grosse coincée entre le pouce et l'index.

Le vent chuchotait sur le petit monticule, chatouillait les cheveux de sa nuque, jouait avec le col relevé de son manteau.

Elle se retourna pour scruter les lieux déserts, pressa le pas.

Les ombres s'allongèrent, la poursuivirent dans le garage jusqu'à la silhouette trapue de son break. Elle ne se détendit qu'après en avoir inspecté tout l'intérieur, banquette arrière et coffre compris. Même alors, en se glissant au volant, en refermant la portière, en actionnant toutes les serrures, elle sentit ses mains trembler ; Bébé McCormack lui donna un tout petit coup sur le côté.

« Ça va, bébé, murmura-t-elle. Tu es en sécurité, tout va bien. »

Mais elle ne savait plus très bien qui, du bébé ou d'elle-même, elle cherchait à rassurer.

27

> « La fréquentation des araignées guérira quiconque d'une vision sentimentale de la nature. »
>
> Tiré de l'article « Spider Woman »
> Burkhard Bilger, *New Yorker*, 5 mars 2007

LE DÎNER NE FUT PAS GAI. Kimberly fit trop cuire la viande, brûla la sauce et se rappela pourquoi elle s'en tenait aux plats à emporter. Son père et Rainie essayèrent de prendre la chose avec gentillesse. Ils la complimentèrent sur les haricots réchauffés au micro-ondes et déplacèrent des bouchées d'escalopes de poulet dans leur assiette en faisant semblant de manger.

Si l'absence de Mac les intriguait, ils n'en disaient rien et Kimberly n'avait pas envie d'en parler. Qu'y avait-il à dire, d'ailleurs ? Il travaillait tard. Ça arrivait tout le temps.

« Nous sommes allés à l'aquarium aujourd'hui, attaqua Rainie avec résolution. Un endroit vraiment étonnant. J'ai particulièrement aimé caresser les pastenagues.

– Mmm-hmm ? dit Kimberly.

– Et toi, Quincy ? Qu'est-ce que tu as préféré ? »

Le père de Kimberly ouvrit de grands yeux, un cerf pris dans les phares. « Euh, les bélugas.

– Oui, ils sont magnifiques, aussi. Et tellement joueurs. Je n'en avais aucune idée !

– Mmm-hmmm ? répéta Kimberly.

– Je me disais qu'on irait au musée Coca-Cola demain. Avant de venir ici, je n'avais jamais réalisé qu'un État tout entier pouvait vouer un culte au soda. Qu'est-ce que tu en dis, Quincy ?

– Ça m'a l'air super », répondit-il en se calquant sur l'enthousiasme forcé de sa femme.

Kimberly posa sa fourchette. « Papa, comment était maman quand elle était enceinte ? »

La question arrêta net la conversation.

« Pardon ? demanda Quincy.

– Est-ce qu'elle avait des nausées matinales, la peau marbrée, des sautes d'humeur ? Ou bien est-ce que c'était une de ces femmes enceintes toutes rayonnantes dans l'attente de leur future maternité ? Est-ce qu'elle tricotait des petits chaussons, décorait les murs au pochoir, dressait des listes de noms à n'en plus finir…

– Ta mère ? Tricoter ?

– Est-ce qu'elle était *heureuse* ? Est-ce que vous aviez tout bien organisé pour la naissance d'Amanda ? Maman resterait à la maison, tu prendrais un congé. Vous alliez décorer la chambre d'enfant ensemble, bercer le petit bout de chou à tour de rôle.

– Kimberly, sincèrement, ça remonte à plus de trente ans…

– Mais tu dois bien te souvenir de quelque chose ! N'importe quoi ! Allez, papa. Je poserais bien la question à maman, seulement, tu vois, elle est morte ! »

Quincy ne répondit rien. Kimberly ferma les yeux, honteuse de son propre emportement, de cette émotion venue de nulle part qui lui nouait désormais la gorge. Elle aurait dû s'excuser. Dire quelque chose. Mais elle ne pouvait pas parce que si elle ouvrait la bouche, elle allait fondre en larmes.

Son père prit une inspiration. « Je suis désolé, Kimberly, dit-il calmement. Je sais que tu te poses des questions. Et j'aimerais y répondre, vraiment. Mais pour te dire la vérité, je n'ai pas beaucoup de souvenirs de la naissance de Mandy, ni même de la tienne. Je crois que quand ta mère attendait Amanda, je travaillais sur une série de braquages de banque dans le Midwest. Quatre hommes dans une camionnette blanche. Qui aimaient donner des coups de crosse aux guichetières, même quand elles coopéraient. Je me rappelle avoir interrogé les témoins oculaires les uns après les autres pour me faire une idée de leur mode opératoire. Et je me rappelle avoir découvert en entrant dans la neuvième banque que, cette fois-ci, ils avaient descendu la caissière d'une balle entre les deux yeux. Heather Norris, elle s'appelait. Une mère célibataire de dix-neuf ans. Elle venait de se faire embaucher à l'agence pour financer ses études. Voilà ce qui m'a marqué. Quant à ta mère et à ce qu'elle vivait...

– Elle te détestait, constata Kimberly.

– À la fin, oui. Et il y avait de quoi, je dirais.

– Tu la détestais ?

– Jamais.

– Et Mandy et moi ? Deux autres filles qui venaient perturber ton précieux travail ?

– Amanda et toi êtes deux des meilleures choses qui me soient jamais arrivées. »

Kimberly le vit serrer la main de Rainie. Cela n'améliora pas son humeur.

« Oh, bien sûr, tu dis ça maintenant. Mais à l'époque, quand tu traitais une centaine d'affaires de meurtres d'enfants et de mutilations de femmes par an, chacune exigeant toute ton attention, et que nous étions là, à exiger que tu rentres dîner, que tu viennes voir la pièce de fin d'année, que tu assistes au concours des jeunes talents... Comment pouvais-tu ne pas être irrité ? Comment pouvais-tu ne pas t'agacer de toutes nos demandes sans importance ?

– Elles n'étaient jamais sans importance.

– Mais si. Parfois. Comment tout concilier ? Comment trouver assez de temps et d'énergie ? Assez d'amour ? Comment être toujours disponible pour tout le monde ? »

Son père garda le silence un moment. « Tu savais que ta mère travaillait avant votre naissance ? demanda-t-il à brûle-pourpoint.

– Ah bon ?

– Oui. Elle travaillait dans une galerie. Elle avait une maîtrise des Beaux-Arts. Elle espérait devenir conservatrice de musée un jour. C'était son rêve.

– Et là, elle est tombée enceinte.

– Les choses étaient différentes à l'époque, Kimberly. Ta mère et moi avions toujours pensé qu'elle resterait à la maison avec les enfants. Il ne nous est jamais venu à l'idée de faire autrement. Même si, avec le recul, on aurait peut-être dû.

– Qu'est-ce qui te fait dire ça ? »

Son père haussa les épaules, choisit visiblement ses mots avec soin : « Ta mère était une femme brillante, créative. Et elle avait beau vous aimer, ta sœur et toi, la vie de mère au foyer… c'était dur pour elle. Pas aussi épanouissant qu'elle l'avait espéré. Et puis, avec mes absences continuelles… Je pense que c'était parfois plus facile pour elle de me rendre coupable de sa frustration. J'adorais ce que je faisais. Et elle… non.

– Tu l'aurais laissée reprendre le travail ?

– Je ne sais pas. Elle n'a jamais posé la question. Et je n'étais jamais assez longtemps à la maison pour me rendre compte à quel point elle était malheureuse. Jusqu'au jour où il a été trop tard, évidemment.

– Je ne sais pas comment faire, murmura Kimberly, une main posée sur son ventre. Je croyais que si, mais me voilà à cinq mois de grossesse et d'un seul coup je ne comprends plus rien. Comment être une épouse, une policière, sans parler d'être mère. Je n'ai même pas encore ce bébé et je suis déjà nulle !

– J'aimerais pouvoir te dire quelque chose, Kimberly. Mais dans la vie, il n'y a pas de recette universelle. Ce sont les questions que tu dois te poser. Les problèmes que Mac et toi allez devoir résoudre. Tout ce que je peux dire, en tant que parent, c'est que je crois avoir commis toutes les erreurs qu'un père peut commettre et que je me suis quand même retrouvé avec une fille vraiment épatante. »

Kimberly secoua la tête. Elle savait qu'il disait cela gentiment. Elle aurait voulu accepter le compliment de bon cœur. Mais elle ne pouvait pas s'empêcher de se demander si Mandy en dirait autant, et le souvenir de sa sœur, morte à vingt-trois ans, lui fendit de nouveau le cœur.

Kimberly attendit l'heure du coucher pour évoquer le coup de fil. Cinq mois plus tôt, elle aurait parlé de ces menaces de mort à Mac. Ils auraient tous deux traité la chose par le mépris, car ils en avait chacun reçu leur part. Mais aujourd'hui elle ne pensait pas pouvoir en discuter avec Mac et elle en parla donc à son père.

Il aborda le problème avec son pragmatisme coutumier. « Que sais-tu de la personne qui t'a appelée ?

– Rien.

– Ne dis pas de sottises. Fais un effort. Tu as parlé trois fois avec cet individu. De quoi largement en apprendre. »

Ça y est, elle se souvenait : son père ne plaisantait jamais. « Heu, il a accès à un ordinateur, à une carte de crédit, et il s'y connaît suffisamment en matière d'Internet pour usurper un numéro.

– D'accord.

– Il connaît le numéro du standard du FBI ; rien de sorcier, vu que ça se trouve dans l'annuaire. Cela dit, songea-t-elle ensuite, il connaît aussi mon numéro de portable, ce qui est plus difficile à obtenir.

– Quoi d'autre ?

– On aurait dit un homme, mais c'est peut-être parce que la voix a été déformée. Mais j'ai l'impression qu'il est jeune. Certaines des expressions employées, la bouderie et la colère diffuses… Un adolescent, à vue de nez.

– Excellent.

– Il a un petit accent régional, donc je dirais qu'il est d'ici. Les appels ont eu lieu en soirée, aux petites heures de la nuit et maintenant en journée. Donc quelqu'un qui a un boulot ou un emploi du temps souple, voire pas de boulot du tout.

– Ce qui concorde avec ta théorie de l'adolescent.

– Oui.

– Le mobile ? Pourquoi cherche-t-il à entrer en contact ? Pourquoi avec toi ? »

Kimberly dut y réfléchir. « Au début, quand il m'a fait écouter l'enregistrement de Veronica Jones, j'ai cru qu'il voulait aider. Qu'un individu, peut-être lui-même victime, cherchait à attirer l'attention sur ce qui s'était passé pour que Dinechara soit puni. Le deuxième appel ressemblait aussi à un avertissement. Quelqu'un qui essayait encore d'aider. Et puis nous savons qu'un proche de Dinechara transmet des enveloppes contenant les permis de conduire des disparues, peut-être des “trophées”. Il est possible que celui qui a appelé soit à l'origine de ces enveloppes – première tentative de communication qui, malheureusement, n'a pas suffi.

– Et l'appel d'aujourd'hui ?

– De la colère, répondit Kimberly sans hésitation. Il était hors de lui. Comme si je l'avais personnellement trahi. Peut-être parce que lui a fait un effort, mais que je n'ai pas comme par magie obtenu une arrestation ? Je ne suis pas sûre. Mais ce soir, le ton avait changé. Je ne suis plus son alliée. Je suis devenue sa cible. »

Sur le visage de Quincy flottait un semblant de sourire. « Attitude typique d'un adolescent.

– Exactement ! »

Il s'arrêta, pensif. « Est-il possible que notre individu soit encore en contact avec ton meurtrier ? Peut-être que le meurtrier lui-même a modifié la dynamique de la relation. Tu dis que l'individu veut "réussir son examen de passage". Et que pour ce faire, affirme-t-il, il doit te tuer.

– Exact.

– Peut-être parce que c'est un ordre du meurtrier ? Ce qui nous amène à la question suivante : pourquoi toi ? Est-ce parce que l'individu a reçu la consigne de tuer spécifiquement l'agent spécial Kimberly Quincy ? Ou bien un agent de police ? Ou une femme ?

– Moi spécifiquement, répondit lentement Kimberly. Depuis le tout début, l'individu sait que je travaille sur l'affaire Dinechara. Alors, je ne crois pas qu'il m'ait choisie par hasard. C'est parce que je travaille sur cette affaire. C'est grâce à cela que lui ou elle connaît mon existence.

– Des suspects plausibles ?

– Ginny Jones. Elle connaît mon numéro de portable, m'a rencontrée au sujet de cette affaire et sait ce qui est arrivé à la fois à sa mère et à Tommy Mark Evans. Et, ajouta-t-elle, songeuse, elle a une bonne raison de m'en vouloir, étant donné ce qui s'est passé entre elle et Dinechara hier soir. Quels que soient les problèmes que Ginny espérait résoudre en s'adressant à la police, je pense que ça ne s'est pas passé comme elle l'espérait.

– Mais ?

– Mais pourquoi s'enquiquiner à usurper un numéro ? Nous nous sommes déjà rencontrées en face à face. Il n'y a rien dans les appels qu'elle n'aurait pas pu me dire elle-même.

– Timidité ?

– Ça m'étonnerait.

– Peur ?

– Je pense que le risque est plus grand de me recontacter par téléphone plutôt que de tout me dire en direct. Mais bon, une fille comme elle… Va savoir.

– Tu crois que les menaces étaient sérieuses ? Tu as l'impression que ta vie est en danger ? »

Elle se mordilla la lèvre, ne sachant trop quoi répondre. « Ça fait froid dans le dos d'être menacée.

– Mais est-ce que tu as l'impression que ta vie est en danger ?

– Je n'en suis pas certaine. Il y a une grande différence entre s'attaquer à des prostituées et prendre une fédérale pour cible. Là encore, c'est une manœuvre. Ginny... les appels... je me fais l'effet d'un pion qu'on déplacerait sur l'échiquier pour des raisons que j'ignore. Et c'est ça, surtout, qui m'inquiète : à supposer que je ne sois pas la cible principale, je pourrais quand même devenir une victime collatérale.

– Tu as fait un rapport à ton supérieur ?

– Je lui ai laissé une note avec une copie de la cassette ce soir.

– À ton avis, que va-t-il recommander ?

– J'espère de toutes mes forces qu'il acceptera enfin de former une cellule d'enquête. L'individu a tout de même laissé échapper qu'il ou elle sait quelque chose sur Tommy Mark Evans et ça, c'est un meurtre non élucidé pour lequel on a un cadavre, nom d'un chien. Peut-être que ça va enfin débloquer les choses, parce qu'il faut reconnaître que la pauvre Ginny a failli se faire démolir la figure pour rien. Et ça, ça me fait vraiment chier !

– Je te reconnais bien là », dit Quincy.

La remarque arracha finalement un sourire à Kimberly.

« Je crois que Sal tient une piste, reprit-elle sérieusement. Je crois que Dinechara a supprimé des prostituées. Ginny en a réchappé. Elle a eu de la chance. Maintenant il faut qu'on fasse quelque chose pour les autres. Je veux les retrouver. Je veux qu'elles rentrent chez elles. Et ensuite, je veux clouer ce type au mur.

– Étant donné ce que vous avez appris grâce à la chaussure, j'irais dans la forêt. Avec des chiens détecteurs de cadavres.

– Ben voyons, sur trois cent mille hectares. C'est l'affaire d'une journée avec deux-trois chiens.

– Ce côté sarcastique, tu le tiens de ta mère.

– Ne rêve pas. Cela dit, Harold a une vieille copine arachnologue. Il nous a organisé un rendez-vous à la première heure demain matin. En temps normal, je n'attacherais pas trop d'importance à l'analyse d'une mue d'araignée, mais vu les goûts de Dinechara...

– Je peux venir ?

– Oh, papa, et que devient miss Coca-Cola World ? »

Et son père de répondre gravement : « Je t'en supplie, à genoux. »

Kimberly veilla après que Rainie et Quincy se furent retirés, regarda les programmes de fin de soirée dans son lit en attendant Mac. À une heure du matin, elle n'y tint plus. Elle se massa le bas du dos, examina ses pieds légèrement enflés, décida qu'elle avait encore grossi depuis la veille et qu'il était vraiment l'heure de dormir.

« Fais de beaux rêves, Bébé McCormack », murmura-t-elle à son ventre avant d'éteindre la lumière et de remonter les couvertures.

Le sommeil ne fut pas tendre avec elle. Elle se retrouva à courir dans une maison ensanglantée qu'elle reconnaissait vaguement pour avoir vu les photos de scène de crime après le meurtre de sa mère. Elle cherchait désespérément Bethie. Il fallait qu'elle voie sa mère. Elle avait tant de choses à lui dire.

Mais alors elle entendit les vagissements d'un bébé et sut que ce n'était pas sa mère qu'elle avait perdu. Elle courait pour retrouver son bébé. Elle suivait les cris dans la maison. Les traînées de sang.

Puis, fantomatique, un berceau en osier blanc se profila devant elle...

« Chut, lui dit la voix de Mac. Chut, tout va bien, Kimberly. C'est juste un mauvais rêve. Ne t'inquiète pas, chérie. Je suis là. »

Elle s'accrocha à lui. Sentit ses bras autour d'elle, qui l'enveloppaient dans la chaleur réconfortante de son torse. Mais elle n'arrivait pas à arrêter de trembler. Même dans les bras de son mari, elle ne se sentait pas en sécurité.

Le téléphone sonna. Une fois, deux fois.

La troisième fois, elle arriva enfin à refaire surface. Le réveil lumineux indiquait cinq heures du matin. Mac dormait, le dos tourné. Le portable de Kimberly carillonna à nouveau à côté du lit. Mac, groggy, se mit à bouger lorsqu'elle s'en empara.

Elle consulta l'écran, puis le porta à son oreille.

« Ça t'arrive de dormir, Sal ?

– Elle a disparu, répondit simplement celui-ci. Jackie n'a jamais pu la localiser hier soir. Pour finir, on y est passés ce matin. L'appartement a été déménagé. Ginny Jones s'est envolée. »

28

« De même qu'on peut identifier les oiseaux grâce à leur chant, il est possible de classer les araignées en fonction de la façon dont elles tuent. »

Tiré de l'article « Spider Woman »
Burkhard Bilger, *New Yorker*, 5 mars 2007

« ON RENCONTRE DEUX SORTES D'ARAIGNÉES venimeuses aux États-Unis, expliquait Carrie Crawford-Hale, arachnologue au ministère de l'Agriculture. D'abord la *Latrodectus mactans* ou veuve noire, connue pour les taches rouge vif de son abdomen. Seules les femelles mordent, en général uniquement si on les asticote. La deuxième araignée venimeuse est la *Loxosceles reclusa*, ou araignée violoniste, connue pour la tache en forme de violon sur son dos. Mâle et femelle sont aussi dangereux l'un que l'autre. Heureusement, ce sont des araignées sédentaires et très craintives qui préfèrent rester cachées derrière des tas de bois plutôt que de frayer avec les humains. Malgré cela, on signale au moins une douzaine de morsures par an, parfois avec des conséquences sérieuses.

– Sérieuses comment ? » demanda Sal.

Debout près de la porte, il se tenait aussi loin que possible de Crawford-Hale et de son microscope. À sa droite, un scorpion naturalisé : une sorte d'énorme scarabée noir dont les immenses pinces lui arrivaient juste au-dessus de la tête. L'agent spécial du GBI semblait fatigué, défait et au comble de l'anxiété.

Kimberly, de son côté, essayait de déterminer s'il serait convenable de demander à regarder dans le microscope. Elle n'avait jamais vu de mue d'araignée grossie dix fois. À en croire Harold, c'était assez chouette.

Malheureusement, le bureau de Crawford-Hale, qui faisait à peu près la taille d'un placard à balais, était déjà plein à craquer de matériel, de meubles de rangement et de spécimens en bocaux ou naturalisés. Harold et la famille de Kimberly avaient dû attendre dehors. Dommage, parce que Quincy aurait sûrement aimé entendre ce que l'arachnologue avait à dire.

« Le venin de la *Loxosceles reclusa* contient une enzyme qui nécrose les chairs de la victime. » Crawford-Hale régla le microscope et passa de droite à gauche. « Pour se protéger du venin, le corps bouche les artères autour de la morsure. Privée de sang, la peau meurt, noircit et se détache. J'ai vu des photos de plaies ouvertes qui vont de quelques millimètres à quelques centimètres. Dans certains cas, c'est une réaction bénigne qui disparaît en quelques semaines. Dans d'autres, il arrive qu'un membre tout entier enfle et mette des mois, voire une année, à guérir complètement. Les différences semblent s'expliquer par la réaction du système immunitaire de la victime plus que par la toxicité de l'araignée elle-même. Concrètement, certaines personnes sont plus sensibles que d'autres. »

Sal semblait horrifié. Il avait déjà mangé ce matin, à en juger par la tâche de ketchup qui ornait son revers gris souris et la pénétrante odeur de pommes de terre sautées qui émanait de son costume. Mais en cet instant, le petit-déjeuner n'avait pas l'air de vouloir passer.

Il s'éloigna encore un peu de Crawford-Hale en secouant les bras comme s'il sentait quelque chose courir sur sa peau. « Comment on connaît sa sensibilité ?

– À la première morsure, on sait, répondit Crawford-Hale en se redressant devant le microscope. Je suis sûre à quatre-vingt-dix pour cent qu'il s'agit d'une *Loxosceles reclusa.* On distingue encore l'ombre du violon renversé sur la carapace ; et puis il y a la couleur marron clair, le corps fin, presque délicat. L'élément de diagnostic le plus décisif, ce seraient les yeux : les araignées violonistes en possèdent trois paires disposées en demi-cercle, alors que la plupart des araignées ont huit yeux. Je ne distingue pas autant de détails sur cette mue, mais je suis quand même relativement certaine que c'en est une.

– L'araignée violoniste est commune en Géorgie, non ? demanda Kimberly, contrariée.

– Oui, absolument. Les États du Sud – Kansas, Missouri, Oklahoma – en sont envahis. Il y a trois mois, j'ai eu le cas d'une famille qui signalait une infestation. J'ai recueilli trois cents spécimens en trois heures. Il faut noter qu'aucun membre de la famille n'avait jamais été mordu. Les araignées ne tiennent pas tant que ça à s'attaquer à des créatures qui peuvent les écraser du bout du pied.

» Et puis il y a évidemment le sud de la Californie, qui est aux prises avec la *Loxosceles laeta,* une variété originaire du Chili, du Pérou et d'Argentine. Si le venin de la *reclusa* est une tasse de thé, celui de la *laeta* est un double espresso.

– Encore une bonne raison pour ne pas vivre en Californie », murmura Sal.

Il venait enfin de remarquer le scorpion naturalisé à côté de lui. Il voulut lui tourner le dos, mais se retrouva nez à nez avec un autre spécimen : une blatte d'une taille vraiment invraisemblable.

« Je ne comprends pas, demandait encore Kimberly : pourquoi un passionné collectionnerait-il un spécimen aussi courant que l'araignée violoniste, d'autant qu'elle est venimeuse et donc difficile à garder ?

– Oh, je ne dirais pas qu'elles sont difficiles à garder, corrigea aussitôt Crawford-Hale. Elles font partie des seules espèces qu'on peut faire cohabiter en grand nombre. Et elles n'ont aucun instinct agressif entre elles. Donnez-leur un terrarium avec plein de recoins sombres où se cacher – des feuilles, des pierres, des écorces –, balancez-y quelques criquets chaque semaine et elles seront sans doute très contentes de leur sort.

– Donc… les passionnés les collectionnent vraiment ? »

L'arachnologue considéra la question. « Vous avez déjà entendu parler de la Ferme aux Araignées ?

– Heu, non.

– C'est un centre en Arizona où on élève des araignées pour récolter leur venin…

– Pour faire quoi ? l'interrompit Sal, l'air à nouveau horrifié.

– Pour récolter leur venin. Songez à ça : le venin d'une seule araignée peut contenir près de deux cents composants, y compris des substances capables de dissoudre les chairs et de court-circuiter le système nerveux. Est-ce que ce ne serait pas génial de pouvoir analyser et reproduire certains de ces composants pour l'industrie pharmaceutique ? C'est de la recherche de pointe.

– Ils *récoltent* le venin ? redemanda Sal.

– Ils ont une machine spéciale, expliqua Crawford-Hale avec une mine réjouie. Je n'ai pas eu l'occasion de le faire moi-même, mais apparemment ils se servent de pinces reliées à un stimulateur électrique. On envoie une très faible décharge électrique à l'araignée, ce qui provoque la contraction de sa glande à venin. Une gouttelette se forme sur son crochet pour être récupérée dans un tube à essai. Ça ne fait pas de mal à l'araignée, mais ça produit beaucoup de venin pour la recherche. Alors dans un endroit comme cette Ferme aux Araignées, croyez-moi, ils collectent, élèvent et conservent beaucoup de *Loxosceles reclusa.*

– Et un passionné plus lambda ? demanda Kimberly. Nous pensons que l'individu recherché possède plusieurs spécimens de mygales et au moins une veuve noire. »

Crawford-Hale haussa les épaules. « Franchement, un collectionneur reste un collectionneur. J'ai fait mes études avec un type qui avait trouvé une veuve noire devant la résidence universitaire et qui l'avait attrapée pour en faire un animal de compagnie. Ensuite, pour la nourrir, il s'était mis à élever des criquets. Et avant qu'il ait eu le temps de dire ouf, la veuve noire était morte et il s'était retrouvé à la tête de deux cents criquets. Alors maintenant il en élève pour différentes animaleries. Vous et moi ne ferions peut-être pas une chose pareille, mais pour lui ça marche.

– Comment un collectionneur se procurerait-il une araignée violoniste ? insista Kimberly. Est-ce que c'est un spécimen qu'il achèterait sur Internet, comme les mygales, ou peut-être sur un marché spécialisé ?

– Dans la région ? s'étonna l'arachnologue. Il n'aurait probablement qu'à descendre dans sa cave. Ou aller à son tas de bois. Ou soulever des pierres pendant une randonnée en forêt...

– Une randonnée ?

– Bien sûr, les araignées violonistes vivent dehors toute l'année en Géorgie.

– Dans la forêt nationale de Chattahoochee, par exemple ?

– Je suis sûre qu'on peut en trouver là-bas. »

Kimberly soupira, se mordilla la lèvre. Puis elle se tourna vers Sal. « Donc la mue d'araignée n'a peut-être rien à voir avec sa collection. C'est peut être un débris quelconque qui s'est collé à sa chaussure pendant qu'il marchait en forêt.

– Il a pu attraper cette mue pendant une randonnée dans les bois, confirma Crawford-Hale, avant d'ajouter d'un air pensif : Cela dit, les araignées violonistes sont notoirement craintives. Elles se réfugient la plupart du temps dans des recoins sombres et cachés, à plus forte raison pendant la mue, qui est une période de stress intense pour une araignée. Il y a des chances que votre suspect ne soit pas tombé sur cette mue en suivant un sentier tracé. Il marchait beaucoup plus probablement à travers bois, dans un endroit isolé, peu fréquenté.

– Un endroit où cacher un corps, marmonna Kimberly.

– Ça, c'est votre rayon, pas le mien, répondit l'arachnologue. Autre chose que je peux faire pour vous ? »

Kimberly réfléchit. La conversation n'avait pas été aussi éclairante qu'elle l'avait espéré. À en juger par la tête que faisait Sal, il était du même avis.

Ne voyant pas d'autre question à poser, elle tendit la main en remerciant Crawford-Hale du temps qu'elle leur avait accordé. Sal en fit autant.

« Si jamais on rencontre une araignée violoniste bien vivante, demanda-t-il avant de partir, comment faut-il réagir ?

– Faire la statue.

– Bon sang, demanda Sal en secouant la tête, comment vous faites pour étudier des insectes à huit pattes chaque jour que Dieu fait ? Moi, j'aurais la chair de poule en permanence.

– Oh, les araignées ne sont pas des insectes, le reprit Crawford-Hale. Les insectes ont six pattes. Les araignées huit. Les araignées *mangent* les insectes. C'est très différent. »

Pas pour Sal. « Je n'aime pas les araignées », conclut-il sur un ton catégorique lorsque Kimberly et lui, quittant le bureau, remontèrent le couloir du sous-sol, inondé de lumière par les lampes fluorescentes bourdonnantes.

« Regarde le bon côté des choses : au moins, elles sont plus petites que les serpents à sonnette.

– Les serpents à sonnette ? Qu'est-ce que tu foutais avec des serpents à sonnette ?

– Je jouais à la marelle. Et, crois-moi, ça ne marchait pas. »

Ils arrivèrent au bout du couloir, gravirent les escaliers et poussèrent finalement la porte vitrée pour émerger sous le soleil aveuglant. Harold, Quincy et Rainie attendaient patiemment sur le parking ; Harold, silhouette dégingandée, assis jambes croisées sur le capot de la voiture de Kimberly, Quincy et Rainie debout à ses côtés.

« Bonne nouvelle ? demanda Harold, plein d'espoir.

– La mue appartient à une araignée violoniste, expliqua Kimberly, dépitée. Dans la région, c'est à peu près comme de trouver une coccinelle. Youkaïdi, youkaïda. »

Son père haussa un sourcil.

« C'est un terme technique, lui assura-t-elle.

– Et qu'est-ce que tu vas faire ?

– Toujours aucune nouvelle de Ginny Jones ? demanda-t-elle en se tournant vers Sal.

– Aucune », répondit-il après avoir vérifié qu'il n'avait pas de message sur son portable.

Kimberly s'était rendue tout droit à l'adresse de Ginny après le coup de fil de Sal. Elle était tombée d'accord avec ses premières constatations : aucun signe d'effraction, aucune trace de lutte. Le petit appartement semblait avoir été sommairement vidé à la hâte ; des marques dans la poussière signalaient l'ancien emplacement des objets de valeur, tout le reste ayant été abandonné.

Dans la chambre, à moitié caché sous le lit, Kimberly avait trouvé un exemplaire du guide *Bien vivre sa grossesse.* Encore un petit détail qui la torturerait au milieu de la nuit.

Un avis de recherche avait été lancé pour Ginny et sa voiture, et des photos d'elle et de Dinechara circulaient parmi les policiers en tenue. Huit heures plus tard, ils attendaient encore.

« Et toujours pas de cellule d'enquête », soupira Kimberly avant d'ajouter avec dérision : « Mais mon supérieur nous encourage à nous rapprocher d'Alpharetta au sujet du meurtre de Tommy Mark Evans.

– Tu as parlé avec le responsable d'enquête ? demanda Quincy.

– Pas encore. J'ai été un peu occupée, au cas où tu n'aurais pas remarqué.

– Ce serait intéressant de savoir s'ils ont retrouvé des empreintes de chaussure sur la scène de crime.

– Ce serait le jackpot, reconnut Kimberly.

– Et en attendant ? » insista son père.

Kimberly haussa les épaules, regarda à nouveau Sal, son costume froissé et son visage cireux où se lisait le manque de sommeil. S'il retrouvait ce tueur, cela lui permettrait-il enfin de se pardonner d'être resté impuissant pendant que son père battait sa mère ? Et si elle l'aidait, lui deviendrait-il plus facile d'aller à Arlington déposer des fleurs sur la tombe de sa mère et de sa sœur ?

Ils poursuivaient tous les deux une chimère. Et même en le sachant, ils étaient incapables d'arrêter.

« Nous avons une autre piste, dit-elle.

– Laquelle ?

– L'or sous la chaussure de Dinechara. D'après Harold, il provient sans doute des environs de Dahlonega. On pourrait faire un petit voyage d'étude là-bas, diffuser notre portrait-robot de Dinechara. Si c'est un passionné de randonnée qui passe beaucoup de temps dans la région, peut-être que quelqu'un le reconnaîtra. »

Sal s'anima immédiatement : « C'est parti ! »

Et le père de Kimberly d'ajouter avec flegme : « Nous venons avec vous, naturellement. »

29

« À l'intérieur, ces araignées se rencontrent fréquemment dans les maisons et dépendances, chaufferies, écoles, églises, commerces, hôtels et autres bâtiments comparables. »

Tiré de *Biology of the Brown Recluse Spider*,
Julia Maxine Hite, William J. Gladney,
J.L. Lancaster Jr. et W.H. Whitcomb,
Service d'entomologie, département d'agriculture,
université d'Arkansas, Fayetteville, mai 1966

DAHLONEGA SE TROUVAIT dans la circonscription du shérif de Lumpkin County. Malheureusement, celui-ci s'était absenté une semaine pour un séminaire sur la prévention de la toxicomanie chez les jeunes. À la place, Sal organisa donc une entrevue à seize heures avec le shérif Boyd Duffy du comté voisin, Union County.

Harold dut s'excuser. Il avait déjà rendez-vous dans l'après-midi avec des banquiers qui l'aidaient à pister des fonds terroristes sur Internet. Sa dernière recommandation : « Allez donc faire un tour à la pisciculture de l'Office national des forêts près de Suches. Ces types savent littéralement tout. »

Restaient donc Sal, Kimberly, Quincy et Rainie. Dahlonega se trouvant à une heure de route au nord par la GA 400, ils décidèrent de faire l'aller-retour dans la journée. Cela les obligerait à travailler tard, mais ils en avaient tous vu d'autres.

Ils formèrent un petit convoi, Sal et Kimberly dans la voiture de tête, Rainie et Quincy fermant la marche. L'humeur de Sal ne s'était pas améliorée depuis leur rencontre avec l'arachnologue. Il conduisait, son visage basané figé en une moue perpétuelle, préoccupé par des pensées qu'il n'avait apparemment pas envie de partager.

Kimberly passa des appels sur son portable. Elle commença par Mac, mais il ne répondit pas. Elle lui laissa un message en espérant que sa voix ne trahissait pas l'envie qu'elle avait d'en découdre. Elle se demanda s'il fallait tenir son supérieur au courant, mais décida que le mieux était l'ennemi du bien. Personne ne se souciait vraiment de savoir ce qu'elle faisait de son après-midi du moment qu'elle remplissait la paperasse et faisait avancer les dossiers qu'on lui avait confiés.

Ce qu'elle ferait. Plus tard dans la soirée. À la première heure demain matin. Sans faute.

Ensuite, elle essaya de joindre le responsable d'enquête à Alpharetta, Marilyn Watson. Watson décrocha juste au moment où Kimberly perdait le signal. Elle essaya à nouveau, avec des résultats mitigés.

« Pas d'empreintes latentes... sang... aussures. Le projectile... preintes, répondit Watson lorsque Kimberly lui demanda quels indices avaient été recueillis pour le meurtre de Tommy Mark Evans.

– Pardon, vous avez une empreinte de chaussure ?

– On a des... pneus.

– Vous avez des empreintes de pneus ? Vous savez quel genre de véhicule ? »

Encore des parasites. De la friture. Puis un silence de mort.

Kimberly regarda son portable. Le signal avait disparu. De fait, elle entendit trois bips et la communication fut coupée.

Elle surveilla l'écran digital d'un œil mauvais en attendant de recevoir à nouveau. Peine perdue.

« Elle dit qu'ils ont relevé des empreintes de pneus, finit-elle par expliquer. Je ne sais pas bien pour les traces de chaussures et j'ai cru comprendre qu'ils avaient retrouvé un projectile. Ou peut-être pas. Tu vois le genre de la conversation.

– Quel type de véhicule ?

– On n'est pas arrivées jusque-là. Mais, à supposer qu'ils aient fait un moulage de l'empreinte, on devrait pouvoir l'examiner par nous-mêmes. Si un jour je capte à nouveau, je verrai si elle peut m'envoyer les clichés numériques par Internet. Je connais des gens qui devraient pouvoir nous dire assez vite si le pneu est compatible avec un Toyota FourRunner. »

Sal se tourna finalement vers elle. Son regard sombre, soucieux, lui envoyait un message qui, elle-même s'en rendait compte, n'était pas sain.

« Ça t'arrive de faire autre chose que travailler ? demanda-t-il.

– Jamais. »

Se retournant vers la route, il grommela : « Moi non plus. »

Elle sourit, mais avec plus de tristesse qu'elle n'en avait eu l'intention.

Elle regarda par la fenêtre, vit la jungle de béton de l'agglomération d'Atlanta laisser place à des étendues brunes. Ils arrivèrent à un feu, prirent la direction du nord par la 60 et commencèrent à grimper. Aux paysages champêtres succédèrent des ravins impressionnants et des coteaux imposants, le tout envahi de vigne kudzu verte et dense. Ils passèrent devant des résidences de standing, un parcours de golf impeccable, des fontaines aux formes baroques.

Kimberly commença à se faire une idée de la situation. Si la dernière demi-heure avait été faite d'exploitations avicoles indigentes et de villages de mobile homes, cette région du nord de la Géorgie sentait l'argent. À plein nez. Harold avait raison : il y avait de l'or dans c'te montagne.

« Nous sommes censés retrouver le shérif Duffy au Olde Town Grill en centre-ville, dit Sal.

– Tu connais l'adresse ?

– Tu n'as jamais été à Dahlonega, hein ? »

Elle confirma.

« Crois-moi, pas besoin d'adresse. »

Elle comprit ce qu'il voulait dire un quart d'heure plus tard, lorsque, après être passé en coup de vent devant un McDonald et avoir traversé un carrefour, ils entrèrent dans une carte postale illustrant à la perfection l'architecture américaine du dix-neuvième siècle. Des arbres dénudés s'élançaient dans le ciel au milieu d'une charmante place dominée par un tribunal en brique vieux de deux cents ans qui abritait désormais le musée de l'Or de Dahlonega. Des devantures pittoresques arboraient des enseignes « épicerie », « cadeaux », « antiquités », « caramel artisanal ». Les touristes déambulaient sur des trottoirs de brique rouge à l'ancienne.

« Je crois que nous sommes tombés dans une faille temporelle, dit Kimberly.

– Quelque chose de ce genre. »

Sal fit le tour de la place pour lui offrir une petite vue panoramique. Les parterres étaient plantés de gaulthéries et parsemés d'objets tels que roue de diligence, abreuvoir pour cheval ou crâne de bœuf blanchi. C'était comme de visiter un décor de western, sauf qu'elle était encore en Géorgie, un État qu'elle connaissait mieux pour ses étés étouffants et ses pêches fraîches.

« Fin septembre, début octobre, expliqua Sal, ça grouille de touristes venus voir les couleurs de la forêt. Pas moyen de trouver à se garer. Tu devrais venir voir ça avec ton mari un de ces quatre. Enfin, si vous aimez ces trucs-là. »

La voix de Sal s'était tendue. Assez pour inciter Kimberly à répondre : « Tu parles. Une petite escapade romantique, une jolie chambre d'hôte, la route des vins. Mac adorerait ça. »

Sal n'ajouta rien, et ce n'était pas dommage.

Il trouva une place devant une énorme roue en bois qui, à en croire l'inscription, avait à l'époque servi à broyer le minerai d'or. Ils attendirent que Rainie et Quincy se garent, puis suivirent la petite flèche vers le Olde Town Grill.

Le shérif Boyd Duffy s'y trouvait déjà, occupant la moitié d'une banquette dans un coin. C'était un colosse aux yeux noirs perçants et aux cheveux poivre et sel. Ancien joueur de foot américain, devina Kimberly, passionné de chasse. Il fichait sans doute une trouille bleue aux jeunes du coin. Tant mieux pour lui.

Accessoirement, il était Noir, ce qui faisait de lui une sorte d'anomalie dans cette région de la Géorgie.

Les apercevant, il les héla d'une voix de stentor : « Agent spécial Martignetti ! » Il tira son corps massif de la banquette avec une agilité surprenante. « Et agent spécial Quincy, j'imagine. » Il serra la main de Kimberly, sans la lui écraser, ce qui le fit encore monter d'un cran dans son estime. « Appelez-moi Duff, je vous en prie. Comme la bière dans le dessin animé *Les Simpson*. Ouais, c'est une longue histoire. Bienvenue, bienvenue. Le nord de la Géorgie est franchement plus joli à voir que votre gros bled pollué. Vous n'allez pas être déçus. »

Nouvelles poignées de main pour Rainie et Quincy, puis il désigna une table plus grande où ils pourraient tous prendre place. Un autre geste de son bras immense et une blonde aux cheveux bouffants se présenta avec des menus et des bocaux de thé sucré. « On mange très bien ici, vanta Duff. Le sauté de volaille est à se damner. Il y a aussi des petits pains maison à la cannelle et des galettes en sauce. Je recommande de prendre de tout, mais bon, il faut ce qu'il faut pour un gaillard comme moi. »

Impossible pour Kimberly de refuser un petit pain à la cannelle. Idem pour Rainie. Quincy, sans surprise, prit un café noir. Sal fit au moins honneur au shérif en commandant un sauté de volailles. Après avoir encore échangé quelques banalités, ils passèrent aux choses sérieuses.

« Bon, quatre personnes occupées comme vous l'êtes ne sont pas venues dans les Blue Ridge Mountains rien que pour jouer les touristes. Qu'est-ce que je peux faire pour vous ? »

Sal fut le premier à répondre. « Nous recherchons un suspect dans une affaire de disparition concernant une dizaine de prostituées. Nous avons des raisons de penser que le sujet, grand amateur de vie au grand air, connaît bien la région, donc nous sommes venus jeter un œil. »

Duff tiqua. Il n'était pas né de la dernière pluie. « Autrement dit, vous pensez qu'il s'est débarrassé des corps quelque part dans ces montagnes.

– C'est une possibilité. »

Le géant soupira, croisa les mains sur la table. « Bien. Et c'est qui, votre suspect ?

– Nous n'avons pas encore de nom, juste un dessin. » Sal ouvrit son classeur vert foncé, en sortit un exemplaire du portrait-robot mis au point par l'agent spécial Sparks et Ginny Jones et le tendit au shérif. « J'en ai d'autres au besoin, indiqua-t-il. Nous aimerions montrer ça à autant de policiers que possible.

– Minute, minute. Une seule chose à la fois », dit le shérif en fouillant sa poche de poitrine.

Il finit par en extraire une paire de lunettes de lecture à monture noire qu'il percha sur l'arête de son nez. Il examina le portrait en grommelant dans sa barbe.

La serveuse arriva avec les commandes. Duff leva les bras, sans lâcher le portrait, et elle glissa une assiette de dinde en sauce devant lui.

« Vous n'avez pas d'image de lui sans cette casquette ? » demanda le shérif.

Sal fit signe que non.

Duff considéra le portrait encore un moment, puis le posa sur le côté, prit ses couverts et coupa sa viande avec application.

« Alors, reprit-il tout à coup, voyons les choses dans l'ordre : je ne reconnais pas ce type ; cela dit, tous les Blancs se ressemblent pour moi. »

Sal eut l'air interloqué. Duff lui lança un grand sourire. « Je plaisante, mon vieux. Quand on ramasse sur le bitume un gosse de seize ans qu'on connaît depuis sa naissance parce qu'il a décidé de faire le kakou sur sa nouvelle moto, il faut bien apprendre à rigoler un peu. Dans les grandes villes, vous enquêtez sur des inconnus. Moi, j'ai affaire à mes voisins, chaque jour qui passe. Si votre *sujet*, comme vous dites, vivait dans la région, je le reconnaîtrais probablement, même avec cette casquette à la con.

– Donc il n'habite pas dans le coin.

– Sans doute pas en permanence. À côté de ça, on voit passer des dizaines de milliers de touristes par an, sans parler des estivants, des promeneurs, des chasseurs du week-end. Les montagnes attirent douze mois sur douze et nos embouteillages sont là pour en témoigner. Bon, si vous me donnez quelques éléments, on verra si on peut cerner davantage le problème. Où ces prostituées ont-elles été vues pour la dernière fois ?

– Essentiellement dans la banlieue d'Atlanta. Notamment à Sandy Springs. Des filles qui faisaient les boîtes, pas le trottoir.

– Donc votre type opère dans l'agglomération d'Atlanta. Qu'est-ce qui vous amène ici ?

– D'après un des témoins, il aime le grand air. Nous avons aussi retrouvé dans sa voiture une chaussure de randonnée qui comporte des fragments végétaux correspondant à la forêt nationale de Chattahoochee…

– Ça fait quelques hectares, l'interrompit Duff.

– La semelle de la chaussure présentait des traces d'or. Ça nous a fait penser à Dahlonega. »

Duff hocha la tête, mâcha d'un air pensif. « Vous avez déjà été au musée de l'Or ?

– Non.

– Vous devriez. C'est depuis ce perron que le Dr Stephenson, essayeur à la Monnaie, a tenté de dissuader tous les mineurs de Géorgie de se précipiter en Californie pour la ruée vers l'or de 1849 en leur disant : "Y a de l'or dans c'te montagne." Il parlait évidemment des Blue Ridge Mountains. Vous voyez, déjà à l'époque, on encourageait les gens à travailler et acheter local. »

Personne n'ayant de commentaire à faire sur ce point, Duff revint au sujet qui les occupait :

« Bon, commençons par votre individu. Supposons un instant qu'il soit randonneur, chasseur, que sais-je, et que, comme beaucoup d'entre eux dans l'État, il passe ses week-ends ici. Ce type, il faut qu'il mange, qu'il dorme, qu'il se ravitaille. Si on considère le comté de Lumpkin, la principale ville est Dahlonega. Et par ici, les gens vont manger au Olde Town Grill, au Smith House, au Wylie's Restaurant, dans deux-trois autres maisons. Pour l'hébergement, il y a les grandes chaînes d'hôtel : Days Inn, Econo Lodge, Holiday Inn, Super Eight. Et le Smith House encore, à deux pas d'ici. On y mange bien, les chambres sont à des prix raisonnables et, mieux encore en ce qui vous concerne, il y a une mine d'or sur place. Vous pouvez mettre votre dessin sous le nez de leurs employés, voir s'ils peuvent vous renseigner.

« Pour les courses, il y a la petite épicerie, mais c'est un truc à touristes, en fait. La plupart des gens vont au Wal-Mart. Vu le monde qu'elles voient passer, pas sûr que les caissières puissent vous aider. Si ce type aime autant la forêt que vous le pensez, j'irais voir à vingt-cinq kilomètres d'ici, à Suches, c'est par chez moi.

– Suches ? demanda Kimberly.

– La Vallée Au-dessus Des Nuages, affirma Duff. Vous n'avez rien vu de beau tant que vous n'avez pas vu

Suches. Bon, c'est grand comme un mouchoir de poche, mais comme ça donne accès à l'Appalachian Trail, à quelques campings et au lac, il y a du passage. Des randonneurs, des chasseurs, des campeurs, des conducteurs de 4x4, des pêcheurs, des bikers…

– Des bikers ? intervint Rainie. Des cyclistes, vous voulez dire ?

– Des motards. L'été, on ne voit plus qu'eux sur les routes. Si votre type est randonneur, il y a des chances qu'il ait séjourné à Suches. Ce qui signifie qu'il a mangé soit au T.W.O, soit au Lenny's et qu'il s'est ravitaillé chez Dale. Je commencerais par montrer votre croquis dans ces trois endroits. Faut voir que, dans un village aussi petit, il n'y a nulle part où se planquer. »

Sal, qui prenait des notes abondantes, releva la tête. « Mais d'après vos propres dires, Dahlonega et Suches sont très fréquentés…

– Soixante mille touristes par an.

– Ça, c'est un problème, vous voyez, dit Sal avec un sourire amer. Le truc, c'est que ce type se débarrasse de cadavres depuis plus d'un an au nez et à la barbe de tout le monde. Avec tous ces randonneurs, chasseurs, pêcheurs, *motards,* comment une telle chose serait-elle possible ? Oubliez l'or : y a des touristes dans c'te montagne, et ils photographient tout. »

Duff lui lança un sourire. Il termina sa dinde et s'attaqua au monceau de purée avant de reprendre : « Si votre type se débarrasse de cadavres, ce n'est pas sur un des grands sentiers de randonnée. Vous avez raison : depuis le temps, quelqu'un l'aurait *forcément* croisé. » Il leva une main, compta sur ses doigts. « Ça exclut Woody Gap, Springer Gap, l'AT, le Benton MacKaye Trail, le Slaughter Gap Trail…

– Slaughter Gap Trail ? intervint Rainie.

– Qui donne accès à Blood Mountain…

– Blood Mountain ? continua Rainie en regardant Kimberly et Sal. Personnellement, si je cherchais des cadavres, je commencerais par le Slaughter Gap Trail et Blood Mountain[1]. Mais ça doit être moi. »

Duff sourit à nouveau. « Comme je disais, le Slaughter Gap Trail et Blood Mountain sont assez fréquentés ces derniers temps, ce qui n'en fait pas, en réalité, le meilleur choix pour dissimuler des cadavres, expliqua-t-il avec un sourire contrit en direction de Rainie. Mais il y a aussi les routes de service de l'Office national des forêts ; beaucoup sont difficiles à trouver, on s'y paume facilement, elles sont presque toujours isolées et forment un réseau qui couvre toute la zone.

– La pisciculture ! » se souvint Kimberly.

Duff eut un hochement de tête approbateur. « Exact. Il y a la pisciculture sur la 69. Et puis la 42, également connue sous le nom de Cooper Gap Road. Mais vous savez, à l'aune de l'Office national de forêts, ces routes-là sont des autoroutes. Ce sont les dizaines d'autres chemins boueux, pas signalés, presque impraticables, qui font tout le sel de la vie. Ils sont juste assez empruntés pour que personne ne se pose de questions en voyant un 4x4 garé là pour la nuit. Et en même temps, ces routes et ces pistes sont suffisamment isolées pour qu'on puisse y parcourir des kilomètres sans jamais croiser âme qui vive. Elles seraient parfaites pour votre type.

– Il y en a combien, de ces routes ? demanda Sal.

– Du diable si je sais, répondit Duff en haussant les épaules. J'ai passé toute ma vie dans ces montagnes et je ne suis même pas certain de les connaître toutes. Ce qu'il vous faut, c'est une carte correcte de l'Office des forêts. Et probablement aussi une carte de l'Institut de géologie parce que ces administrations ne communiquent pas toujours entre elles.

– Ce serait l'autre solution, approuva immédiatement Kimberly. Les employés de l'Office des forêts et de l'Institut de géologie. Vous avez raison, ce sont eux qui

---

1. Littéralement, « Sentier de la trouée meurtrière » et « Montagne sanglante ». (*Toutes les notes sont de la traductrice.*)

arpentent ces montagnes de long en large, collectent des échantillons, constituent des banques de données. Une fois, j'ai travaillé avec une de leurs équipes en Virginie. Ils passent plus de temps au fin fond de la forêt que n'importe quel randonneur. Si on pouvait leur donner notre portrait-robot et une description du véhicule du suspect, ça leur dirait peut-être quelque chose.

– J'ai quelques copains là-bas que je peux appeler, proposa Duff. Ils sont les yeux et les oreilles de la montagne, pour ainsi dire.

– En résumé, murmura Sal avec une moue, on peut distribuer notre papelard à quelques établissements du coin pour voir ce que ça donne. Et ensuite on se met en relation avec les gars de l'Office de forêt et de l'Institut de géologie.

– Vous savez, entre le shérif Wyatt et moi, on a une bonne petite équipe. La plupart de nos adjoints seraient contents de donner un coup de main sur un truc moins routinier que les touristes indélicats ou les lycéens ivres morts. Wyatt sera de retour d'ici la fin de la semaine. Je lui filerai les infos et on en mettra tous les deux un coup.

– Je ne veux pas effrayer le type, insista Sal. La priorité, à ce stade, c'est de retrouver les filles ou leurs cadavres. Ensuite on cherchera Dinechara.

– Dinechara ? s'étonna Duff. Je croyais que vous ne connaissiez pas son nom ?

– C'est un pseudo. Un anagramme d'arachnide.

– Pardon ?

– Vous savez, arachnide, comme les araignées.

– Je connais le mot, mon vieux. Mais je me demande bien pourquoi un adulte prendrait un nom de bestiole.

– Il capture des proies, expliqua Kimberly. Sauf une. Sal, raconte-lui pour Ginny Jones. »

Il était plus de six heures lorsqu'ils quittèrent Duff. La plupart des magasins étaient fermés, mais ils arrivèrent à trouver le Wylie's Restaurant pour montrer leur dessin. Personne ne reconnut le portrait-robot, mais la patronne promit d'ouvrir l'œil. Sal lui donna sa carte et ils prirent congé.

Arrêt suivant au Smith House qui, après avoir été une somptueuse demeure privée, abritait désormais un hôtel récemment rénové, une petite épicerie et un restaurant. Le hall embaumait le pain au lait et la patate douce confite. C'en fut assez pour Kimberly.

« À table ! » s'exclama-t-elle.

Rainie et Quincy étaient partants. Sal, qui avait déjà dîné d'un sauté de volaille, se contenta de hausser les épaules : « Je peux toujours manger. »

Le service se faisait à la bonne franquette. Ils payèrent un tarif unique à la fille qui tenait la caisse dans le hall. Elle leur donna des tickets à emporter dans la salle à manger en sous-sol où on leur servirait autant de sauté de volaille, de jambon braisé, de rôti de bœuf, de quenelles, de gombo, de légumes vapeur et de petits pains maison qu'ils pourraient en avaler. Pas d'alcool, mais thé glacé et citronnade à volonté.

Au pied des escaliers, ils découvrirent l'entrée d'un puits de mine de six mètres de profondeur. Kimberly n'y vit qu'un gros trou noir, barricadé avec du Plexiglas. Rien de bien excitant à première vue, mais Quincy et Rainie s'attardèrent le temps de regarder la vidéo qui retraçait sa découverte.

Une serveuse aux joues rouges trouva deux sièges près d'une famille de six personnes pour Sal et Kimberly. Ils firent donc la connaissance de papi, mamie, papa, maman et des jumeaux de quatre ans. Ceux-ci faisaient la course autour de leur table tandis que la mère exténuée lançait un pauvre sourire à Kimberly en disant : « J'espère que ça ne vous dérange pas.

– Aucun problème, lui assura Kimberly en tapota son ventre.

– Oh, s'exclama la femme en comprenant, c'est votre premier ?

– Oui.

– Vous et votre mari devez être aux anges, dit-elle en souriant à Sal.

– Quoi ? dit ce dernier dont la main se figea au-dessus des petits pois.

– Je suis très contente, répondit Kimberly. Enfin, pour l'instant.

– Ah, oui, c'est comme ça que ça se passe, dit la femme en riant. C'est une fille ou un garçon ? Vous savez ?

– Non, on veut garder la surprise.

– Nous aussi, on voulait. Et pour ça, on a été servis. Je peux me permettre un conseil ?

– Oui ?

– N'ayez pas de jumeaux. »

Rainie et Quincy arrivèrent et se présentèrent. Rainie attaqua le gombo frit avec appétit. Quincy picora du bout des lèvres des légumes vapeur et du jambon braisé.

L'odeur de la viande ne dérangea pas Kimberly autant que la veille. Fin d'un chapitre ? Début d'un autre ? La vie, même prénatale, était en constante évolution. Elle grignota du jambon, du gombo, du poisson-chat. Elle commença à ressentir cette chaleur et ce contentement qui naissent d'un bon repas après une bonne journée de travail, en compagnie de sa famille et de ses amis.

Elle avait tout oublié du portrait-robot avant que la serveuse ne vienne les resservir en thé glacé.

« Oh, c'est un ami à vous ? demanda-t-elle en désignant le sac ouvert de Kimberly.

– Qui ?

– L'homme sur le dessin. On le voyait tout le temps ici. Avec son fils, évidemment. Bon sang, ce que ça mange, un ado. »

Sal arrêta de mâcher. Tenant un pilon entre ses mains grasses, il regarda avec des yeux ronds le croquis, la femme, à nouveau le croquis.

Kimberly se ressaisit la première. « Vous le connaissez ?

– Je le reconnais. Cet automne, il venait très souvent. À peu près cette taille-là, non ? Pas très grand, mais puissant. Pas mal musclé. Et toujours avec cette casquette sur le crâne, même à table. Je peux vous dire une chose, ajouta-t-elle d'un air désapprobateur, de mon temps, ma grand-mère m'aurait botté les fesses pour moins que ça.

– Son nom ?

– Oh, euh…, réfléchit-elle en se mordant la lèvre inférieure, le pichet de thé glacé sur la hanche. Bobby ? Bob ? Rob ? Ron ? Richard ? Je ne sais plus, vous savez. Je ne suis pas certaine qu'il l'ait dit.

– Et le garçon ? insista Kimberly.

– Tout blanc, tout maigre. Seize, dix-sept ans. Tout en bras et en jambes, mais rien que la peau sur les os. Vous savez à quoi ressemblent les adolescents : on dirait qu'ils ne sont pas nourris. Un calme, celui-là. Il s'asseyait, mangeait, disait à peine un mot.

– Le nom du garçon ? »

Là encore, la serveuse secoua la tête. « Vous savez, il y a des gens qui viennent ici parce qu'ils ont envie de voir du monde, ça leur fait plaisir de se présenter, d'entamer une conversation sympathique. Et d'autres… qui viennent juste pour le gombo. On ne peut pas leur jeter la pierre.

– Vous vous souvenez comment il payait ? intervint Rainie, absorbée par la conversation.

– Désolée, madame, c'est là-haut qu'ils s'occupent de ça.

– Mais s'il a payé avec une carte de crédit…, murmura Kimberly, qui lisait dans les pensées de Rainie.

– Il faut qu'on parle au patron », déclara Sal.

L'autre famille était en émoi à présent. « Un problème ? Qui est cet homme ? Quelque chose que nous devrions savoir ? »

Tous les regards étaient tournés vers Sal. Même les jumeaux avaient cessé de courir. « Enquête de routine », leur assura-t-il brutalement avant de poser la main sur l'épaule de Kimberly pour la tirer de son siège.

Elle n'avait pas besoin d'encouragements. Ils se dirigèrent droit vers le bureau de la direction.

Il s'avéra que passer en revue tous les reçus de carte de crédit prendrait un peu de temps. Il fallait qu'ils donnent davantage de détails. Date, heure, montant ? On fit venir la serveuse pour voir si elle se souvenait d'une date précise. Il lui semblait que l'homme et son fils étaient venus une demi-douzaine de fois entre septembre et novembre. En insistant un peu, elle data un des passages au week-end de Columbus Day[1]. L'addition devrait être pour deux personnes, en fin de soirée, croyait-elle. Elle avait été étonnée que le garçon soit autorisé à veiller si tard.

Les reçus de cartes de crédit n'étaient pas informatisés et le gérant ouvrit donc un tiroir où ils étaient classés par mois. De toute évidence, le restaurant et l'hôtel du Smith House avaient du succès. Surtout le week-end de Columbus Day.

Kimberly descendit retrouver son père et Rainie dans la salle à manger pour leur annoncer les bonnes nouvelles.

« Le gérant a besoin de temps pour faire le tri dans les archives, alors, devinez quoi, les enfants ? On dort ici ! »

---

1. Deuxième lundi d'octobre, jour férié commémorant la découverte de l'Amérique par Christophe Colomb.

30

LE BURGERMAN est passé à l'action.

Je me suis réveillé hier soir au bruit de cris étouffés. Ça a duré toute la nuit. Le Burgerman chevauche toujours ses nouveaux jouets longtemps et brutalement, jusqu'à ce qu'ils se brisent. Comme moi.

Au matin, je connaissais la marche à suivre. Se lever, aller dans la cuisine, prendre le petit-déjeuner. Faire comme s'il n'y avait rien au monde de plus naturel que de voir un gamin de sept ans tout nu assis à la table délabrée, hébété devant un bol de céréales plein à ras bord. Il ne disait rien. Regardait fixement ses Froot Loops devenir peu à peu rouges, verts et bleu foncé.

Je n'ai pas cherché son regard. Je ne voulais pas qu'il s'imagine que j'avais un quelconque rapport avec tout ça.

Le Burgerman était encore dans la chambre. Sans doute à récupérer de ses efforts nocturnes. J'ai remarqué que le téléphone avait disparu et que la porte s'était agrémentée d'un nouveau verrou en hauteur, hors de portée du nouveau jouet. Mon pouls s'est légèrement accéléré. Je me suis demandé si le Burgerman se souvenait du téléphone dans ma chambre. S'il y était entré discrètement au milieu de la nuit pour me le piquer.

J'ai fait de mon mieux pour retourner dans ma chambre d'un pas nonchalant. Le téléphone s'y trouvait encore. J'ai décidé de ne courir aucun risque et je l'ai enlevé moi-même pour le cacher dans mon placard. Merde, je n'allais quand même pas perdre des privilèges sous prétexte que le Burgerman était incapable de contrôler ses appétits.

De retour dans la cuisine, je me suis à mon tour servi un bol de céréales et je me suis mis à mâcher en silence. Ma présence a dû galvaniser le gamin parce qu'il a lentement pris sa cuillère et aspiré un peu de céréales ramollies. Je me suis demandé s'il arriverait à ne pas les rendre. Certains y parvenaient. D'autres non.

Il aurait disparu d'ici un jour ou deux, quand le Burgerman en aurait eu son content. Est-ce qu'il les tuait, les relâchait ? Je ne savais pas. Je m'en foutais. Je ne me rappelais plus en quelle année j'étais né, ma date de naissance exacte. Mais je devais être adolescent parce que la seule émotion dont j'étais désormais capable, c'était le mépris. Pour le Burgerman, pour le gosse, pour moi-même.

Et là, sans raison, j'ai repensé au tout premier gamin. Après toutes ces années. Celui que j'avais cru pouvoir aider. Je me suis demandé si son corps avait fini par être retrouvé ou s'il se décomposait encore tout seul sous l'azalée.

L'idée m'a fichu en rogne. J'ai attrapé mon bol de céréales et je l'ai balancé dans l'évier. Le bruit a fait sursauter le nouveau jouet.

Le Burgerman est entré dans la pièce.

Il avait passé un pantalon, mais pas de chemise. Le temps ne lui avait pas fait de cadeaux. Sa barbe était plus grise que noire, sa silhouette s'était avachie à force de bière et de nourriture trop grasse, de la peau pendait de son torse chétif et de ses bras décharnés. Il avait exactement l'air de ce qu'il était : une crapule sur le retour, un pied dans la tombe mais toujours mauvais comme la gale.

Je l'ai haï comme au premier jour.

Il m'a regardé. Puis il a posé une main sur l'épaule du nouveau. Au premier contact, le gamin a frémi, puis il s'est figé, immobile, tandis que des larmes lui montaient aux yeux.

Soudain, le Burgerman m'a adressé un grand sourire. « Fiston, m'a-t-il annoncé triomphalement, je te présente le petit. C'est ton remplaçant. »

Et c'est à cet instant précis que j'ai su que le Burgerman devait mourir.

J'ai attendu qu'il se retire dans sa chambre, traînant le petit à sa suite. Puis j'ai disparu dans la mienne, meublée qu'elle était d'un grand matelas miteux, de caisses de lait en guise de bacs à vêtements et d'une petite télé en noir et blanc que j'avais récupérée dans la poubelle des voisins et réparée moi-même.

Ma chambre puait. Les draps, la literie, les vêtements sales. Tout gardait cette odeur fétide de transpiration, de peau pas lavée, de nuits trop longues. Tout cet appartement sordide sentait comme ça. Le lait tournait dans le frigo. L'évier débordait de vaisselle sale. Des cafards couraient sur la cuisinière.

Cela a ravivé ma colère. La puanteur rance de ma vie. La vacuité grise et sans fin de mon existence. Parce que le Burgerman m'avait choisi et qu'après cela je n'avais plus eu la moindre chance.

Et maintenant, il n'y aurait même pas d'examen de passage. Oh non, le Burgerman avait un nouveau joujou à présent. Un jouet qu'il avait l'intention de garder. Ce qui signifiait que mes jours étaient comptés.

Alors, inexplicablement, le rejet du Burgerman m'a été plus cuisant que son affection ne l'avait jamais été.

J'étais un imbécile. Un lâche. Un rien du tout.

Le Burgerman m'avait tué. J'ignorais seulement comment mourir.

Encore des hurlements. Ce pauvre idiot braillait comme si ça allait changer quelque chose.

Je me suis traîné jusqu'au milieu de mon lit, j'ai remonté les couvertures sur ma tête et je me suis bouché les oreilles. Je me suis endormi.

Quand je me suis réveillé, il faisait noir. Je suis resté un long moment sur mon matelas à observer la lumière du réverbère filtrée par les stores, les rais projetés sur le mur du fond.

Ensuite, je me suis levé, je suis allé vers le placard et j'ai pris le téléphone.

De retour sur mon matelas, j'ai soulevé le coin pour attraper un annuaire que j'avais introduit en douce dans l'appartement pendant que le Burgerman avait le dos tourné.

Quand j'ai fini par trouver le numéro, j'avais les mains tremblantes et la bouche sèche.

Je ne me suis pas autorisé à m'arrêter, pas autorisé à trop réfléchir.

Brancher le téléphone. Composer le numéro.

Dès que ça a décroché, j'ai murmuré : « Aidez-moi. Je vous en prie, aidez-moi. »

Et puis j'ai raccroché et pleuré.

31

« Les araignées sont passées maîtres dans l'art du poison. Elles injectent le venin à l'aide de crochets qui ressemblent à des griffes recourbées sous leurs yeux. »

Tiré de *Freaky Facts About Spiders*,
Christine Morley, 2007

« QU'EST-IL ARRIVÉ À TES PARENTS ? » demanda le garçon. Assis sur la terrasse avec elle, il buvait un verre de limonade en poudre. Il avait travaillé l'essentiel de la matinée, depuis qu'il avait fait son apparition peu après six heures du matin. Elle l'avait fait entrer sans commentaire et lui avait servi un petit-déjeuner en parlant de tout et de rien.

Il n'avait pas évoqué leur dernière rencontre et elle non plus. Elle avait agi de même avec Mel lorsqu'il avait sonné chez elle l'après-midi précédent avec un carton rempli de saucisses fraîches, d'œufs et de jus d'orange. Il le lui avait tendu sans un mot. Elle avait accepté sans un geste de gratitude. Puis chacun était parti de son côté.

Les choses sont parfois plus faciles comme ça.

Elle avait remarqué que le garçon se déplaçait avec raideur lorsqu'il l'avait aidée à rouler ses tapis et à les tirer dehors pour les battre un bon coup. Ses côtes semblaient le faire souffrir et elle le surprenait de temps à autre à se masser les fesses. Elle n'avait pas posé de questions, il n'avait rien dit. Le ton de leur journée grise et fraîche était donné. Et maintenant, ça.

« Mes parents sont morts, répondit Rita. Il y a longtemps.

– Ils sont morts de quoi ?

– De vieillesse, répondit-elle avec philosophie. Personne n'est éternel.

– Tu es vieille, toi. »

Elle pouffa. « Tu crois que je vais tomber raide, mon garçon ? Te laisser sans compagnon de petit-déjeuner ? Ne t'inquiète pas. Le monde n'en a pas encore fini avec moi. »

Mais il la regardait avec gravité.

« J'ai eu des parents », dit-il tout à coup.

Elle s'arrêta de rire, lissa la vieille chemise à carreaux verte de Joseph dont l'ourlet lui tombait presque aux genoux. « Je vois.

– Ils sont morts, eux aussi.

– Je suis désolée.

– Je ne sais pas comment, continua-t-il sans désemparer, mais d'une voix plus chargée d'émotion. Je les avais, et puis un jour ils ont disparu. Juste comme ça. Ma sœur aussi. Elle était petite. Toujours à fouiller dans mes affaires, à vouloir jouer avec moi. Je n'étais pas gentil avec elle. Je lui disais qu'on jouait à cache-cache, mais quand elle était cachée, je ne la cherchais pas. Je partais jouer tout seul. Alors elle pleurait, je la traitais de bébé et maman me grondait.

– Moi aussi, j'ai eu un grand frère comme ça.

– Il était méchant ? Et alors la famille l'a envoyé vivre avec les autres méchants garçons ?

– Nous l'aimions tous, répondit-elle, impassible. Ensuite il est parti et il a été tué à la guerre. Les frères et sœurs se disputent, bonhomme, mais ça ne les empêche pas de s'aimer.

– Une fois, j'ai donné à ma petite sœur un nounours que j'avais eu pour mon anniversaire, murmura l'enfant. Je savais que ça lui ferait plaisir.

– Et ça a été le cas ?

– Je crois, oui. Des fois… des fois, j'ai du mal à me souvenir. J'essaie de les imaginer, mais ça se mélange dans ma tête. Comme mon parfum de glace préféré. Je crois que c'est chocolat, mais ça fait tellement longtemps… Peut-être que c'est vanille. Ou fraise. Est-ce que c'est possible de vous prendre votre parfum préféré ? Tout s'embrouille…

– Qu'est-il arrivé à ta sœur ?

– Elle est morte, j'imagine. Ils sont tous morts. C'est ce qu'il dit. »

Ils se trouvaient en terrain miné à présent. Même sans comprendre, Rita le sentait. Lorsqu'elle avait fait la connaissance du garçon, elle avait supposé qu'il venait d'une famille « à problèmes ». C'était toujours l'expression qu'employaient les assistantes sociales à son époque. *Cet enfant vient d'une famille à problèmes.*

Mais ces derniers temps, Rita avait commencé à se poser des questions. Elle s'efforça de bien choisir ses mots.

« Quand tes parents étaient en vie, tu habitais par ici ?

– C'est où, ici ? demanda-t-il en fronçant les sourcils.

– Dahlonega. Les Blue Ridge Mountains, en Géorgie. C'est ici que tu es né ? »

Il garda le silence si longtemps qu'elle n'était pas sûre qu'il allait répondre. Mais ensuite, lentement, il secoua la tête. « Macon. Macon Bacon, c'est ce que disait toujours mon père quand nous étions sur l'autoroute. "Macon Bacon, le royaume du poulet !" Ça le faisait rire. Et puis il aimait le bacon. Et les œufs brouillés le matin. Tu crois que c'est ça qui l'a tué ? De manger des œufs au bacon ? »

Le garçon la regardait avec candeur. Cette expression lui donnait l'air plus petit, plus vulnérable. Rita se demanda, une fois de plus, si elle faisait ce qu'il fallait.

Puis elle aperçut son frère Joseph qui courait dans le jardin, sautait pour s'accrocher à la plus basse branche du vieux chêne et y grimpait avec agilité comme il le faisait dans leur enfance.

Joseph jouissait d'une jeunesse éternelle dans l'au-delà. Elle se demanda si c'était parce qu'il était mort jeune ou si c'était un choix laissé à la discrétion de chaque esprit. Elle était fatiguée, songea-t-elle. Fatiguée de ses articulations douloureuses, de la profonde morsure que la froidure d'un matin d'hiver infligeait à ses chairs ratatinées. Il ne lui restait guère de temps, pensa-t-elle. Raison de plus pour en faire bon usage.

« Quand tes parents sont morts, tu avais encore de la famille ? »

Le garçon l'observa avec curiosité, presque perplexe.

« Est-ce qu'une assistante sociale est venue te voir ? s'entêta Rita. Te parler de ta famille d'accueil et de ta nouvelle maison ?

– C'est quoi, une famille d'accueil ? »

Rita se figea dans le fauteuil à bascule, puis s'obligea à reprendre son mouvement. Ses pensées se bousculaient. Si le garçon ne vivait ni avec ses parents, ni avec d'autres membres de la famille ni dans une famille d'accueil... Elle regretta de ne pas sortir davantage, de ne pas connaître ses voisins. Elle aurait tellement aimé demander à quelqu'un à quel moment il avait remarqué le garçon pour la première fois ou ce qu'il savait de la maison sur la colline et de l'homme qui y habitait. Parce qu'il ne s'agissait plus seulement d'une famille à problèmes, elle en était certaine. Elle entrait plutôt dans une histoire plus sombre, plus sinistre.

« Qui vit avec toi, bonhomme ? » demanda-t-elle d'une voix égale.

Il secoua la tête.

« Tu peux me dire. Je suis une vieille dame, tu sais. Nous sommes les meilleures pour garder les secrets. »

Le garçon refusait de la regarder. Il baissa les yeux. « Je crois que je ne devrais plus parler, murmura-t-il.

– Dis-moi comment tu t'appelles. »

Il secoua la tête.

« Et ton anniversaire ?

– Je n'en ai pas. On ne fête que le jour de notre arrivée, celui où on lui appartient.

– Il y en a d'autres ? insista-t-elle. Des enfants, des adultes, des animaux ? Parle-moi d'eux. Je ne jugerai pas. »

Le garçon examina son verre de limonade vide, puis la forme de la balustrade. Tout en se balançant dans son fauteuil, Rita observait les nuages noirs qui s'amoncelaient à l'horizon, percevait la vibration électrique de l'orage imminent. Elle avait envie d'insister davantage, mais se retint. Les enfants parlent quand ils en ont envie. Il faut avoir la patience de les laisser venir à soi.

« Il va te tuer », dit-il.

Elle balaya l'idée d'un revers de la main. « Penses-tu. Je mourrai quand je l'aurai décidé et pas une minute avant.

– Tu ne le connais pas. Il obtient ce qu'il veut. Il obtient *toujours* ce qu'il veut. »

La première bourrasque déferla, mêlée de pluie, avec le goût des pins lointains. Rita vit un éclair, suivi de peu par le coup de tonnerre. Ça allait être un bel orage. De ceux qui ébranlent les maisons jusqu'à leurs fondations.

« Il faut que j'y aille, dit le garçon en se levant.

– Ne dis pas de bêtises. Tu vas passer la nuit ici.

– La pluie arrive, insista-t-il. Il faut que je rentre.

– Tu vas passer la nuit ici.

– Rita…

– *Assis !* »

Le garçon blêmit devant la fermeté de son ton. Il se laissa tomber dans son fauteuil, sur ses gardes à présent, nerveux.

« Que tu refuses de me parler, dit sèchement Rita qui se balançait avec colère dans son petit fauteuil en bois, ça te regarde. Mais tu ne retourneras pas dans la maison de la colline. Ma conscience m'interdit de t'y renvoyer et ça, ça me regarde.

– Il va être furieux. Ce n'est pas une bonne idée.

– Sottise. À mon âge, qu'est-ce qu'un homme peut faire qui ne soit pas déjà sur le point d'arriver ? S'il est furieux, il n'a qu'à venir me voir. Parce que j'ai deux-trois mots à lui dire ! »

Elle termina avec un air bravache, se leva de son fauteuil, frappa du pied. Mais ni elle ni le garçon n'étaient dupes. Rita ne connaissait pas cet homme, mais elle avait déjà compris : si le « tuteur » de Scott se présentait à sa porte, ce ne serait pas pour discuter.

« Rita…

– J'appelle la police ?

– *Non !* »

Il avait répondu dans l'instant, le regard effaré. Assez pour qu'elle sache qu'à la seconde où elle prendrait le téléphone, il se sauverait.

« Alors c'est décidé, déclara-t-elle. Tu restes. On va faire du ragoût. Prendre du chocolat chaud. Rester bien à l'abri et regarder le monde livré à la tourmente. C'est la meilleure façon de passer une nuit d'orage. »

Le garçon la regarda, les yeux écarquillés, pleins de quelque chose qu'elle n'y avait jamais vu. De la peur, de l'espoir, du désir. Il ouvrit la bouche. Elle crut qu'il allait protester. Ou peut-être sauter du perron et gravir la colline à toutes jambes.

Mais alors il referma la bouche. Se redressa. Ni content ni soulagé, remarqua-t-elle, comme un soldat résigné à la guerre.

Rita le fit entrer, referma la vieille porte derrière eux. Il se dirigea vers la cuisine pendant qu'elle s'arrêtait dans le vestibule pour tirer les verrous. Les premières grosses gouttes de pluie frappèrent l'allée. Elle ferma le cadenas récemment posé en faisant mine de ne pas remarquer l'obscurité grandissante devant sa fenêtre ni les lumières de la vieille maison victorienne au sommet de la colline.

32

> « Pendant la journée, les araignées violonistes se réfugient généralement dans des lieux sombres et retirés. »
>
> Tiré de *Brown Recluse Spider*,
> Michael F. Potter, entomologiste urbain,
> Département d'agriculture de l'université du Kentucky

UNE SÉRIE DE MAUVAISES NOUVELLES accueillit Kimberly à son réveil : le gérant du Smith House avait trouvé quarante-cinq reçus de cartes de crédit pouvant correspondre ; la météo annonçait un orage pour le milieu de l'après-midi ; son supérieur à la brigade criminelle voulait savoir pourquoi elle n'avait pas assisté à la réunion de service de la veille.

Et Mac ne l'avait pas rappelée.

Elle affronta ces problèmes aussi posément que possible. Tous les reçus seraient photocopiés afin qu'elle et Sal se les partagent à leur retour. L'orage approchant, ils allaient tout de suite partir pour Suches. Elle laissa un message à son supérieur pour l'informer qu'elle creusait une piste de première importance.

Et elle chassa Mac de ses pensées. Du moins autant qu'elle le put.

Ils montèrent tous dans la voiture de Sal, direction Suches.

La 60 prenait tout son temps, serpentant en une suite sans fin de virages en S, plus haut, toujours plus haut. Ils passèrent une mine d'or, quelques vendeurs de cacahuètes bouillies, divers chalets à louer. À droite se dressaient les Blue Ridge Mountains, dense muraille de broussailles vertes et de rochers gris. À gauche, un rempart d'arbres imposants, plus fin qu'il n'y paraissait, offrait de brusques vues plongeantes sur une vallée vertigineuse qui s'étendait à perte de vue.

Les premières grosses gouttes de pluie crépitèrent sur le pare-brise alors qu'ils quittaient l'obscurité d'un tunnel d'arbres pour une vallée qui se déployait en douceur. Les sous-bois épais laissèrent place à des prés soigneusement débroussaillés, ceints de clôtures blanches et parsemés de fermes rouges. Si Dahlonega était blotti dans les montagnes, Suches était un lointain avant-poste au nord. Une poignée de fermes. Les mobile homes de rigueur. Trop de bâtiments aux fenêtres condamnées par des planches.

Kimberly essaya de ne pas rater le mouchoir de poche.

Trop tard.

« C'est écrit T.W.O., eut juste le temps de dire Rainie en désignant quelque chose alors que Sal filait sur la 60.

– Attends, c'est le Dale's, là », dit à son tour Kimberly pendant que Sal tournait la tête à gauche et ratait complètement la petite épicerie sur la droite.

Bougon, il freina par à-coups, slaloma sur la route rendue glissante par l'averse et, se montrant enfin raisonnable, ralentit. Ils arrivèrent à une école en pierre (*La plus petite école publique de Géorgie !* lut Kimberly sur la pancarte) et Sal fit demi-tour.

Ils rejoignirent d'abord le Dale's et, après s'être garés devant les pompes à essence, se ruèrent vers les portes vitrées sous la pluie battante.

À l'intérieur, Kimberly remarqua trois choses à la fois : une bouffée de chaleur, l'odeur du chili con carne fait maison et tout un rayon de tenues de chasse orange vif. Dale, apparemment, vendait un peu de tout.

« C'est du chili que je sens ? demandait déjà Sal à la caisse. Ben, tant qu'à être là… »

Il y avait quelques tables à l'arrière du magasin. Ils s'installèrent et un homme d'un certain âge s'approcha pour les servir. Non pas Dale, apprirent-ils, mais Ron. Dale était sorti.

Il ne donna pas d'explications et, à en juger par son air réservé, Kimberly devina que Ron les avait déjà rangés dans la catégorie des étrangers qui n'avaient aucun besoin de savoir. Il prit leur commande, apporta leurs plats et se remit à essuyer méticuleusement les tables.

Sal attendit d'avoir mangé la moitié de son chili pour attaquer. Ron nettoyait la table voisine lorsqu'il sortit le croquis et que, de cette voix nonchalante qu'affectionnent les enquêteurs et les acteurs télé, il demanda : « Dites, vous ne connaîtriez pas ce type, par hasard ? »

Ron ne fut pas dupe. Il regarda le croquis, puis Sal, puis le croquis à nouveau. Après quoi, il haussa les épaules et se remit à vaporiser les tables.

« Il est recherché dans le cadre d'une enquête », expliqua Sal avec plus d'insistance.

Ron s'interrompit, considéra la question, se remit à essuyer.

« Vous l'avez peut-être vu avec un jeune garçon, ajouta Kimberly. Il se peut qu'ils vivent dans la région.

– Avec *des* garçons, corrigea Ron. Je l'ai vu avec deux gamins. Un grand. Un petit. Pas le genre bavards. »

Sal reposa sa cuillère. « Vous connaissez leurs noms ?

– Non, monsieur.

– Ils sont d'ici ?

– Non, pas d'ici. Mais ils viennent pas mal, en particulier l'automne dernier. J'ai bien dû les voir une demi-douzaine de fois. L'homme surtout. Les gamins attendaient dans la voiture. Sauf une fois : le petit devait aller aux toilettes, alors le grand l'a amené ici. Ils m'ont pas eu l'air net, ces trois-là, mais ils se contentaient de faire leurs petites affaires et ils repartaient. Pas de quoi leur jeter la pierre. »

Ils s'étaient tous arrêtés de manger pour regarder Ron, qui vaquait toujours à ses occupations.

« Vous pouvez décrire le plus âgé des garçons ? demanda Kimberly.

– Je ne sais pas. Un ado, dix-sept, dix-huit ans. Blanc. Vers les un mètre quatre-vingts. Tout maigre. En pantalon militaire trop grand d'environ deux tailles, comme c'est la mode maintenant. Il gardait les mains dans les poches, marchait tout voûté. Pas bavard, comme je disais. Il est juste rentré pour amener le petit, il a attendu et il est reparti.

– Et le petit ?

– Huit ou neuf ans. Des cheveux bruns coupés court. Il était tout emmitouflé dans un gros sweat et une veste de chasse orange. Plutôt petiot, je dirais, mais c'est dur à dire avec tous ces vêtements. Le type portait une belle paire de chaussures de randonnée, mais les gamins n'avaient que des tennis. Je me souviens que, sur le coup, je me suis dit que ce serait un miracle s'ils ne se tordaient pas la cheville. Enfin, les bonnes chaussures coûtent cher, vous voyez, et les enfants grandissent tellement vite… Je ne sais pas. Il y a des gamins qui débarquent ici avec sur le dos plus que ce que je gagne en une semaine, habillés des pieds à la tête pour leur week-end annuel de randonnée. Faut de tout, je suppose.

– Qu'a dit l'homme quand il est entré, reprit Sal, pressant. Il a acheté quelque chose ? »

Ron s'arrêta d'essuyer, le temps de fouiller sa mémoire. « Une bouteille d'eau. Une barre chocolatée. Oh, et des criquets. On en vend pour les pêcheurs et ça l'a tellement emballé qu'il en a pris une boîte. Je pense pas qu'il pêchait, pourtant, il n'avait pas du tout la tenue pour ça.

– Est-ce qu'il a posé des questions sur certains sentiers de randonnée, raconté où il avait été, ce genre de choses ?

– Pas que je me souvienne.

– Quelqu'un d'autre les a vus, lui et les garçons ?

– Oh, plein de gens. Il y a du monde ici en automne. Pas comme en ce moment, ajouta-t-il, presque en s'excusant.

– Il a payé comment ? demanda Rainie.

– En liquide, je dirais, répondit Ron avec une moue, vu que c'était quand même pas des gros achats.

– Est-ce que vous auriez remarqué sa voiture ? demanda à son tour Kimberly.

– Non, madame. Un peu trop de travail en automne pour reluquer les voitures.

– Est-ce que l'homme a parlé avec les garçons ? demanda Quincy. Est-ce qu'il leur a dit quelque chose quand ils sont entrés dans le magasin ?

– Mmmm, pas grand-chose. Ils sont entrés. » Ron s'interrompit, sembla fouiller dans sa mémoire. « Le plus grand a regardé l'homme en disant :"Le gosse a besoin de pisser, qu'est-ce que tu veux que j'y fasse ?" Et ensuite, il a emmené le gamin aux toilettes. L'homme n'a rien répondu, juste eu l'air ennuyé. Il leur avait sans doute demandé d'attendre dans la voiture. Vous savez comment sont les gosses.

– Il n'a pas employé de nom ? insista Quincy. Le grand a désigné le petit comme le "gosse" ?

– Oui, dans mon souvenir.

– Ça laisserait entendre qu'ils ne sont pas frères, murmura Quincy. Cette façon qu'a eue l'adolescent de prendre ses distances avec le petit. De le traiter comme un objet. Intéressant.

– Vous vous souvenez d'où ils arrivaient quand ils sont passés ici ? demanda Rainie. Du nord ou du sud ?

– Non, madame.

– Et c'était à un moment particulier de la journée ? Vous les avez vus le matin, l'après-midi... ?

– L'après-midi, madame, vu que c'était pendant mon service. »

Rainie hocha la tête, fit la grimace. Tous trois tournèrent à nouveau leurs regards vers Sal.

« Est-ce que vous voyez quelqu'un qui pourrait nous donner davantage de renseignements sur cet homme et les deux garçons ? insista celui-ci. Il est important que nous apprenions son nom. On le recherche pour l'interroger dans le cadre d'une affaire très importante. »

Mais Ron secoua la tête.

« Comme j'ai dit, ils ne sont pas d'ici. On les a juste beaucoup vus à l'automne. Peut-être jusqu'à début décembre. Je ne sais plus, pour tout dire. Vous pourriez essayer au T.W.O. Même les touristes ont besoin de manger et comme il n'a jamais acheté grand-chose ici...

– Très bien, on va faire ça, dit Sal en sortant une carte pour la lui donner. Si vous pensez à quoi que ce soit ou si vous les revoyez, lui ou les garçons, passez-moi un coup de fil. Et je vous serais reconnaissant de ne pas trop ébruiter cette conversation. Nous voulons retrouver le type, pas l'effrayer. »

Ron remarqua enfin le blason de la police d'État sur la carte de Sal. Ses yeux s'arrondirent. Il glissa la carte dans sa poche de poitrine, lui donnant un petit coup avec deux doigts pour la faire descendre.

« Une affaire de drogue, monsieur ? Dans le temps, on ne trouvait que de la bibine de contrebande dans ces montagnes. Aujourd'hui, il n'y en a que pour le crystal. Ça nous fiche en l'air le comté.

– Ce n'est pas quelqu'un de bien, répondit simplement Sal. Si vous le revoyez, pas un mot. Appelez-moi et on se chargera du reste. »

Ils terminèrent leur déjeuner. Kimberly trouva un lot de six crèmes dessert. Rainie s'arma d'un Snickers. Quincy finit son café. Ils repartirent.

Le croquis ne dit rien au patron du T.W.O. qui n'avait aucun souvenir d'un homme en casquette avec deux garçons. Le Two Wheels Only s'adressait plus particulièrement aux motards, ce qui ne signifiait pas qu'il ne recevait pas d'autre clientèle, mais moins. Il ouvrirait l'œil.

Il pleuvait à verse à présent. Ils traversèrent le parking boueux en pataugeant avant de s'entasser dans la voiture de Sal. Ayant fait le tour de la trépidante métropole de Suches, ils n'avaient d'autre choix que de retourner vers Dahlonega.

Ils roulèrent en silence, les essuie-glaces au maximum, la voiture secouée par le vent.

Kimberly ne quittait pas la forêt des yeux. Les arbres immenses, les sous-bois quasi impénétrables. Elle se demanda où se trouvait Ginny Jones en ce moment-même, si la jeune femme s'était mise bien au chaud et à l'abri dans un coin où elle pourrait sentir cette nouvelle vie grandir en elle. Ou si elle était en train de courir dans une ruelle, en proie à la panique, talonnée par le danger.

« Attends ! » s'exclama Kimberly.

Sal freina trop brutalement. La voiture se déporta dangereusement près de la ligne du milieu.

« Mais qu'est-ce que..., commença-t-il.

– Recule, recule. C'était un chemin de débardage. Prenons-le. »

Sal immobilisa alors complètement la voiture. Regarda Kimberly comme si elle avait perdu la tête. « Il pleut des cordes, au cas où tu n'aurais pas remarqué.

– Je sais, je sais. Juste un petit détour. Qu'est-ce qu'on a d'autre à faire ?

– Quelque chose de mieux que de s'embourber.

– Il a pris ces routes, Sal. S'il les a prises, on peut bien tenter le coup. Allez, on n'ira pas trop loin.

– On est à Suches, marmonna Sal. C'est suffisamment loin comme ça, il me semble. »

Il lui jeta un autre regard sombre, mais comme Rainie et Quincy n'émettaient aucune protestation, il enclencha la marche arrière, recula sur le ruban d'asphalte désert et prit un virage serré à droite.

Le début de la piste forestière était en dur, à la grande surprise de Kimberly qui s'était attendue à quelque chose de plus rudimentaire. Elle fut également étonnée du nombre de résidences qui, perchées sur différents coteaux, émergeaient entre de denses bosquets de laurier des montagnes. Mais au bout d'un kilomètre et demi, le bitume laissa place à des gravillons et la forêt sembla l'emporter sur la civilisation. Ils suivirent une courbe et descendirent lentement dans une ravine où la pluie créait un épais torrent boueux qui dévalait à côté d'eux.

Ils arrivèrent à un rond-point. Kimberly demanda à Sal de s'arrêter. Puis, avant qu'il ait eu le temps de réagir, elle ouvrit sa portière et sortit sous le déluge. Elle eut vaguement conscience qu'il protestait. Que d'autres portières s'ouvraient. Que Rainie et Quincy la rejoignaient dans la tourmente.

Elle ne les regarda pas. Ne dit rien. C'était inutile. Ils vivaient dans le même monde qu'elle, où les monstres étaient réels, où ils s'en prenaient à de braves gens et où on pouvait passer ses journées rongé par l'accablement ou faire de son mieux pour y remédier. C'était comme si, aussi loin que remontaient les souvenirs de Kimberly, son père et elle avaient pourchassé le spectre de la mort. Probablement un des rares moments où l'un comme l'autre se sentaient réellement en vie.

Et elle songea, là aussi confusément, dans un coin de sa tête où cela ne pouvait pas trop la faire souffrir, que Mac aurait dû être là. Ils avaient toujours été ensemble, Mac, Rainie, Quincy et elle. Mac lui manquait.

« Il se trompe », murmura-t-elle en regardant les arbres dont les branches dénudées s'élançaient au-dessus d'elle, les fourrés denses et verts du sous-bois.

« Qui ? » demanda Sal. Il se tenait debout devant elle et la pluie dégoulinait sur son nez, plaquait ses cheveux noirs sur son visage. Il semblait concentré, en proie à une colère qui aurait dû faire trembler Kimberly si elle n'avait pas elle aussi connu cette sorte de rage, cette sensation qu'on éprouve quand on se donne un mal de chien, tout ça pour s'apercevoir que quoi qu'on fasse, ce sera insuffisant.

« Ron. Dinechara et les gamins sont d'ici. Forcément. Ron l'a dit lui-même : ils n'achètent pas grand-chose, donc ils doivent déjà être bien approvisionnés.

– Kimberly, il flotte, il fait froid, je suis trempé jusqu'aux os. Je ne sais pas quel vaudou tu prétends pratiquer, mais arrête de me faire marcher.

– C'est une question d'organisation », affirma-t-elle en considérant la mince tranchée du chemin gravillonné, les grands arbres squelettiques, les sous-bois touffus autour d'eux.

La pluie avait modelé ses cheveux sur son crâne, elle trempait rapidement sa chemise. Kimberly s'en fichait.

La pluie n'avait pas d'importance. La boue n'avait pas d'importance. Seuls les bois comptaient.

« Tuer quelqu'un est facile, expliqua-t-elle. Mais se débarrasser du cadavre, c'est difficile. Dans quatre-vingt-quinze pour cent des cas, c'est là que l'assassin se plante. Or nous cherchons un type qui a fait ça non pas une, mais peut-être une douzaine de fois. Qu'est-ce que ça signifie ? Qu'il est très bien organisé. »

Elle s'était avancée jusqu'à la lisière du bois, où les fougères hautes lui effleuraient les jambes à mi-cuisses. Elle énuméra sur ses doigts : « Un, où se débarrasser des corps ?

– Dans les bois, répondit Sal, moins furieux à présent, et plus curieux.

– D'accord, alors deux : comment les transporter ?

– Sa voiture, un 4x4. Plein de place à l'arrière.

– Jusqu'ici, répliqua Kimberly en montrant le bain de boue vert et marron autour d'eux. Mais ensuite ? »

Sal hocha la tête, sembla commencer à se prendre au jeu, alors même que son costume gris virait au noir et que la pluie ruisselait dans son cou. « Il est tard le soir, ou tôt le matin – une heure où il peut limiter le risque d'être vu. Il lui faut un endroit isolé, donc il choisit une piste forestière, roule un moment. Ensuite il se range, sort le corps du coffre de la voiture... le balance dans un ravin ?

– Le garde forestier le remarquerait », intervint immédiatement Quincy. Il se tenait un peu à l'écart, là où il pouvait tout entendre tout en gardant l'espace nécessaire pour organiser ses propres réflexions. Il était bon à ce jeu-là, l'un des meilleurs. « De la route, on verrait des buissons piétinés, des branches cassées même. Un garde forestier voudrait savoir si c'est un cerf, un ours, un lynx, que sais-je, et il chercherait. Peut-être que le meurtrier pourrait s'en tirer une fois, deux fois. Mais douze... Quelqu'un repérerait que quelque chose a été dérangé et trouverait le corps. Surtout vu l'affluence sur les routes et dans la forêt en haute saison.

– Donc il l'emporte à l'écart de la route, conclut Sal.

– C'est lourd, un cadavre, souligna Kimberly. Une femme adulte représente un poids mort d'une bonne cinquantaine de kilos. Même en la portant sur l'épaule, ce n'est pas évident.

– Il descend ? » suggéra Sal.

Une fois encore, Quincy repoussa l'idée. « Tout ce qu'on jette en contrebas peut être aperçu d'en haut, surtout l'hiver, quand les feuilles sont tombées. Cette forêt est une destination très appréciée pour la chasse, la randonnée, le camping, la pêche. Ce qui signifie que beaucoup de gens se promènent dans ces bois, y compris dans des secteurs censément isolés. Le plus sûr, c'est les hauteurs. Au-dessus des sentiers, là où les autres ne mettent pas les pieds. »

Sal regarda les trois autres. « Je ne comprends pas.

– Quelqu'un l'aide, souffla Kimberly. L'adolescent, je dirais. Qu'il participe aux meurtres, je n'en suis pas sûre. On n'entendait personne d'autre sur la cassette. Mais il l'aide au moins à se débarrasser des corps. Un homme seul sur les sentiers à une heure avancée de la nuit, c'est louche. Tandis qu'un père et son fils...

– Ils font du camping, compléta Sal.

– Ça explique le gros paquet qu'ils portent ou peut-être qu'ils traînent dans un chariot derrière eux.

– Merde, dit Sal avec lassitude en se passant la main sur les yeux.

– Ça leur prendrait des heures, intervint Rainie en scrutant les bois d'un œil vif. Il leur faudrait des outils : une corde, de la toile, une pelle, une pioche. Et puis de la nourriture, de l'eau, une trousse de secours, une boussole, le matériel de base. Kimberly a raison : pour faire ce qu'ils ont à faire, Dinechara est bien équipé. Ce qui signifie que s'il ne fait pas ses achats sur place, c'est qu'il a un point de chute.

– Le petit garçon, murmura Kimberly.

– Exactement, dit Rainie, poursuivant son raisonnement. La serveuse du Smith House ne l'a pas vu, ce qui sous-entendrait qu'ils ne l'emmènent pas. Peut-être qu'il est encore trop jeune, qu'il les ralentirait. Alors ils le laissent quelque part et Dinechara part avec le plus âgé accomplir leur besogne nocturne.

– Il a forcément une maison dans les parages. C'est la seule explication qui tienne. Peut-être même que les filles sont en vie quand il les amène par ici. Imaginez un de ces petits chalets devant lesquels nous sommes passés, perdu dans les bois. Même si une femme hurlait toute la nuit ou parvenait à s'enfuir, qui l'entendrait, où irait-elle ? Un chalet résout tellement de problèmes.

– On peut consulter les impôts locaux, dit Sal. Voir tous ceux qui ont acheté une maison du côté de Dahlonega ou Suches ces cinq dernières années. Comparer les noms avec les reçus du Smith House pour le week-end de Colombus Day.

– Et chercher quel emploi il occupe, ajouta Quincy. S'ils sont assez souvent dans la région, Dinechara a besoin d'argent. De mon temps, cinquante pour cent des revenus d'une prostituée, ça n'allait pas chercher loin. Alors, soit il a une kyrielle de filles dont vous n'avez pas encore entendu parler, soit il a une autre source de revenus. Étant donné ce que nous savons de lui, il ferait un excellent guide de randonnée ou…

– Un agent de l'Office des forêts ! s'exclamèrent-ils en chœur.

– Ça lui donnerait toutes les informations et tous les droits d'accès dont il a besoin sur les petites routes des Blue Ridge Mountains. Et même une excuse en béton si jamais il se faisait surprendre. Sans compter qu'il saurait quand les autres doivent mener des études dans des secteurs où il s'est débarrassé de cadavres, ce qui lui permettrait de déplacer les corps, voire de réorienter l'étude.

– Eh, merde, je n'irai plus jamais en randonnée, dit Sal d'un air abattu.

– Il faudrait qu'on aille à la pisciculture demain, dit Kimberly.

– Ouais, j'avais compris.

– Qu'on obtienne de la ville la liste des propriétaires, qu'on voie qui on pourrait rencontrer à la Forêt nationale de Chattahoochee.

– Ouais, ouais, ouais. »

Rainie arpentait encore le rond-point boueux. « Vous savez ce qui m'épate ? » demanda-t-elle.

Tous se tournèrent vers elle.

« On est en février. Les feuilles sont tombées et pourtant on ne voit pas à trois pas devant soi. Regardez ces lauriers des montagnes : ils sont grands comme des petites maisons. Et puis, il y a les hautes herbes, les troncs tombés par terre, les bosquets de pins blancs. Dans n'importe quelle autre forêt, on pourrait voir entre les arbres sur vingt, trente mètres. Mais pas ici. Bon sang, même moi qui ai grandi en forêt, ça me donne la chair de poule.

– Là-dessus, marmonna Sal en relevant son col détrempé, on pourrait remonter en voiture, s'il vous plaît ?

– D'accord, dit Kimberly, mais prochain arrêt au Wal-Mart. Je vous signale qu'on est tous trempés comme des soupes. Que sommes-nous censés porter demain à la pisciculture ?

– On passe encore une nuit ici ? grommela Sal.

– Tu as mieux où aller ? »

Direction le Wal-Mart.

33

« Pour pallier leurs points faibles, les araignées ont développé toute une batterie d'armes, de tactiques et de mutations monstrueuses qui évoquent une petite bande de super-méchants. »

Tiré de l'article « Spider Woman »
Burkhard Bilger, *New Yorker*, 5 mars 2007

MAC L'APPELA peu après le dîner. Kimberly venait de regagner sa chambre au Smith House en se disant, pour une fois, que les tailles élastiques étaient la plus belle invention du monde moderne. Elle avait englouti presque un poulet rôti entier, cinq cents grammes de gombo et deux parts de cheesecake et pourtant son pantalon lui semblait large, et même ample, à l'heure où Bébé McCormack commençait son petit jeu du soir consistant à piétiner la rate de maman.

Rainie et Quincy s'étaient déjà retirés pour la nuit, mais Kimberly, en proie à l'agitation qui la prenait juste avant qu'une affaire ne soit résolue et qu'elle ne découvre enfin la réponse qui l'attendait depuis le début, avait les nerfs en pelote. Sa chambre d'hôtel spacieuse, nichée sous les avant-toits de la vieille bâtisse, formait un long L, idéal pour tourner en rond fébrilement. Elle marcha du lit king size au bureau, puis au lit et ainsi de suite, caressant son ventre gonflé, le cerveau en ébullition. Si Sandy Springs était le terrain de chasse de Dinechara, Dahlonega était son antre. D'un jour à l'autre à présent, ils allaient consulter le bon fichier, interroger la bonne personne et la dernière pièce du puzzle prendrait sa place. Ils trouveraient Ginny Jones, les disparues, Dinechara lui-même. Ils…

Son portable sonna, le numéro de Mac s'afficha. Aussitôt elle s'arrêta de faire les cent pas et son ventre se crispa nerveusement. Irritée, elle rafla le téléphone et répondit d'une voix forte : « Kimberly. »

De la friture, trois clics, un bourdonnement plein d'échos. « C'est… moi.

– Salut, chéri, dit-elle plus fort que nécessaire.

– Où… es-tu ?

– Encore à Dahlonega. Quelques dernières visites à faire au saut du lit demain matin.

– …quel temps ?

– Il pleut des trombes. Et toi ?

– … dois y aller… mission spéciale… rentré… demain matin.

– Quoi ? Je reçois super mal. Tu peux essayer un autre endroit ? »

Elle crut entendre un crissement de pieds. D'autres bruits en fond sonore, comme des hommes qui crieraient des ordres. Alors elle comprit. Le travail du soir, sa mission spéciale : Mac et la brigade des stups étaient sur le point de se déployer, très probablement pour prendre d'assaut ce qu'on soupçonnait être un repère de dealers ou une fabrique de crystal. Et il l'appelait maintenant parce que c'était ce que faisaient les gens mariés juste avant d'enfiler leur gilet pare-balles et d'y aller : ils passaient le dernier coup de fil à la maison, mettaient leur vie personnelle en ordre. Juste au cas où.

Le bébé palpita sous la main de Kimberly, qui s'assit au bord du lit.

« Où ? murmura-t-elle.

– Impossible… parler. Plus tard… matin.

– Les forces spéciales sont là ?
– La totale.
– Mac... »

Elle aurait dû dire quelque chose. N'importe quoi. Mais elle était infoutue de trouver. Et tout à coup, elle prit conscience de ce fossé toujours sensible entre eux. Les questions laissées sans réponse, les silences prolongés.

Elle aurait voulu être chez elle. Cela ne semblait pas bien de faire ça par téléphone. Ils auraient dû être dans leur maison, où elle aurait pu le serrer assez fort pour qu'il sente le bébé bouger. Où il aurait pu lui chuchoter à l'oreille qu'il l'aimait, où elle aurait senti le chatouillis de son souffle sur sa peau tandis qu'elle écartait les doigts sur son cœur battant. La vie peut basculer en un instant. Un être cher peut franchir la porte et ne jamais revenir. Elle le savait. Elle se rendait sur les tombes deux fois par an pour être sûre de ne jamais l'oublier.

« Sois prudent, murmura-t-elle.
– Tou... ours.
– Tu appelleras ?
– J'essaierai... maison ?
– Demain après-midi peut-être. Il faut qu'on aille à la pisciculture, qu'on consulte des archives.
– ... te sens ?
– La bébé est contente. Je sens qu'elle est plus vigoureuse maintenant, elle bouge plus. Oh, elle est carnivore. Je suis enfin autorisée à manger de la viande. »

Le petit rire de Mac lui arriva haché à cause de la mauvaise liaison. Ce rire lui rendit Mac plus proche, elle imaginait les rides au coin des yeux, la courbe de son sourire.

« Je t'aime, dit-elle.
– ... t'aime aussi. »

Puis le téléphone bipa et la communication fut coupée. Elle n'essaya pas de rappeler. Mac avait une mission à remplir. Quant à elle...

Assise seule dans sa chambre d'hôtel, elle se demanda pourquoi, si elle aimait tant son mari, il lui paraissait tellement loin. À quel moment la distance devient-elle si grande qu'il ne s'agit plus d'une simple phase dans la vie d'un couple mais d'une nouvelle position des astres ? Et qu'est-ce qu'une sacrée tête de pioche comme elle était censée faire pour y remédier ?

Bébé McCormack tressaillit. Kimberly se massa le ventre en écoutant le vent hurler dehors sur le parking, faisant trembler les vitres.

Elle enfila son blouson et sortit.

Elle trouva Sal assis sur la terrasse couverte, à l'abri du vent qu'il regardait faire tourbillonner des trombes d'eau autour des réverbères. Kimberly s'assit sans rien demander, se disant qu'elle n'avait pas délibérément cherché Sal. Ce n'était pas pour ça qu'elle avait quitté sa chambre. Ce n'était pas de cela qu'il s'agissait.

De son côté, Sal ne semblait pas d'humeur bavarde. Il se contentait d'observer l'orage, le visage figé dans cette expression maussade, morose, qu'elle lui avait déjà vue. Ses réflexions l'avaient mené dans de tristes contrées. Elle se demanda depuis combien de temps il s'y trouvait.

« Tu as mangé du poulet, dit-il au bout d'un moment. Je croyais que le bébé n'aimait pas la viande.

– Elle a changé d'avis. Encore une preuve que c'est une fille. »

Il se tourna finalement vers elle et son regard se posa sur son ventre arrondi.

« Tu as la trouille ?

– Oui.

– Tu travailleras après la naissance ?

– *A priori.* »

Il la regarda avec plus de curiosité. « Tu crois que ça va te changer ? Enfin, la première fois que tu seras appelée sur un meurtre impliquant des gamins, ou sur une affaire d'enlèvement d'enfant, de réseau pédophile, d'incendie criminel ou n'importe laquelle de ces merdes qui nous guettent et brisent de jeunes existences... ça ne sera pas difficile ?

– Je pourrais aussi bien être la victime, murmura-t-elle.

– Un peu court comme réponse, observa-t-il. Tu fais partie des équipes de relevé d'indices, non ? C'est toi qui récupères les cadavres. Et, ensuite, tu iras retrouver la petite Janey chez toi en faisant comme si tu pouvais enlever cette odeur de tes mains, sans parler d'effacer l'image dans ta tête ?

– C'est ce que je fais maintenant.

– Il n'y a pas de petite Janey.

– L'arrivée de la petite Janey est censée être un heureux événement. Pourquoi est-ce qu'une bonne chose devrait rendre le reste du monde plus difficile à supporter ? »

Il la regarda d'un air renfrogné, manifestement désarçonné par l'argument. Au bout d'un moment, ne trouvant rien à répliquer, il se remit à observer les éléments déchaînés. Et après encore quelques instants, elle lui prit la main et la posa sur son ventre juste au moment où Bébé McCormack décochait un petit coup.

Sal retira brusquement sa main et se leva d'un bond.

« Putain de merde !

– Assez costaud, hein ?

– Qu'est-ce que c'est, une championne de foot ?

– Peut-être. Je ne sais pas. Elle peut devenir tout ce qu'elle veut. Je crois que c'est tout l'intérêt. Tu as déjà entendu parler de la banalité du mal, Sal ?

– La banalité du mal ?

– Oui. Un psychologue a fait une expérience, une fois. Il a pris un groupe de jeunes gens bien propres sur eux, tous connus pour leur grand sens moral, et il leur a demandé de former une fausse prison. Certains sont devenus détenus, d'autres gardiens. Ils ont essayé de rendre ça le plus réaliste possible, les "gardiens" ont arrêté les "prisonniers" pendant les cours, ce genre de choses. L'expérience était censée durer quelques semaines. Si je me souviens bien, le professeur a dû l'interrompre au bout d'à peine trois jours parce que les pseudo-détenus commençaient à faire des dépressions nerveuses à cause des mauvais traitements bien réels infligés par leurs pseudo-gardiens : déshabillage, humiliations, sévices sexuels et j'en passe. Le tout de la part de jeunes gens qui n'avaient jamais ne serait-ce que volé à l'étalage. Au fond, même les braves gens font vraiment de très vilaines choses s'ils croient que tout le monde s'en fiche. La banalité du mal.

– Tu parles des nazis, grommela Sal.

– Je parle de la nature humaine. Du fait que tout le monde a en lui la capacité de faire le mal. Certains ne l'exprimeront jamais, d'autres si, évidemment, et d'autres encore ne le feront que si les bonnes circonstances se présentent. Pendant vingt, trente, quarante ans, ils seront de braves et honnêtes citoyens, mais dans la quarante et unième année…

– Tu trouves ça réconfortant comme idée ?

– Qui a dit que je cherchais à être réconfortante ? C'est une réalité. Et je ne vais pas commencer à jouer les autruches sous prétexte que je vais bientôt devenir mère. Le monde est cruel. Les gens sont lamentables. Il y a réellement des monstres sous le lit – ou, à dire vrai, dans la chambre de papa au bout du couloir. Mais tu veux que je te dise ?

– Si je me suicide tout de suite, ça m'évitera de souffrir plus tard ?

– Il y a un corollaire à la banalité du mal, c'est la banalité de l'héroïsme.

– Pitié, tu ne vas pas me faire le coup de Superman.

– En fait, je parle du contraire de Superman. Je parle de monsieur Tout-le-monde qui, un beau jour, parce que les conditions sont réunies, sauve la mise. De l'inconnu sur le quai du métro qui saute pour aider un banlieusard tombé sur les rails. De la femme qui fait ses courses dans un magasin et ne se contente pas de remarquer la petite fille triste mais appelle la police. Chaque acte de cruauté est contrebalancé par un acte de courage. Ça aussi, c'est la nature humaine.

– Ta mère et ta sœur ont été assassinées, souffla Sal, donc tu vas sauver le reste du monde ?

– Je n'ai pas besoin que tu me racontes mon histoire, Sal. Je sais qui je suis. »

Sal rougit. Son regard se reporta sur l'orage, mais ses mains s'agitaient sur ses genoux.

« Je ne vais pas renoncer, Mac. Ce n'est pas mon genre.

– Tu viens de m'appeler Mac.

– Jamais de la... »

Mais elle s'interrompit, s'apercevant que c'était exact, et ce fut son tour de rougir. Elle ne savait plus ce qu'elle faisait. Elle aurait dû retourner dans sa chambre. Faire quelque chose.

Mais elle resta là où elle était, à côté de Sal dont elle voyait les mains s'agiter, à sentir l'obscurité le quitter par vagues successives.

Et l'idée lui traversa l'esprit pour la première fois – la banalité du mal. Était-ce pour cela qu'elle était ici ? Pour attendre que les bonnes circonstances se présentent afin de pouvoir faire ce qu'elle savait ne pas devoir faire ? Toucher le visage de Sal ? Le tourner vers elle ? Trouver ses lèvres avec les siennes parce que quelque chose en lui parlait à quelque chose en elle ? La douleur, ou bien peut-être la colère ? Le besoin, un besoin profond, infini, parce que quelque chose avait mal tourné des années plus tôt et qu'il n'y avait plus rien d'autre à faire que de soigner la plaie ?

Elle avait envie de lui. Ou du moins il l'attirait. Elle en fut inquiète. Effrayée. Elle songea à un autre article de psychologie qu'elle avait étudié à l'université : la plupart des gens n'ont aucun besoin de la cruauté d'inconnus pour foutre leur vie en l'air ; ils sont parfaitement capables de le faire tout seuls.

Sal s'était tourné. Il l'observait de ses yeux impénétrables dans l'obscurité. Elle sentit sa faim, tout en tension et en retenue.

Il y eut alors un éclair, qui illumina brièvement la petite alcôve avant de les replonger dans l'ombre. Elle vit son visage, tendu par le besoin physique. Et elle entendit la voix de son mari, qui lui disait qu'il rentrerait au matin. Le tonnerre gronda. Sal se pencha vers elle. Elle releva la tête.

« Excuse-moi », murmura-t-elle.

Elle se leva, serra les poings et s'éloigna rapidement.

Sa chambre était plongée dans l'obscurité lorsqu'elle ouvrit la porte. Elle chercha l'interrupteur à tâtons, l'actionna, mais rien ne se produisit. Elle entra, referma la porte derrière elle, commença à trembler sous le contrecoup de ce qu'elle avait failli faire, ébranlée au plus profond d'elle-même. Elle n'était pas ce genre de femme. Elle ne faisait pas ce genre de choses.

Bon sang, quand était-elle devenue cette tarée irrécupérable ?

Elle s'approcha du lit, tendit la main vers la lampe de chevet lorsqu'elle entendit un sifflement d'avertissement et s'aperçut qu'elle n'était plus seule.

Un truc noir, énorme, courut sur son lit. Elle porta instinctivement la main à son étui d'épaule avant de se souvenir qu'elle avait enlevé son arme pour le dîner. Elle attrapa la lampe et la lança vers la forme galopante en reculant jusqu'au mur. Elle suivit celui-ci en glissant jusqu'à rencontrer le bureau à l'autre bout de la chambre. Ses doigts trouvèrent la lampe de bureau, cherchèrent fébrilement l'interrupteur tandis qu'à l'autre bout de la pièce, elle entendait à nouveau le sifflement primitif.

Elle alluma la lampe juste à temps pour découvrir deux choses à la fois : sur un coussin, la plus grosse et la plus terrifiante araignée du monde, cabrée sur ses pattes arrière, en train d'agiter ses crochets ; et un adolescent tranquillement assis à côté de l'araignée, armé d'un pistolet.

« Mais qui êtes-vous ? » éclata Kimberly. Un peu trop tard, elle jeta un regard vers son matériel de terrain où elle avait caché son Glock .40. À huit pas tout au plus. Mais elle perdrait encore du temps à ouvrir la fermeture Éclair, fouiller, sortir son arme semi-automatique...

Son regard se dirigea plutôt vers la porte. À dix pas maximum, mais le temps de tourner la poignée, d'ouvrir, de la franchir complètement...

Elle reporta son attention sur le garçon. Calme, le pistolet braqué, les mains fermes, il ne disait toujours rien.

Elle tenta un pas en avant pour voir. À l'instant même, la mygale géante se cabra et se remit à siffler. Kimberly s'immobilisa ; l'araignée retomba sur ses huit pattes, à l'affût.

« Qui êtes-vous ? essaya-t-elle encore, les yeux sur l'araignée, mais la tête tournée vers le garçon. Que voulez-vous ?

– Il s'appelle Diablo, expliqua-t-il sur le ton de la conversation. C'est un *Theraphosa blondi* – une espèce de mygale originaire d'Amérique du Sud. La plupart des mygales n'ont pas assez de venin pour faire du mal aux humains. Leur morsure n'est pas plus douloureuse qu'une piqûre de guêpe. Mais pas Diablo. Lui peut vous arracher les doigts, lacérer la chair de vos mains. Il n'a pas encore dîné et, comme vous voyez, ça le fait un peu chier. »

Les mains de Kimberly descendirent devant son ventre arrondi. Le matériel de terrain, pensa-t-elle à nouveau. Foncer, ouvrir le sac, prendre l'arme à l'intérieur... Pas moyen. Le gamin pouvait appuyer sur la détente en une fraction de seconde. Quant à l'araignée... elle ne voulait pas y penser.

« C'est toi qui m'as appelée, risqua-t-elle. Toi qui m'as fait écouter la cassette de Veronica Jones.

– J'ai essayé, constata le garçon. Je vous ai donné une chance. Vous avez échoué.

– Je suis là maintenant. On peut discuter. »

Il se contenta d'agiter son pistolet. « Je ne suis pas là pour discuter, ma petite dame. Je suis là pour mon examen de passage. »

Kimberly songea à la porte cette fois-ci. Si seulement elle arrivait à se déplacer peu à peu sur le côté, à se rapprocher suffisamment...

« Dinechara sait que tu t'es enfui ?

– Enfui ? Et qui m'a envoyé ici, d'après vous ? »

Elle hésita, essaya encore : « Il sait que nous sommes là ?

– Tout le monde le sait. Avec toi et tes petits copains qui vous pavanez dans toute la ville, montrez des dessins. Ça n'a jamais été qu'une question de temps. Mais c'est bien. Votre visite simplifie les choses. Comme ça, je n'ai pas à vous traquer. On peut passer directement au clou du spectacle.

– C'est ça, ce que *toi*, tu veux ? Je sais ce qui se passe. Ce qu'il t'oblige à faire. Ça n'a rien d'une fatalité. » Elle avança lentement d'un demi-pas. Le garçon et la mygale ne réagirent pas. Elle tenta un autre pas. « Dinechara enlève les prostituées, c'est ça ? Il les ramène à la maison, il leur fait des choses horribles. Et tu entends, n'est-ce pas ? Peut-être même que tu es dans la pièce. Forcé d'écouter et de regarder, sans pouvoir rien faire. Et, quand c'est fini, il t'oblige à nettoyer le carnage. Du plastique, du papier... il met quelque chose par terre ou bien il préfère te laisser faire tout le boulot ? »

Le garçon la regardait, fasciné. Elle était tombée juste ou en tout cas pas trop loin. Elle lui parlait de toutes ces choses qu'il n'avait jamais le droit d'évoquer et il était suspendu à ses lèvres.

« Il les saigne, murmura-t-il. Dans une baignoire. Moins de saleté, moins de poids, ça facilite la suite des opérations.

– Il les emballe ou c'est toi qui fais ça ?

– Ensemble. Un corps, c'est difficile à manipuler, il faut être deux.

– Qu'est-ce qu'il préfère ? Des vieux draps, des sacs-poubelle, de la toile à sac ? Ou bien est-ce qu'il a fait différents essais ? Il y a le choix.

– Du Nylon. Des surplus militaires. C'est pas cher, efficace. Tout ce qu'il aime.

– Tu l'aides à porter les corps jusqu'à la voiture, dit-elle en avançant encore insensiblement.

– On fait ce qu'on a à faire, dit-il, résigné. C'est le jeu. On lui fait plaisir pour qu'il nous fasse moins mal ensuite.

– Ça fait combien de temps que tu es avec lui ?

– Trop longtemps pour faire autrement maintenant.

– C'est ton père ?

– Mes parents sont morts.

– C'est ton tuteur ?

– C'est le Burgerman, dit-il d'une voix lugubre, l'araignée posée à côté de lui. Celui qui réduit les méchants garçons en bouillie.

– Ce n'est pas de ta faute. » Elle fit encore un pas vers son matériel de terrain, et ses doigts remuaient avec impatience contre sa cuisse. « On voit bien que tu ne l'aides que sous la contrainte. Si tu collabores avec moi maintenant, je pourrai arrêter ça. Je peux t'aider. »

Mais le visage du garçon se referma brusquement. Son humeur changea et ce ne fut pas en faveur de Kimberly. « C'est moi qui vais arrêter ça, affirma-t-il en levant le pistolet. Il a déjà trouvé un remplaçant. Il est temps que je m'en aille.

– Le petit garçon. Il l'a kidnappé, lui aussi ?

– Ne bougez pas. Je sais ce que vous faites. Alors arrêtez ça, d'accord. Pas un geste !

– Comment tu t'appelles ? Dis-moi comment tu t'appelles. Laisse-moi t'aider.

– Vous ne comprenez pas. Je n'ai pas de nom. Il l'a pris. Il prend *tout* ! »

La voix du garçon montait dans les aigus à présent, plus nerveuse. Elle s'obligea à ne pas bouger, à rester calme. L'araignée jouait avec le pied de la lampe renversée, ce qui permettait à Kimberly de se concentrer sur l'adolescent fébrile.

« Et Ginny Jones ? » demanda-t-elle à tout hasard ; puisque le garçon et Ginny connaissaient tous les deux Dinechara, on pouvait raisonnablement penser qu'ils se connaissaient aussi entre eux.

Le garçon cligna des yeux, parut pour la première fois hésitant. « Quoi, Ginny ? »

Kimberly prit une profonde inspiration, fit un autre pari : « Le bébé de Ginny. Ce n'est pas toi, le père ? Tu ne veux pas vivre avec elle un jour ?

– C'est ce qu'elle dit.

– Est-ce que tu as de ses nouvelles ? Comment va…

– Elle est dehors. Elle attend dans la voiture pour m'emmener.

– Quoi ?

– Elle vous a choisie, vous savez, s'exclama-t-il soudain. Elle a lu que vous aviez affronté un autre tueur, elle a cru que vous aviez un genre de baguette magique. Je lui ai dit qu'elle était folle. Comme si une minette avec une plaque pouvait vraiment changer quoi que ce soit après toutes ces années. J'imagine que ça n'a plus d'importance. Vous avez échoué, donc me voilà. Moi et mon petit copain, comme disait Al Pacino. Prêt à remplir ma mission.

– Voyons, Dinechara ne laissera jamais partir aucun de vous deux. Tu l'aides à se débarrasser des cadavres. Ginny lui rapporte de l'argent. Pourquoi il te laisserait réussir ton examen de passage ?

– Il a un remplaçant…

– Un petit garçon ! Trop jeune pour l'aider à transporter un corps.

– On les pose sur des civières. On les traîne dans la montée. Le gamin sera bientôt assez fort.

– Jusqu'à Cooper Gap ? » demanda-t-elle d'un air incrédule.

Il mordit à l'hameçon. « Cooper Gap ? Mais de quoi vous parlez ? On a notre propre itinéraire sur Blood

Mountain, au-dessus des petits louveteaux qui gambadent. Se débarrasser d'une pute, regarder un petit garçon pisser. Ça fait de belles journées avec le Burgerman.

– Ce n'est pas de ta faute », dit doucement Kimberly avec conviction, à trois pas de son sac maintenant, si proche, oh si proche… « Tu dois bien te rendre compte que ce n'est pas de ta faute…

– *Je veux juste réussir ce putain d'examen de passage !* » vociféra le garçon en se redressant brusquement.

Le mouvement surprit la mygale, qui se cabra, tous crochets dehors. Le garçon se retourna, pointa le pistolet et appuya sur la détente.

La mygale et la lampe explosèrent sur le lit. Kimberly fit un bond en avant et sentit des éclats de céramique la piquer comme des shrapnells et lui rentrer dans la peau. Elle put faire encore trois pas avant que le garçon ne hurle : « PAS BOUGER ! »

Elle était arrivée à son sac, les doigts sur la fermeture Éclair. Mais elle se força à baisser les mains, à prendre une inspiration profonde, à regarder le garçon posément. Il saignait lui aussi, sur le nez, la joue, le menton, le cou.

« Je vais te chercher une serviette…, commença-t-elle.

– Il m'a fait des choses horribles, dit-il avec abattement. Vous n'imaginez pas. Et après, j'ai fait des choses horribles parce que je ne savais pas quoi faire d'autre. Et ça dure depuis si longtemps maintenant… Je ne sais même pas… J'ai eu des parents à une époque. Enfin je crois… Je suis fatigué. Je suis juste… tellement fatigué.

– Parle-moi. Aide-moi à comprendre.

– Ginny veut qu'on se marie, continua-t-il comme si elle n'avait rien dit. Elle veut qu'on s'en aille, qu'on ait notre bébé, qu'on forme une famille. Je ne sais pas ce que c'est, une famille.

– On peut faire en sorte que ça se réalise. Il n'est pas trop tard…

– Je trouverais un boulot ? Je porterais une cravate ? Je n'ai même pas fini l'école primaire. Qu'est-ce que ça donne comme boulot ? Je sais baiser, enlever des petits enfants et assassiner des putes. Où est-ce qu'on a besoin de ça sur le marché du travail ? Trouvez-la-moi, la petite annonce...

– Tu es jeune, tu as encore le temps...

– Elle ne sait pas ce que j'ai fait. C'est tout. Elle croit que c'est Dinechara, mais non, ce serait trop simple. Il m'a donné le pistolet. "*Appuie sur la détente, petit. Fais pas le con. Tu sais qu'elle courrait le rejoindre si elle pouvait. Appuie sur cette foutue détente.*" Alors je l'ai fait et ensuite il était mort, et ce n'est qu'une question de temps avant qu'elle comprenne ou que Dinechara le lui dise, juste pour rigoler.

– Tu as descendu Tommy Mark Evans.

– Il fallait. Vous ne comprenez pas. L'entraînement, vous voyez. Pour mon examen de passage. Pour que je puisse être enfin libre. »

Du sang avait perlé sur les entailles de son visage et commençait à dégouliner lentement, comme une trace de larmes ; il leva à nouveau le pistolet, visa soigneusement.

La main de Kimberly se précipita sur son sac, ses ongles grattèrent frénétiquement la surface en Nylon. Bordel, pourquoi avait-il fallu qu'elle tire la fermeture Éclair ? Elle n'allait jamais y arriver. Le pistolet se levait, pointait...

Elle attrapa le sac, le tint devant son ventre rond, comme si ça allait changer quelque chose...

« Je ne peux pas être papa, murmura le garçon. Je ne peux pas être près de petits enfants. Tout ce que je sais faire, c'est les détruire. »

Et là, en une fraction de seconde, le pistolet se détourna, trouva la tempe du garçon. La voix de Kimberly se mit à hurler : « *NOOOON !*

– Ne laisse jamais ton bébé rencontrer quelqu'un comme moi. Ne le laisse jamais tomber entre les mains du Burgerman. »

Il appuya sur la détente.

Le tir assourdit Kimberly. À moins que ce ne soit son propre cri désespéré lorsqu'elle tenta de le retenir, lorsque l'arrière du crâne du garçon s'ouvrit, fut projeté contre le mur, répandit de la matière grise sur la table de chevet.

Elle criait toujours lorsque son père força la porte, que Rainie et Sal s'engouffrèrent dans la chambre, que le corps du garçon tomba finalement avec un choc mat sur la moquette et qu'elle vit un œil aveugle la regarder d'un air accusateur alors qu'elle ne connaissait toujours pas son nom.

34

*C*ELLE QUI FUT MA MÈRE *à une époque attendait là où elle l'avait dit. Assise à une petite table en fer forgé à la terrasse d'un café fréquenté. Elle avait les jambes croisées, les mains jointes nerveusement sur le genou.*

Je l'observais depuis le trottoir d'en face, caché dans l'ombre d'un pas de porte. Je m'exhortais à y aller. Mais mes jambes refusaient encore de bouger. Planté là, je regardais, je sentais quelque chose de pesant et dur grandir dans ma poitrine.

La première fois que j'avais appelé, elle m'avait raccroché au nez. La deuxième, elle m'avait accusé de lui jouer un tour cruel. Ensuite, elle avait fondu en larmes et ça m'avait bouleversé à tel point que je lui avais raccroché au nez.

La troisième fois, je m'étais mieux contrôlé. Je n'en avais pas fait des tonnes. Je détenais des informations sur son fils disparu. Je voulais la rencontrer. Je pensais pouvoir l'aider.

Je ne sais pas pourquoi j'ai présenté les choses comme ça. Pourquoi je n'ai pas tout simplement dit que j'étais son petit garçon. Que j'avais été enlevé dans mon lit alors que j'étais trop jeune pour me sauver moi-même. Qu'au cours des dix dernières années, j'avais survécu à des atrocités indescriptibles. Mais que j'avais grandi. Que le Burgerman ne voulait plus de moi. Peut-être que je pouvais rentrer à la maison. Peut-être que je pouvais redevenir son petit garçon.

J'aurais voulu lui dire ça. J'aurais voulu voir le sourire dont je me souvenais, celui de mon sixième anniversaire, quand elle m'avait conduit au garage où trônait un vélo Huffy tout neuf surmonté d'un gros nœud rouge. J'aurais voulu la regarder rejeter ses longs cheveux bruns en arrière comme elle le faisait quand elle se penchait pour m'aider à faire mes devoirs. J'aurais voulu me blottir contre elle sur le canapé, la tête sur son épaule tandis que nous regardions K 2000 *à la télé.*

J'aurais voulu avoir de nouveau neuf ans. Mais ce n'était pas le cas.

J'ai surpris mon reflet dans la vitrine du magasin. Mes yeux enfoncés, mes joues creuses, mes cheveux hirsutes. J'avais l'air d'un voyou, le genre de gamin que les agents de sécurité ne lâchent pas d'une semelle dans les centres commerciaux, le genre avec qui les parents n'aiment pas que leur fils traîne. Je ne voyais pas l'empreinte des traits de ma mère sur les miens ; je voyais le Burgerman.

Sur le trottoir d'en face, ma mère s'agitait sans cesse, tournait et retournait une bague à sa main droite. Elle jetait sans arrêt des coups d'œil par-dessus son épaule gauche comme pour guetter mon arrivée.

Et soudain, j'ai compris. Ce n'était pas moi qu'elle cherchait. Elle se concertait avec quelqu'un d'autre.

J'ai suivi son regard et finalement repéré l'agent en uniforme juste au coin du café. Il s'est retourné pour regarder ma mère d'un air désapprobateur, comme pour lui intimer de se calmer, et j'ai vu son visage.

J'en ai eu le souffle coupé.

Voilà ce que personne ne vous dira jamais, les choses que seule l'expérience peut vous apprendre :

On ne peut jamais rentrer chez soi. Un garçon élevé par les loups n'aura un jour plus que du loup en lui.

Et l'amour d'une mère peut brûler.

Je suis rentré à l'appartement à quinze heures cinq. Je m'en souviens parce que quand j'ai franchi le seuil, la première chose que j'ai remarquée, c'est l'horloge sur le mur du fond. Elle indiquait 15:05 et j'ai trouvé ça marrant. Une heure si normale. Une journée si normale. Un après-midi si normal.

Pour une chose aussi anormale.

Je n'ai pas enlevé mon blouson. Pas retiré mes chaussures. Je n'avais pas traversé la rue pour rejoindre ma mère. Au lieu de ça, j'avais pris la direction d'une animalerie à quelques rues de là. Et maintenant je tenais d'une main un sac en papier kraft et de l'autre une batte de base-ball Louisville toute neuve. J'ai laissé la porte de l'appartement grande ouverte et je suis allé droit dans la chambre du Burgerman.

Il dormait sur le dos, une main sur son ventre empâté, l'autre rejetée sur la tête. Il était nu, les draps entortillés autour du bas-ventre. À l'autre bout du lit, le gamin était recroquevillé, nu lui aussi, sans couverture, frissonnant dans son sommeil.

Je lui ai filé une grande claque sur l'épaule. Ses yeux se sont ouverts d'un coup.

« Tire-toi », lui ai-je ordonné sans ménagement.

Il m'a regardé sans comprendre. Je me suis penché jusqu'à me trouver presque nez à nez avec lui. « Sors ton sale cul de ce lit ou je te démolis la tronche. »

Le gamin s'est précipité hors du lit pour sortir de la chambre à toute vitesse. A-t-il quitté l'appartement ? Couru chercher les voisins ? Ameuté la police ?

Je m'en foutais. De lui, de la police, des voisins. J'étais venu avec une mission à accomplir et nom d'un chien j'allais le faire.

J'ai ouvert le sac en papier kraft, sorti la boîte. J'aurais voulu un pitbull ou même un python. Mais avec trente dollars, c'était ce que je pouvais faire de mieux. Je me suis souvenu de ce qu'avait dit le jeune homme à l'animalerie : les araignées font d'excellents animaux de compagnie, elles ont horreur de mordre, en fait. Il faut vraiment les emmerder pour qu'elles attaquent, en réalité.

Alors j'ai ouvert la boîte et j'ai balancé l'énorme araignée noire en plein sur la poitrine du Burgerman. Puis j'ai pincé (violemment) une des pattes de cette femelle pour être sûr qu'elle serait bien énervée.

Elle a aussitôt planté ses crochets dans le torse velu du Burgerman. Qui s'est réveillé en sursaut avec un rugissement.

Les instants suivants se sont déroulés comme dans un brouillard : le Burgerman qui baissait les yeux, découvrait l'énorme mygale noire accrochée à sa poitrine. Redoublait de cris, tirait sur son corps hérissé de poils et hurlait plus fort encore lorsque les minuscules soies qui recouvraient ses pattes lui piquèrent les doigts.

Moi qui soulevais la batte de base-ball.

Le Burgerman qui levait les yeux et criait : « Enlève-moi ça ! Putain de bordel de merde, enlève-moi ça, enlève-moi ça, ENLÈVE-MOI ÇA ! »

Moi qui balançais la batte de base-ball, assénais un coup violent sur le nez du Burgerman.

Il y eut un craquement. Un jet de sang. Un grand gémissement quand le Burgerman retomba avec un bruit sourd sur le matelas, une main désormais sur son nez fracassé, l'autre cherchant toujours l'araignée à tâtons.

« Aargh ! » a crié le Burgerman, un gargouillis visqueux au fond de la gorge.

Il a arraché la mygale de son torse. J'ai eu l'image d'une araignée noire et velue en suspension dans les airs, un énorme lambeau de peau toujours pendu à ses crochets, tandis que du sang sourdait dans le trou qu'elle avait laissé. Le Burgerman a lâché l'araignée, s'est relevé avec un nouveau cri de rage.

Alors je l'ai frappé. Au genou droit. Un craquement. Un cri. Au genou gauche. Nouveau craquement. Nouveau cri.

« Hé, petit, qu'est-ce qui te prend, petit ? Tu sais pas que je vais te crever, petit ? Hein, petit, tu sais pas… »

Je me suis dit, posément, avec un sang-froid que je ne me connaissais pas, que le Burgerman était un geignard de première.

Couché sur le côté, les doigts agrippés au drap taché, il cherchait une prise. S'il parvenait seulement à se redresser, il s'en prendrait à moi. Je le lisais dans ses yeux. Même alors, à l'heure de rencontrer son Créateur, le Burgerman ne songeait pas à se repentir. Il voulait juste tuer quelqu'un.

Je me suis demandé si je ressemblais à ça. Et au lieu d'en avoir honte, pour la première fois de ma vie, je me suis senti fort. Puissant. Aux commandes.

J'ai levé la batte et je l'ai frappé. À nouveau. Au visage, cette fois-ci. J'ai touché sa mâchoire, entendu ses dents se fracasser, puis visé sa pommette. Debout au-dessus du matelas, j'ai martelé avec ma batte jusqu'à en avoir mal aux bras et j'ai peu à peu pris conscience que le Burgerman ne faisait plus de bruit et que tout ce que j'entendais, c'était le claquement mouillé de ma batte contre son crâne défoncé ; que le liquide qui coulait sur mes joues n'était pas du tout des larmes, mais le sang et la cervelle du Burgerman qui dégoulinaient de la batte sur mes cheveux, sur mes vêtements.

Je crois que j'ai éclaté de rire à ce moment-là. Difficile à dire. La seule chose que je savais, c'était qu'il fallait que je continue à taper avec cette batte parce que, à tout moment, les yeux du Burgerman allaient se rouvrir et qu'il se lèverait du lit pour s'en prendre de nouveau à moi. C'était comme ça que ça se passait dans les films. Quoi qu'on fasse, le monstre se relevait toujours d'entre les morts.

Mais mes épaules ont fini par céder. La batte est retombée et, malgré toute la force de ma volonté, je ne pouvais plus la lever. Je me suis effondré sur la moquette, à bout de souffle, trempé de sueur, éclaboussé de sang, ma tête ensanglantée entre mes mains ensanglantées.

J'ai attendu un moment, je ne sais pas quoi. Que les voisins frappent à la porte. Que les flics déboulent dans les escaliers. Que le petit nouveau revienne et voie que je l'avais enfin fait : le Burgerman était mort.

Au bout d'un moment, comme rien ne se passait, je suis allé dans la salle de bains en traînant la batte. J'ai remarqué distraitement que le garçon avait refermé la porte d'entrée derrière lui ; c'était peut-être pour ça que les voisins n'étaient jamais venus, ou alors c'était parce que le Burgerman avait le chic pour choisir des appartements où les voisins n'en avaient rien à foutre.

Dans la salle de bains, j'ai fait couler de l'eau et j'y suis allé tout habillé pour essayer de faire partir le plus gros. Mais sans lâcher la batte. Juste au cas où, vous voyez. Juste au cas où.

Ensuite, dans ma chambre, j'ai fait un tas avec mes vêtements mouillés pleins de sang. J'ai enfilé mon deuxième jean, un vieux tee-shirt, un sweat, les quelques habits qui me restaient.

Juste au moment de partir, j'ai eu un éclair de génie : j'ai dégoté un sac dans le placard du Burgerman, je suis allé dans le couloir de l'entrée et j'ai fait le plein d'argent liquide et de cassettes porno. Vu que j'avais joué dans la plupart des films amateur, il m'a semblé que c'était bien le moins que je méritais.

J'ai essayé de réfléchir à ce que je pouvais prendre d'autre ; il y avait si peu de choses de valeur dans cet appartement. Le Burgerman dépensait son argent en alcool, drogue et prostituées. Il ne m'avait même jamais acheté un putain de jeu vidéo.

La rage m'a repris d'un seul coup et, pendant un instant, de démence, j'ai eu envie de retourner dans la chambre pour recommencer à le tabasser à coups de batte. Il a fallu que je me reprenne, que je me concentre. L'autre garçon était parti depuis longtemps. Il était sans doute en train de tout balancer à la police.

Il fallait que je me tire de là.

À la dernière seconde, alors que je me dirigeais vers la porte, j'ai surpris un mouvement indistinct du coin de l'œil. J'ai vacillé sur mes jambes, cherché la batte de base-ball à l'aveuglette, pivoté vers la chambre du Burgerman.

Je venais de lever la batte au-dessus de ma tête quand j'ai compris que ce n'était pas le pied du Burgerman qui bougeait sous le drap. Au lieu de ça, les replis blancs se sont écartés et une araignée noire et velue est apparue.

La mygale était vivante et se frayait prudemment un chemin sur les draps ensanglantés.

Après une autre brève hésitation, j'ai trouvé la boîte qu'on m'avait donnée à l'animalerie, j'ai posé l'araignée à l'intérieur et je l'ai glissée dans mon sac.

Je n'avais jamais eu d'animal de compagnie.

Je me suis dit que j'allais l'appeler Henrietta.

35

« Il arrive que les araignées se mangent entre elles et cette tendance au cannibalisme rend toute vie sociale ou communautaire hautement improbable. »

Tiré de *How to Know the Spiders*,
Troisième édition, B.J. Kaston, 1978

ELLE EUT ENVIE d'appeler Mac. C'était sa réaction instinctive après cette scène de terreur et son épilogue. Sauf que, bien sûr, il était en mission à l'heure qu'il était, faisant le travail qu'il aimait, aussi injoignable pour elle qu'elle l'était si souvent pour lui.

Alors Kimberly se recroquevilla sur le sol de sa chambre d'hôtel, les bras repliés autour de son bébé dans un geste protecteur, consciente du sang sur ses joues et du fait qu'elle ne devait pas se débarbouiller avant que le photographe de scène de crime n'ait pris des clichés de son visage. Elle avait déjà prévenu son supérieur, qui allait à son tour passer un petit coup de fil au shérif du coin. Le shérif Wyatt quitterait sa formation à la prévention de la toxicomanie. Le shérif Duffy serait tiré du lit. Et avec leur bénédiction, sa propre brigade de relevé d'indices serait probablement activée pour traiter la scène.

Tous ces rouages mis en branle. La machine policière

qui s'enclenchait. Elle la connaissait. Elle la comprenait. C'était sa vie.

Elle serra les paupières et se sentit hébétée, épuisée.

« De l'eau ? » proposa Sal. Il s'assit à côté d'elle en prenant soin de ne rien toucher. Quincy et Rainie étaient à l'extérieur de la chambre, dans le couloir avec le patron éberlué pour discuter à voix basse de quelque chose qu'ils ne souhaitaient manifestement pas qu'elle entende.

« Ça va ? » demanda Sal.

Elle hocha la tête.

« Et le bébé ? »

Elle acquiesça à nouveau, de son mieux. Son ventre allait très bien, pas de contractions, pas de nausées. Elle se sentait surtout à cran à cause de la chute d'adrénaline et ses bras lui cuisaient à cause d'une multitude de micro-coupures. Rien qui nécessiterait davantage qu'un pansement. Elle allait très bien, un vrai bonheur, sauf qu'elle ne s'en remettrait jamais.

Le corps du garçon gisait toujours à terre. Une tentative sommaire pour trouver un pouls avait confirmé le décès. Ils n'avaient pas pris la peine d'appeler les secours ni de réveiller un ambulancier ; à ce stade de la partie, la priorité était de préserver la scène de crime.

Y compris le sang dans les cheveux de Kimberly, sur sa joue, cette puissante odeur cuivrée qu'elle ne pouvait pas s'enlever des narines.

La voix du garçon qui essayait de lui expliquer qu'il était fatigué, tellement fatigué.

C'était l'absurdité de la chose qui était le plus pénible. Le fait qu'on pouvait mettre un enfant au monde et que, sans que ce soit en rien de sa faute, il n'ait jamais la moindre chance. Kimberly pressa ses mains sur ses yeux, refusant de voir ce qu'elle voyait, de savoir ce qu'elle savait.

« Il a confirmé que Dinechara a assassiné les prostituées disparues », murmura-t-elle finalement en prenant le verre d'eau des mains de Sal, en le regardant trembler dans sa main. Elle n'avait pas envie de boire, mais se força tout de même à avaler quelques petites gorgées parce qu'elle ne pouvait pas risquer la déshydratation dans son état.

Sal resta à son tour silencieux.

« Il a aussi descendu Tommy Mark Evans, sur ordre de Dinechara. C'était considéré comme un échauffement pour son "examen de passage". Il y a aussi un autre gamin, plus jeune. Il a dit que c'était son "remplaçant".

– Où ça ?

– Quelque part pas loin. D'après lui, Dinechara sait que nous enquêtons dans le coin. Peut-être même qu'on l'a croisé, je ne sais pas. Mais il est d'ici. Aucun doute là-dessus.

– Quoi d'autre ? »

Elle ferma les yeux avec lassitude, appuya le verre d'eau contre son front. Lorsqu'elle rouvrit les yeux et s'aperçut qu'elle avait barbouillé du sang sur le flanc du verre, cette vision, sinistre, grasse, lui souleva dangereusement le cœur. Elle lutta pour se contenir.

« Il l'aidait à se débarrasser des corps. Ils les tiraient sur des civières pour gravir Blood Mountain. Mais pas par le sentier principal – Dinechara en a un à lui. Quelque part au-dessus du chemin le plus fréquenté d'où il pouvait observer les activités en contrebas. Ça devrait nous aider à cibler les recherches.

– Très bien. »

Elle se tourna finalement vers Sal ; sa nervosité commençait à filtrer, anéantissait ses efforts pour se maîtriser. « Très bien ? Je viens de voir un adolescent se faire sauter la cervelle et tout ce que tu trouves à dire, c'est "très bien" ? Dinechara a kidnappé ce gosse. Il l'a violé, perverti, transformé en complice jusqu'au point où le gamin a préféré mourir plutôt que de prendre le risque d'un avenir avec son propre enfant. Il n'y a rien de *très bien* là-dedans ! »

Sal la regarda bizarrement. « Kimberly, ce n'est pas de ta faute...

– Qu'est-ce qui n'est pas de ma faute ? Si un enfant a été kidnappé ? Si personne n'est jamais venu à son secours ? Si Dinechara s'est servi de lui pour ses meurtres plus d'une douzaine de fois sans que personne ne remarque rien ? Nous sommes la police, Sal. Si ce n'est pas de notre faute, à qui la faute ?

– Il a tué Tommy Mark Evans...

– Parce qu'il n'avait pas le choix !

– Il aurait aussi bien pu te tuer.

– Tu sais quoi ? *Ça ne me réconforte pas du tout !* »

Et là, au milieu de son hystérie grandissante, elle se souvint brusquement : « Merde ! Ginny Jones. Elle l'attend sur le parking. Vite, avant qu'elle entende les sirènes, il faut la retrouver ! »

Quincy et Rainie étaient des civils et n'avaient pas d'arme. Mais ils n'étaient pas du genre à se laisser arrêter par ce genre de détails. Quincy prit la tête et Rainie le suivit d'un pas rapide et silencieux sur l'asphalte noir rendu glissant par la pluie.

Le plus fort de l'orage semblait passé, ne laissant derrière lui qu'une pluie battante et un vent à décorner les bœufs. Difficile d'entendre. Plus difficile encore de voir. Des conditions qui rappelaient à Quincy cette autre fois, pas si lointaine, où lui et son futur gendre, Mac, s'étaient faufilés dans le parc des expositions de Tillamook dans une tentative désespérée pour entrevoir l'homme qui détenait Rainie et réclamait une rançon.

Cette journée-là ne s'était pas déroulée comme prévue. Et cette fois-ci ?

Le reflet des réverbères sur le pare-brise constellé de gouttes de chaque voiture déformait la vue, de sorte qu'ils avaient du mal à regarder à l'intérieur tandis qu'un conducteur aurait moins de mal à voir au-dehors. Quincy réalisa qu'il prenait la chose par le mauvais côté : ils n'avaient pas besoin d'inspecter l'intérieur de chaque véhicule ; il leur suffisait d'examiner tous les pots d'échappement.

Braquage de banque, leçon n° 1 : la voiture prévue pour la fuite doit toujours être en marche et prête à filer.

Il fit signe à Rainie de prendre le côté droit du parking, le plus proche de la route. Lui se chargeait du gauche et, plié en deux, remontait en courant le long de la file de véhicules. Et là, droit devant, juste à côté de la sortie vers la rue transversale, une petite voiture économique dont le moteur tournait.

Il héla Rainie d'un geste de la main. Elle s'approcha et il s'avisa *in extremis* qu'ils avaient tout de même un problème : Ginny Jones était armée, au moins d'une voiture et peut-être même d'un pistolet. Alors qu'eux n'avaient que leur bonne tête.

Quincy opta pour le plan B : il ramassa un gros caillou, l'enferma dans son poing et enveloppa le tout dans son manteau. Quatre enjambées plus loin, il se présenta brusquement à la fenêtre conducteur. Ginny Jones ouvrit de grands yeux affolés. Il balança son poing emmitouflé dans la fenêtre, fracassa la vitre et retira la clé de contact.

La fille hurla.

Il ouvrit la portière et lui décocha son plus beau sourire carnassier.

« Mauvaise nouvelle, dit-il, ma fille est toujours en vie et vous venez avec moi. »

Ginny Jones poussa un nouveau cri.

« Oh, pitié, dit Rainie en apparaissant soudain aux côtés de Quincy. Comme si l'un de nous en avait quelque chose à foutre. »

Ils tirèrent Ginny de la voiture sous le ciel d'orage, juste au moment où les premiers véhicules de patrouille arrivaient en trombe.

Rainie et Quincy gravirent les escaliers avec Ginny. Ils tournèrent à l'angle du couloir. Kimberly, assise par terre, les aperçut et se leva d'un bond.

« Kimberly, non ! » eut le temps de dire Quincy avant que l'épaule de Kimberly ne donne dans la poitrine de Ginny et que les deux femmes entrelacées ne roulent à terre ; Ginny hurlait quelque chose d'incohérent, tandis que Kimberly criait à pleins poumons : « Vous avez joué à la roulette russe avec mon bébé ! Menteuse, salope ! *Comment vous avez osé mettre mon bébé en danger ?* »

Rainie essaya d'en attraper une, Quincy l'autre.

Les deux femmes bougeaient trop vite, Ginny giflait Kimberly, Kimberly attrapait Ginny par les cheveux.

« *Où est le petit ? Je ne le dirai pas deux fois. Où Dinechara garde-t-il l'*autre *garçon !* »

Pendant que Ginny geignait : « *Où il est, où il est, où il est ? Qu'est-ce que vous avez fait d'Aaron ?*

– Vous n'aviez aucun droit de mettre ma vie en danger ! J'essayais de vous aider, il suffisait de me dire la vérité !

– Aaron, Aaron, Aaron ! »

Sal finit par se jeter dans la mêlée. Il attrapa Kimberly sous les aisselles et l'écarta de Ginny qui battait des bras et des jambes, juste à temps pour lui murmurer à l'oreille : « Ça suffit ! Tu te donnes en spectacle ! »

Kimberly arrêta de se débattre et leva les yeux. Deux des adjoints du shérif Wyatt se tenaient dans le couloir, les yeux ronds, prêts à dégainer. Leur regard passa de Ginny à Kimberly puis à Rainie, Quincy et Sal.

« Agent spécial Sal Martignetti », indiqua sèchement Sal en présentant ses papiers d'une main tandis que, de l'autre, il continuait à tenir fermement Kimberly. Elle serra les poings, encore inondée d'adrénaline. Elle essaya de retrouver son sang-froid. Peine perdue. Elle avait envie d'hurler. Encore, et encore et encore. Et puis de se rouler en boule pour pleurer dans les bras de son mari.

Rainie et Quincy se présentèrent, puis Ginny Jones. La tension retombait, les mains des adjoints s'éloignaient de leurs armes, tout le monde respirait un bon coup.

« Madame, demanda lentement le plus âgé des adjoints lorsqu'il prit la mesure de la situation et en particulier de la chevelure ensanglantée de Kimberly, vous êtes blessée ? Vous avez besoin d'un médecin ?

– Non. »

Le regard de Kimberly se reporta sur Ginny, qui se relevait enfin avec l'aide de Rainie. La fille lui rendit un regard mauvais, le menton relevé, les épaules en arrière dans une posture de défi.

« *Salope* », articula-t-elle en silence.

Il n'en fallut pas davantage. Kimberly essuya une trace de sang sur sa joue. Puis, très posément, elle en barbouilla la clavicule dénudée de Ginny.

« Qu'est-ce que...

– C'est à Aaron, répondit Kimberly. Devinez quoi ? Il n'a pas réussi son examen de passage. »

Ginny poussa un cri de rage, se jeta sur Kimberly et elles roulèrent à nouveau au sol, cette fois-ci sous le regard perplexe des deux adjoints comme de Quincy, Rainie et Sal.

Une demi-heure plus tard, Ginny et Kimberly étaient assises aux deux bouts d'une table dans la salle à manger déserte au sous-sol du Smith House. Le shérif Duffy était arrivé pour superviser les opérations jusqu'au retour du shérif Wyatt. La majorité des adjoints était à l'étage pour établir un cordon de sécurité autour de la scène en attendant l'arrivée de la brigade de relevé d'indices. Quincy et Rainie étaient assis de part et d'autre de Kimberly. Sal à côté de Ginny.

Kimberly se fit la réflexion qu'elles étaient comme des boxeuses dans les coins d'un ring. Ce qui faisait de Duff, assis au milieu, l'arbitre.

« Si on commençait par les préliminaires et qu'on partait de là, hein ? gronda Duff de sa voix grave. Tout le monde a de l'eau. Maintenant on va tous collaborer bien gentiment. »

Il se tourna vers Ginny Jones et désigna le magnétophone posé devant lui. « Déclinez votre nom et la date pour mémoire, je vous prie. »

Ginny le foudroya du regard et Kimberly crut un instant qu'elle pourrait à bon droit aller à l'autre bout de la table lui en coller encore quelques-unes, mais alors les épaules de Ginny se voûtèrent et toute volonté de résistance sembla l'abandonner.

« Ginny, murmura-t-elle. Virginia Jones. »

Duff prit les noms, prénoms et numéros de matricule des policiers présents. Il nota également la date et le lieu. Puis il lut ses droits à Ginny et lui fit signer la renonciation. Enfin, ils passèrent aux choses sérieuses.

Oui, Virginia avait conduit Aaron Johnson au Smith House ce soir. Oui, elle savait qu'il était armé et qu'il avait éventuellement l'intention de tuer l'agent fédéral Kimberly Quincy.

Sauf qu'Aaron Johnson n'était pas son vrai nom mais un pseudo inventé par un deuxième individu pour avoir un nom à lui donner en public. Ce deuxième individu, connu sous le patronyme de Dinechara, était celui qui avait fourni le 9 mm et désigné l'agent spécial du FBI Kimberly Quincy comme cible. Il avait promis sa liberté à Aaron s'il la tuait – c'est-à-dire que Dinechara, qui avait kidnappé Aaron Johnson plus de dix ans auparavant, le laisserait enfin partir. Dinechara parlait de cet événement comme d'un examen de passage, un examen qu'Aaron Johnson avait voulu réussir.

« Et votre rôle dans l'affaire ? demanda Duff à la fille.

– Juste conduire, répondit-elle avec désinvolture, une main posée sur son ventre à peine arrondi. On va avoir un bébé, Aaron et moi. C'est pour ça qu'il avait besoin de réussir son examen. Pour qu'on puisse être ensemble. »

Elle décocha un regard à Kimberly et la température remonta d'un cran. « Qu'est-ce que vous lui avez fait ? C'était juste un gosse. Il ne connaissait rien. Comment vous avez pu tirer sur un gosse ? »

Kimberly pinça les lèvres et la boucla. Ginny ignorait encore ce qui s'était passé dans la chambre d'hôtel et les policiers ne sont pas du genre à partager leurs infos.

« Vous m'avez tendu un piège, constata Kimberly. Aaron avait besoin d'une cible pour son "examen" et vous m'avez choisie. Pourquoi ?

– Je n'ai pas...

– *Il m'a tout raconté !* Alors maintenant videz votre sac ou bien votre bébé naîtra dans un hôpital-prison et vous sera arraché à la naissance. Je peux vous trouver des articles entiers sur ce que c'est que d'être détenue et enceinte. De commencer l'accouchement les bras et les jambes enchaînés à la table, réduite à l'état de poulinière donnant naissance à un bébé qui sera élevé par une autre. Vous voulez connaître les détails, voir ce qui vous attend...

– C'est Dinechara qui m'a forcée ! Vous ne vous souvenez pas ? Il n'est content que s'il peut tuer quelqu'un que vous aimez. Sauf qu'Aaron n'avait plus de famille. C'était Dinechara lui-même qui l'avait enlevé. Alors qui lui restait-il à aimer ? »

Ginny détourna le regard en prononçant la dernière phrase et Kimberly comprit dans la seconde. Elle s'adossa dans son siège, abasourdie, et sentit la fureur commencer à la quitter.

« Vous, souffla-t-elle. Vous étiez la cible logique. Et vous le saviez tous les deux, n'est-ce pas ? Que Dinechara allait demander à Aaron de vous tuer, *vous*. À moins de trouver quelqu'un d'autre.

– Il fallait une bonne cible, dit Ginny sans plus regarder personne. Quelqu'un d'important mais aussi de menaçant pour Dinechara, pour que ça l'intéresse. J'avais lu un article sur l'Eco-Killer, sur ce que vous aviez fait. Je l'ai montré à Dinechara et... vous lui avez plu. Une jolie dure à cuire. Il a trouvé ça plutôt marrant. C'est comme ça que j'ai su que ça marcherait.

– Pourquoi vous n'avez rien dit ? demanda Kimberly avec lassitude. On aurait pu vous aider, monter toute une opération. Il suffisait de nous dire ce qui se passait.

– Comme ma mère a supplié qu'on l'aide ? Ou Tommy ? »

La bouche de Ginny dessina un sourire devant l'air choqué de Kimberly.

« Bien sûr que Dinechara m'a dit ce qu'Aaron avait fait. C'était trop parfait pour qu'il ne me raconte pas. Aaron planté là, avec le pistolet tremblant entre ses mains. Tommy qui le suppliait. Qui l'appelait monsieur, lui proposait sa bagnole, son fric, une pipe même. Et on devine Dinechara dans l'ombre, ce petit vampire, qui lui susurre : "Descends-le, descends-le, descends-le, appuie sur cette foutue détente, espèce de mauviette. Descends-le, descends-le, descends-le..." Jusqu'à ce qu'Aaron appuie sur la détente.

» Je les entends encore parfois, tard le soir. Ma mère qui hurle, Tommy qui supplie. Et Dinechara qui ricane. Alors franchement, comment vous pourriez m'aider, miss FBI ? Comment *qui que ce soit* pourrait m'aider ? »

Ginny se tut. Ses mains, toujours posées sur son ventre, caressaient maintenant le petit renflement en un geste d'apaisement.

« C'est Aaron qui m'a appelée, non ? demanda Kimberly. Vous lui avez donné mon numéro de portable, il m'a appelée pour m'appâter.

– Il vous a donné des informations, rétorqua Ginny. Tout ce que vous aviez à faire, c'était de trouver Dinechara et rien de tout cela ne serait arrivé.

– Et les permis de conduire dans les enveloppes laissées sur le pare-brise de l'agent spécial Martignetti ?

– Est-ce que je sais ? répondit Ginny en haussant les épaules. Je me contentais de faire ce qu'on me disait.

– C'est *vous* qui les avez laissées ? intervint Sal. Mais pourquoi ? Sur ordre de qui ? »

Ginny le regarda avec étonnement. « De Dinechara, évidemment. Qui tire toutes les ficelles, à votre avis ? »

Kimberly partageait la perplexité de Sal. « Dinechara *voulait* que les pièces d'identité soient communiquées au FBI ?

– Il voulait qu'elles soient communiquées à l'agent spécial Martignetti. Il m'a montré une photo de lui et tout.

– Pourquoi ?

– *Pourquoi ?* Et pourquoi pas ? Vous avez bien écouté, les gars ? On ne pose pas de questions à Dinechara. Pas si on a l'intention de rester en vie. Il m'a dit quoi faire. J'ai obéi. Point. »

Kimberly fit la moue ; cette dernière information ne lui plaisait pas.

Duff se racla la gorge. « Mademoiselle, ce M. Dinechara, il a un vrai nom, une adresse physique ? C'est le genre de renseignements dont nous avons besoin.

– Je ne sais pas.

– Menteuse, contra immédiatement Kimberly.

– Hé, j'ai déjà dit...

– Menteuse ! »

Kimberly flanqua une photo sur la table. Ils l'avaient prise dans le sac de Ginny une heure plus tôt. Le cliché tout abîmé en noir et blanc montrait Ginny et Aaron, front contre front, en train de rire d'une chose qu'ils étaient les seuls à connaître. Ginny et Sal restèrent interloqués devant ce gros plan.

« Après-midi passés ensemble à la galerie commerciale. Gestes tendres en public, séances photo. Il est clair que vous avez eu une relation avec Aaron. Ça n'a pu se faire que parce que Dinechara vous a présentés l'un à l'autre.

– Il a emmené Aaron une des fois où il est descendu à Sandy Springs...

– Quoi, et il a généreusement payé pour qu'Aaron s'envoie en l'air ?

– Et il nous a *filmés* en train de baiser. C'est son truc. Il fabrique du porno et ensuite il le vend sur Internet. Vous voyez, le pervers qui vous envoie des spams en vous demandant si vous voulez voir les photos d'un gosse de treize ans en train de se faire une chèvre ? C'est Dinechara.

– Donc il a un studio…

– La banquette arrière d'une voiture…

– Faux. Pas pour une opération aussi élaborée. Il a un studio, dans une maison, où il vous a emmenée pour que vous soyez avec Aaron.

– J'avais les yeux bandés ! cria la fille. Il ne m'a jamais laissée voir. Vous ne le connaissez pas…

– Faux ! On le connaît très bien. Des mecs comme lui, j'en ai plein les dossiers sur mon bureau. Alors arrêtez de nous faire lanterner et dites-nous ce qu'on a besoin de savoir. »

Mais ça ne prenait pas avec Ginny. Elle se pencha sur la table, les yeux hagards. « Non, en vrai, vous n'avez jamais rencontré personne comme lui. Je ne m'en rendais pas compte, moi non plus. Jusqu'à ce qu'il enlève sa casquette. Ce n'est pas seulement qu'il aime les araignées. Il se *prend* pour une araignée. Je vous jure, il s'est fait tatouer des yeux sur tout le front. »

Il fallut encore deux heures. Ginny niait connaître l'existence du deuxième garçon. Elle maintenait que Dinechara lui bandait toujours les yeux. Qu'elle n'avait jamais rencontré Aaron en tête à tête, qu'elle ne savait rien de rien.

Une heure du matin. Deux heures. L'équipe de Kimberly était arrivée. Rachel Childs dirigeait les opérations dans la chambre d'hôtel. Kimberly s'éclipsa le temps qu'on prenne sa déposition, qu'on procède à des prélèvements sur ses mains à la recherche de traces de poudre, qu'on photographie son visage. Lorsque Harold eut fini avec les photos, elle lui demanda de l'accompagner dans la salle de restaurant en sous-sol avec l'appareil photo.

Ginny était toujours assise en bout de table, blême, les mains tremblantes d'épuisement. Sal était désormais appuyé contre le mur du fond, les bras croisés sur la poitrine, le visage fermé, impénétrable. Rainie avait disparu, probablement remontée dans sa chambre pour dormir. Seuls Quincy et Duff semblaient encore sur le coup.

Kimberly posa l'appareil numérique devant Ginny. Elle commença par le premier gros plan d'Aaron Johnson, qui montrait son crâne fracassé. Elle fit défiler la totalité des cent cinquante-deux clichés.

« Voilà ce qu'a fait Dinechara », dit posément Kimberly. *Clic, clic, clic.* « Il a perverti Aaron. » *Clic, clic, clic.* « Il l'a corrompu. » *Clic, clic, clic.* « Détruit. Aaron s'est suicidé parce qu'il pensait que s'il restait en vie, il ferait du mal à votre enfant. C'était bien ce que Dinechara lui avait appris, non ? Qu'on doit détruire ce qu'on aime. Or il vous aimait, Ginny. Avec cette balle qu'il s'est envoyée dans la tête, il vous a donné la seule preuve d'amour qu'il connaissait. Alors, qu'est-ce que vous choisissez ? Vous allez laisser Dinechara s'en tirer comme ça ?

– Je vous déteste.

– Vous allez encore une fois faire votre deuil ? Essayer de retourner dans un monde où un type comme Dinechara se balade en liberté – et sait tout de votre bébé ? Qu'est-ce que vous choisissez ?

– Il va vous tuer. Quand il saura pour Aaron, ce ne sera qu'une question de temps.

– Qu'est-ce que vous choisissez, Ginny ?

– Il va aussi s'en prendre à moi, si je vous aide. Il saura. Il sait tout.

– *Qu'est-ce que vous choisissez ?* »

Ginny Jones se tint le ventre. Fondit en larmes. Et donna l'adresse.

Sal s'écarta du mur. « C'est bon, dit-il. J'appelle les forces spéciales. »

36

« Les araignées sont le plus souvent des chasseurs solitaires… »

Tiré de l'article « Spider Woman »
Burkhard Bilger, *New Yorker*, 5 mars 2007

HENRIETTA ÉTAIT MORTE. Il l'avait retrouvée sur le dos dans l'unité de soins intensifs, ses pattes mutilées toutes recroquevillées sur son abdomen. Il la poussa doucement du doigt, comme un enfant touche un animal sans vie longtemps après qu'il est trop tard. Henrietta ne bougea pas. Il essaya encore une fois. Elle ne bougerait plus jamais.

Il s'assit dans la salle de bains plongée dans la pénombre et eut un instant le souffle coupé.

Était-ce à cela que ressemblait le chagrin ? Une sensation dure et oppressante dans la poitrine, le souffle court, un désir irrépressible de hurler ? Il pressa ses mains sur ses yeux. Cela ne lui procura aucun soulagement. Il sentait la pression monter inexorablement.

Et sans raison, il repensa à ce bambin, celui que le Burgerman l'avait forcé à enterrer sous l'azalée. Sa gorge s'enflamma, ses épaules tremblèrent et il eut horreur de tout cela, de la violence de son chagrin, du bruit affreux de ses sanglots, de l'impuissance de ses larmes pitoyables.

La police n'avait jamais retrouvé le corps de l'enfant. Il le savait parce qu'il vérifiait de temps à autre sur Internet. Ce garçon était toujours porté disparu, tout comme lui-même, comme Aaron, comme le petit nouveau, Scott, et des dizaines de milliers d'enfants chaque année.

Son frère avait eu raison : il y avait tant de méchants garçons que le Burgerman devait réduire en bouillie.

Alors c'était ce qu'il faisait depuis des décennies maintenant. Broyer, broyer, broyer. Engloutir des vies par dizaines, des innocents et des moins innocents. Peu lui importait. Il prenait, parce que c'était seulement lorsqu'il détruisait les autres qu'il n'avait pas peur.

La fin était proche. Il la sentait venir. Depuis trois heures, les fréquences de la police bruissaient de rapports sur une fusillade dans l'hôtel historique du Smith House. Le mort n'était pas un agent fédéral, mais un jeune homme non identifié. Aaron avait échoué. L'agent l'avait pris de vitesse ou Dieu sait quoi. Cela n'avait guère d'importance. Henrietta était morte, Aaron était mort et le plus jeune garçon avait disparu dans la maison en bas. Il ne restait que Ginny, et ce n'était qu'une sale menteuse.

Si la police la trouvait en premier, elle le dénoncerait. Trahir, c'était la spécialité des femmes.

Il fallait qu'il réfléchisse, qu'il échafaude un plan, mais d'abord, évidemment, il fallait qu'il s'occupe d'Henrietta.

Trois heures cinq du matin. Il regarda distraitement l'horloge et, lorsqu'il remarqua l'heure qu'il était, l'idée lui vint. Il sut exactement ce qui devait arriver.

Il posa Henrietta au milieu de son lit. Puis il s'approcha de ses étagères, où se trouvait le reste de sa collection dans plusieurs rangées de terrariums vitrés. Progressant de la gauche vers la droite, il retira tous les couvercles. Puis il passa dans la pouponnière, la chambre des araignées violonistes, celle des theridiidae. Lentement, méthodiquement, il libéra toutes les araignées jusqu'à la dernière.

Puis il alla chercher une demi-douzaine de bidons d'essence dans le garage.

Il commença par l'ordinateur, le plus compromettant pour lui. Puis il passa au salon, inondant les coussins du canapé, les rideaux, les bibliothèques en vulgaires panneaux de particules. Ensuite, la chambre des garçons. Après quoi, il monta vers son sanctuaire. Il aspergea le matelas sur lequel reposait Henrietta, bûcher funéraire pour une grande guerrière. Puis il retourna au garage prendre les deux derniers bidons.

Il entendit des sirènes au loin. Encore des agents de patrouille qui se rendaient au Smith House. Ou qui venaient le chercher ?

Il avait déjà passé dix longues années dans la plus cruelle des prisons du monde. Jamais il n'y retournerait.

Ils auraient dû de le retrouver, se dit-il dans un nouvel accès de colère en dévissant le bouchon du bidon pour arroser, encore et encore. Ces abrutis de policiers auraient dû retrouver la piste du Burgerman, débouler dans cette première chambre d'hôtel et l'emporter héroïquement. Mais non, jamais ils n'étaient venus. Pas une seule fois en dix ans. Même lors de l'affrontement final.

Ils l'avaient laissé tomber. Ils l'avaient laissé devenir ce qu'il était devenu.

Alors maintenant il allait leur montrer. Leur montrer tout ce que le Burgerman lui avait appris à faire.

Le dernier bidon d'essence était vide. Il le balança avec dégoût dans la chambre d'amis et des gouttelettes se répandirent sur sa main, remplirent ses narines d'une odeur âcre. Il entendit à nouveau les sirènes, plus proches.

Il ne restait plus beaucoup de temps.

Sur le palier, il dut danser sur quatre formes velues, les premières mygales échappées de leur terrarium, qui essayaient de reconnaître le terrain. Il descendit les marches deux à deux. Au pied de l'escalier, il trouva deux autres de ses protégées, déjà engagées dans une lutte à mort, essayant de déchirer leurs exosquelettes coriaces avec leurs crochets, les pattes sur la tête l'une de l'autre. À peine éprouvé un avant-goût de liberté que les cannibales se disputaient le territoire.

Vous n'avez encore rien vu, les filles, eut-il envie de leur dire.

Mais pas le temps de discuter. Il ouvrit violemment le placard de l'entrée où se trouvait le coffre-fort qui contenait les armes. Il fit tourner le cadran d'un coup de poignet, ouvrit et examina son arsenal.

Des sirènes franchissaient la crête de la colline.

Un neuf millimètres, un Glock .40, une 22 long rifle. Des boîtes entières de munitions. Il fourra le tout dans sa housse à fusil, les mains tremblantes, laissant échapper quelques cartouches.

Crissements de pneus devant la maison.

« *Bordel !* » L'homme attrapa son sac et se rua vers la terrasse, à l'arrière.

Il se souvint juste à temps, attrapa le Zippo dans son pantalon et le balança.

Les premières flammèches rebondirent en travers de la cuisine, lui roussirent les poils de la main, embrasèrent les gouttelettes d'essence sur sa peau. Il se donna des claques sur la main gauche avec impatience en regardant le feu déferler dans le couloir et se précipiter dans l'escalier.

Et ce n'était peut-être que le fruit de son imagination, mais il crut entendre la première araignée pousser un hurlement.

Détruire ce qu'il aimait. Sa spécialité.

Mais il y avait encore une personne dont il allait s'occuper. Un amour qui n'était jamais mort, même après toutes ces années. Aaron avait échoué. Le Burgerman n'échouerait pas.

Il mit le sac vert foncé sur son épaule et s'enfuit par la porte de derrière tandis qu'un fourgon de police arrivait toutes sirènes hurlantes dans l'allée, que la fenêtre en bas de l'escalier explosait sous la violence des flammes et que toute sa collection commençait à brûler.

Rita était réveillée et regardait par la fenêtre lorsque la première sirène déchira le ciel. Elle ne réagit pas au bruit et resta couchée, regardant une boule orange vif s'élever au-dessus des arbres.

Elle comprit tout de suite d'où venait l'incendie : la vieille demeure victorienne sur la colline.

Et elle ne fut pas le moins du monde surprise de voir le garçon surgir sur le pas de sa porte, les mains dans le dos.

Sans mot dire, elle rejeta les couvertures et sortit son pistolet.

« Mon enfant, tu as quelque chose à voir avec ça ?

– Non, madame.

– Tu es resté ici toute la nuit ?

– Oui, madame.

– Très bien. Alors il va venir. On ferait mieux de s'occuper des portes et des fenêtres. »

Le garçon sortit un couteau.

37

> « […] Les araignées tuent à une cadence étonnante. Un chercheur néerlandais a évalué à quelque cinq billions le nombre d'araignées dans les seuls Pays-Bas, dont chacune consomme environ un dixième de gramme de viande par jour. Si elles s'en prenaient aux hommes plutôt qu'aux insectes, il ne leur faudrait que trois jours pour dévorer la totalité des seize millions et demi de Hollandais. »
>
> Tiré de l'article « Spider Woman », Burkhard Bilger, *New Yorker*, 5 mars 2007

LE TEMPS QUE SAL ET KIMBERLY ARRIVENT, la maison qui correspondait à l'adresse indiquée par Ginny était engloutie par les flammes. Les pompiers s'étaient déployés et s'obstinaient avec leurs tuyaux, mais Kimberly et Sal voyaient bien que la cause était perdue.

Debout au bord du périmètre, ils regardaient l'incendie orange illuminer le ciel nocturne et sentaient la chaleur du brasier sur leurs joues. Des voisins s'attroupèrent autour d'eux, attachant la ceinture de leur peignoir pour se protéger du crachin en rejoignant les badauds qui regardaient le spectacle dans la rue.

« Quel dommage, commenta une vieille dame dont

les cheveux gris étaient soigneusement coiffés en plusieurs rangées de petites bouclettes, c'était une si jolie maison à l'époque.

– Vous connaissez le propriétaire ? » demanda vivement Sal en se rapprochant avec Kimberly.

Mais la femme hocha la tête. « Je le connaissais, autrefois. Mais la maison s'est vendue il y a deux, trois ans peut-être. On ne voyait pas souvent le nouveau propriétaire. Et je peux vous dire qu'il ne s'intéressait pas beaucoup à l'entretien de la maison ou du jardin, ajouta-t-elle avec une moue réprobatrice.

– Vous avez dit *le* propriétaire, relança Kimberly.

– Je n'ai jamais vu que lui : un type plutôt jeune toujours en 4x4 noir. Une casquette visée en permanence sur la tête, même au plus fort de l'hiver. Il m'a paru bizarre. Pas sympathique, en tout cas.

– Ça non, renchérit un autre voisin qui se tenait à quelques pas de là en peignoir à carreaux bleus. Ma femme lui a apporté une assiette de brownies pour lui souhaiter la bienvenue dans le quartier. Elle l'a vu dans l'entrée, par la fenêtre sur le côté, quand elle a sonné. Mais il n'a pas ouvert. Elle a fini par déposer les brownies et repartir. Vraiment un drôle d'oiseau.

– Est-ce que vous auriez vu un jeune garçon ? » demanda Sal.

L'homme réfléchit. « Dix-huit, dix-neuf ans ? Il sortait rarement. J'ai pensé que c'était le fils.

– Il y en a aussi un plus jeune, intervint la première femme avec autorité. Du moins, ces derniers temps, j'en ai vu un dans le jardin. Je ne sais pas s'il était en visite ou quoi. »

Sal et Kimberly échangèrent un regard. « Et ce soir ?

– Je n'ai rien vu, répondit la femme. Pas avant d'entendre les sirènes et de m'apercevoir qu'il y avait le feu. »

Ils se tournèrent vers l'homme, qui haussa les épaules d'un air contrit. Apparemment, les habitants de cette rue dormaient la nuit. Sal et Kimberly ne pouvaient pas en dire autant.

Ils dénichèrent le premier intervenant arrivé sur les lieux, un jeune adjoint du shérif qui n'avait pas grand-chose à ajouter. Il avait entendu le central ordonner à toutes les unités de se rendre à cette adresse pour y interpeller un suspect non identifié. À son arrivée, les premières torches rougeoyaient déjà aux fenêtres de la façade. Avant qu'il ait eu le temps de dire ouf, celles-ci avaient explosé et la maison n'avait plus été qu'une gigantesque boule de feu. Il avait appelé les pompiers et voilà tout.

Ils essayèrent le chef des pompiers, un homme corpulent à la moustache grisonnante et à la peau tannée.

« Aucun doute qu'il y a eu un accélérateur, dit-il d'une voix retentissante. Avec l'humidité ambiante, jamais le bâtiment n'aurait pris aussi vite si on ne l'avait pas un peu aidé. À l'odeur, je dirais de l'essence, mais il faut qu'on fasse venir Mike pour en savoir plus. »

Mike se révéla être le spécialiste des incendies criminels dans le comté. On l'avait appelé, mais il ne pourrait commencer son inspection que lorsque le feu serait éteint et le bâtiment refroidi et sécurisé. Sans doute au plus tôt en fin de matinée, voire en milieu d'après-midi.

Autrement dit, rien à signaler, rien à faire. Allez dormir un peu, leur conseilla le chef des pompiers. Il les préviendrait quand ce serait à eux de jouer.

Kimberly trouva la suggestion plutôt comique. Comme si elle pourrait un jour redormir. Cette seule idée provoquait chez elle une hilarité un peu malsaine. Et elle sentit à nouveau la chaleur, respira les odeurs astringentes des isolants en feu, des fils électriques en fusion, de l'essence répandue.

Elle pensa au plus jeune enfant. Et si quelque part dans ce bâtiment en flammes un petit corps était déjà en train de se recroqueviller en position de lutteur ? Elle avait échoué auprès d'un des garçons ce soir. Et avec son semblable plus jeune ? Le « remplaçant » ?

Le feu perfora une première fois le toit, découvrit une nouvelle source d'oxygène et explosa dans un grondement assourdissant. Le vieil édifice émit un gémissement d'avertissement. Les pompiers crièrent de reculer.

Alors, avec un immense râle grinçant, la vieille maison se tordit, sembla en suspension pour un dernier instant. Puis elle s'effondra, vomissant des braises rouges dans l'obscurité. De nouvelles flammes fusèrent dans le ciel couvert. Les voisins eurent le souffle coupé. Les pompiers repartirent à l'assaut avec une détermination renouvelée.

Sal raccompagna Kimberly à sa voiture. Ils rentrèrent sans mot dire à l'hôtel, où Rainie et Quincy dormaient, où l'équipe de relevé d'indices de Kimberly travaillait et où les ambulanciers chargeaient enfin la dépouille d'un jeune garçon solitaire. Ginny Jones avait déjà été conduite à la maison d'arrêt du comté. Une épreuve s'achevait, la suivante ne faisait que commencer.

Sal emmena Kimberly dans sa propre chambre.

« Il sait, murmura Kimberly. Dinechara sait qu'Aaron a échoué. C'est pour ça qu'il a mis le feu. Parce qu'il savait que nous arrivions et qu'il voulait effacer sa piste. »

Sal ouvrit le lit, fit asseoir Kimberly, puis l'allongea avec précaution et la borda.

« Il faut qu'on fasse quelque chose, continua Kimberly sans désemparer. Et s'il décidait que le plus jeune lui fait courir un risque ? Et s'il décidait de s'en prendre à nous ? Il nous faut un plan. »

Sal prit un oreiller, le posa par terre.

« Il vient, Sal. Je le sens. Il va faire quelque chose de terrible.

– Dors », lui dit Sal.

Il s'allongea sur le sol, sans couvertures, rien qu'avec l'oreiller.

Kimberly le regarda avec stupéfaction. Puis, à sa grande surprise, elle ferma les yeux et sombra dans un bienheureux oubli du monde.

« Voilà ce qui se passe », expliqua le shérif Duffy, peu après onze heures du matin. Il avait convoqué la première réunion de la cellule d'enquête au sous-sol du Smith House. Tout le monde était là, y compris l'équipe de relevé d'indices de Kimberly et quelques adjoints du coin qui sortaient d'une nuit blanche. On ne lésinait pas sur le café, accompagné d'assiettes garnies de pains au lait et de saucisses maison. Pour une réunion de cellule d'enquête, un vrai gueuleton.

« Deux grands sentiers gravissent Blood Mountain. » Le shérif Duffy avait étalé une grande carte de l'Institut de géologie sur la première table. Il frappa la première ligne épaisse de son doigt noir. « Le Woody Gap Trail qui part de la route 60. Ou bien on peut prendre la 180 jusqu'au lac Winfield Scott et partir sur le Slaughter Gap vers Blood Mountain. Le Slaughter Gap est plus court et plus raide ; ça peut être un problème si on se trimballe un corps et du matériel. Cela dit, ces deux sentiers sont sacrément fréquentés. Je ne vois franchement pas comment deux hommes pourraient y monter des cadavres à plusieurs reprises sans que personne ne remarque rien.

– Ils ne prenaient pas un grand sentier », intervint Kimberly d'une voix fatiguée.

Elle était assise à une deuxième table avec son père et Rainie, une tasse de café fumante entre les mains. Son téléphone portable était accroché à sa ceinture, toujours obstinément silencieux, bien qu'elle ait déjà laissé de nombreux messages à Mac.

Elle avait dormi trois heures, s'était douchée trente minutes. Elle avait autant que possible repris forme humaine.

Sal était à l'autre bout de la pièce. Si son père ou Rainie trouvaient la chose un peu étrange ou se demandaient où elle avait passé la nuit, ils n'avaient encore fait aucune remarque.

Kimberly continua : « Le garçon, Aaron, m'a dit qu'ils avaient leur propre chemin. Un itinéraire au-dessus des grands sentiers d'où ils pouvaient observer les autres randonneurs. Les louveteaux, ajouta-t-elle après un temps. Il a dit que Dinechara aimait regarder les "petits louveteaux gambader".

– Pour autant que je sache, les meutes de louveteaux empruntent les deux sentiers, répondit Duff avec scepticisme. Donc on cherche toujours un départ de sentier soit près de Woody Gap sur la 60 soit près de Slaughter Gap sur la 180.

– Ou alors carrément de l'autre côté », intervint Harold, sa silhouette dégingandée penchée sur la carte. Il dessina plusieurs lignes du doigt. « Regardez, on peut arriver par ici, ici ou là. Avant de rejoindre le sommet, on surplomberait les deux sentiers. Et n'importe laquelle de ces possibilités serait moins risquée que d'essayer de marcher parallèlement à un grand sentier, et puis, ici en particulier, la pente est douce et régulière. C'est ça que je regarderais. Enfin, si je devais monter des cadavres au sommet d'une montagne. »

Levant les yeux, il les surprit tous à le regarder d'un drôle d'air. « Ben quoi, je fais de la randonnée.

– Je crois que le problème, commença Rachel Childs, debout aux côtés d'Harold, c'est qu'il y a trop de voies possibles pour accéder au sommet. Il faut compter une bonne douzaine de kilomètres rien qu'entre le début de Woody Gap et le sommet de Blood Mountain. Ensuite, il y a le côté de Slaughter Gap, la jonction avec l'AT et diverses autres montées. En termes de recherche d'indices, c'est un périmètre immense sur un terrain et dans des conditions très difficiles. »

Elle désigna distraitement l'extérieur, où la pluie tombait en une bruine ininterrompue.

« C'est vrai, c'est vrai, concéda Duff. Mais s'ils transportaient les corps sur des civières, ils devaient suivre un itinéraire à peu près praticable. Il ne s'agissait pas de se frayer un chemin au milieu des buissons. Plutôt de trouver la trouée adéquate au pied de la montagne…

– Plus facile à dire qu'à faire, vu la densité des sous-bois, signala Rainie.

– Ce sera facile d'accès, intervint brusquement Quincy. Étant donné ce que nous savons de cet individu, de sa connaissance du milieu naturel, de son goût du secret, il est tout à fait possible qu'il ait dissimulé ou camouflé le départ de la piste. Mais il est évident qu'il vient très souvent dans cette région et sur Blood Mountain. Or l'endroit où il laisse les corps est encore plus important pour lui, il représente ce que les spécialistes du profilage géographique appellent un "lieu totémique". C'est là qu'il peut revivre ses fantasmes et apaiser son anxiété. C'est le seul endroit où il se sente puissant, aux commandes. Naturellement, il voudra retrouver ce sentiment aussi souvent que possible en retournant sur le lieu totémique.

– Donc, demanda Rachel Childs sur un ton pince-sans-rire, il nous suffira de murmurer *abracadabra* et le passage secret s'ouvrira comme par magie pour nous montrer la voie vers le sommet ? Quoi qu'il en soit, il faut qu'on trouve le départ du sentier. Et pour ça, on va avoir besoin d'aide.

– Vous voulez la Garde nationale ? demanda Duff, renfrogné.

– Non, je veux une équipe de recherche entraînée. Sans doute avec des chiens. »

Duff ouvrit de grands yeux. « Vous croyez que des chiens renifleurs pourraient flairer une piste ? En ce qui me concerne, je n'ai pas souvent travaillé avec eux, mais comme vous avez dit, il faut compter une bonne douzaine de kilomètres entre le départ du sentier et le sommet. Est-ce qu'un chien peut vraiment sentir les effluves d'un corps en décomposition à douze kilomètres de là ?

– Je ne sais pas, répondit Rachel Childs avec une grimace. Je ne suis pas maître-chien. D'après l'agent spécial Quincy, l'individu a raconté avoir monté les corps sur une civière. Ça devrait laisser une piste olfactive. »

Mais Harold, leur expert multicartes, était sceptique. « Les chiens travaillent avec leur flair. Le corps humain perd en permanence des cellules de peau et des bactéries, créant une odeur que nous ne remarquons jamais mais qui est perceptible pour l'odorat très développé des chiens. Dans le cas des chiens spécialisés dans la recherche de cadavres, c'est l'odeur de la décomposition, très puissante au début, mais qui diminue avec la disparition des matières organiques. Si les tombes sont trop anciennes, ou trop lointaines, il se peut que l'odeur ne soit pas assez forte pour que les chiens en repèrent l'origine.

– Une fois, j'ai travaillé avec deux chiens qui avaient retrouvé des ossements totalement réduits à l'état de squelette dans le lit asséché d'une rivière, répliqua Rachel. À ce stade, il ne restait plus de matière en décomposition et ça ne les a pas empêchés de trouver les ossements.

– Vous aviez ciblé le lit asséché pour vos recherches ?

– Oui.

– Alors ceci explique cela. Les chiens travaillaient sur une zone limitée, ce qui leur a permis de retrouver l'origine d'une odeur infime. Mais, pour reprendre tes propres termes, nous ne sommes pas sur une petite zone de recherches. On a toute une putain de montagne.

– Des chiens de sauvetage, intervint doucement Kimberly. Laissez tomber la recherche de cadavres. Ce sont des chiens de sauvetage qu'il nous faut. »

Ses deux coéquipiers cessèrent de se chamailler pour la dévisager.

« Pourquoi des chiens de sauvetage ? demanda Rachel la première. Je croyais qu'on cherchait les cadavres. Et le lieu totémique enchanté.

– Ces cadavres étaient montés dans la montagne par deux hommes, or les vêtements de l'un d'eux sont désormais en notre possession. »

Harold percuta le premier. « Il faut prendre les chaussettes du garçon, dit-il, tout excité. Les donner aux chiens...

– Et leur demander de chercher le garçon. Avec un peu de chance, ils retrouveront sa trace et la suivront droit jusqu'aux tombes », termina Kimberly avant de prendre une autre gorgée de café brûlant.

À côté d'elle, son père s'était finalement détendu, signal tacite de son approbation.

« Dieu sait quand les deux hommes ont gravi la montagne pour la dernière fois, s'interrogea Duff. Je croyais que les chiens pisteurs avaient besoin d'être sur le terrain dans les heures qui suivent.

– Pas les saint-hubert ! répondit Harold avec enthousiasme. Ils sont capables de suivre une piste vieille de plusieurs semaines, surtout quand il fait frais comme en ce moment. C'est sûr, les labradors sont meilleurs pour la recherche de cadavres, mais rien ne vaut deux blueticks pour pister un évadé. Dégotez-m'en deux et on a nos chances. »

Tous les regards se tournèrent vers le flic du coin.

« Des saint-hubert ? En Géorgie ? répondit Duff en souriant. Attendez que je passe un coup de fil. »

Les saint-hubert répondaient aux noms de LuLu et Fancy et étaient menés par un vieux de la vieille qui se faisait appeler Skeeter. Skeeter portait une salopette bleu délavée et n'était pas trop sociable. Il communiquait avec le shérif Duff par haussements d'épaules et hochements de tête. N'adressait la parole à personne d'autre.

Parce que Harold avait insisté, ils commencèrent par la 180 en suivant une ligne de crête qu'il avait repérée sur la carte des courbes de niveaux et qu'il considérait comme le meilleur itinéraire pour un marcheur. Même si certains avaient maugréé en entendant le mot « totémique », l'équipe adhérait à l'idée de Quincy selon laquelle l'individu choisirait un chemin facile d'accès et convenable. Même les assassins ont le sens pratique.

LuLu et Fancy commencèrent à explorer les sous-bois avec Skeeter tandis qu'un berger allemand du nom de

Danielle était envoyé du côté de Woody Gap avec son maître. Une autre équipe de recherche, qui était en route depuis Atlanta et serait opérationnelle après le déjeuner, prendrait le relais au lac Winfield Scott.

Pendant que LuLu et Fancy s'activaient, le reste de la cellule n'avait rien d'autre à faire que de tourner en rond en regardant la pluie s'égoutter du bord de leurs chapeaux.

Kimberly s'approcha de l'endroit où Rachel et Harold attendaient à l'abri relatif d'un grand sapin, vêtus l'un et l'autre d'un ciré jaune vif. Le reste de l'équipe était garé au bord de la route en un petit cortège de voitures mené par un énorme véhicule de l'Identité judiciaire. C'était le modèle de base, qui contenait un grand auvent, des sacs et des étiquettes pour les pièces à conviction, du matériel de recherche, des lunettes de protection, des tenues pour tous les temps, un groupe électrogène, des bâches et des rouleaux de papier de boucherie. Kimberly voyait que Rachel regrettait déjà de ne pas avoir fait venir les véhicules tout-terrain Green Gator pour les faire vrombir sur Blood Mountain. La vie d'une responsable de brigade de relevé d'indices : plein de jouets et si peu de temps pour s'en servir.

Rachel venait de l'accueillir d'un signe de la main lorsque le portable sonna enfin à la ceinture de Kimberly. Elle consulta l'écran et afficha un calme apparent en s'excusant d'un haussement d'épaules auprès de Rachel et en cherchant un coin tranquille, derrière un arbre. Elle dut repousser la capuche de son imperméable pour coller le téléphone à son oreille. Les doigts tremblants, il lui fallut s'y reprendre à deux fois pour décrocher.

« Coucou, dit-elle dans le téléphone d'une voix légèrement essoufflée, le cœur battant.

– Coucou, répondit Mac.

– Ta nuit ?

– On a embarqué huit dealers, saisi quelques centaines de kilos de cocaïne. Tu vois, la routine. »

Elle sourit, se pinça l'arête du nez pour lutter contre la pression qui s'accumulait derrière ses yeux. « Quand est-ce que vous avez bouclé ?

– Il y a deux heures.

– Tu dois être fatigué.

– J'adorerais dormir. Mais je voulais t'appeler d'abord. Tu sais, pour entendre la jolie voix de mon épouse. »

Il lui paraissait à cran. En colère, fatigué, peiné ? Elle ne savait plus et le silence se prolongea jusqu'à ce qu'elle sache qu'il la ressentait aussi, cette distance qui n'avait pas semblé si grave au début, mais qui avait maintenant suffisamment grandi pour leur faire peur.

« Ta nuit ? demanda-t-il enfin, d'une voix lugubre qui ne lui ressemblait pas du tout.

– Il y a eu... un incident.

– Kimberly ?

– Je vais bien. C'est l'informateur, celui qui m'appelait. Il s'est pointé à notre hôtel et s'est tiré une balle.

– Kimberly ?

– Il a confirmé que Dinechara a enlevé et tué des prostituées. Le gamin l'aidait à se débarrasser des corps. C'était une victime de Dinechara, lui aussi, kidnappé quand il n'était qu'un gosse. Il ne savait pas... Il ne pouvait pas... Il s'est suicidé. Il a braqué le pistolet sur sa tempe et s'est fait sauter la cervelle. Il y en avait dans toute ma chambre.

– Tu vas bien ? » souffla Mac.

Et elle les surprit tous les deux en répondant : « Non. Je ne vais pas bien. Je suis en colère. Furieuse. J'ai envie de hurler, mais ça servirait à quoi ? Je suis arrivée trop tard. Nous sommes tous arrivés trop tard. Ce gamin avait besoin de nous, il y a dix ans. Nous l'avons laissé tomber. Comme Ginny Jones, comme Tommy Mark Evans. Cette affaire n'est qu'une longue suite de drames qui n'auraient jamais dû se produire. Et maintenant, je suis au pied d'un truc qu'on appelle Blood Mountain et où, avec beaucoup de chance, on retrouvera d'autres cadavres laissés par le salopard qui est à l'origine de tout ça. Je n'arrive pas à croire que je vais avoir un bébé dans un monde où les réseaux pédophiles s'étendent au lieu de diminuer. Où on enlève des enfants dans leur lit, dans leur chambre d'hôtel, pendant les vacances familiales dans un parc national. Si le maintien de l'ordre est une guerre, nous sommes en train de la perdre et ça me... fout en l'air.

– J'arrive, dit Mac.

– Pitié, non. Tu viens de passer une nuit blanche. Dors un peu.

– Tu es du côté de Woody Gap ou du côté du lac ?

– Tu connais Blood Mountain ? s'étonna-t-elle.

– J'ai grandi dans la région, tu te souviens ?

– Mac... Tu devrais vraiment dormir.

– Donne-moi deux heures. Qu'est-ce qui peut arriver en deux heures ? Je t'aime, Kimberly, et je serai bientôt avec toi. »

Fin de la communication. Debout derrière l'arbre, Kimberly essaya de savoir si elle était inquiète ou soulagée, effrayée ou désorientée. Elle avait surtout conscience de son pouls, trop rapide à la base de son cou. Et de la pluie, qui ruisselait des branches sur le sommet de son crâne et sur sa nuque, au point qu'elle eut l'impression que la forêt pleurait, alors qu'elle n'était pas du genre à avoir ces idées idiotes.

Alors elle caressa son ventre. Doucement, timidement.

« Coucou, bébé », murmura-t-elle. Puis, un instant après : « Je suis désolée. » Même si elle n'était pas bien sûre de la raison pour laquelle elle s'excusait.

Du coin de l'œil, elle aperçut son père au bord de la route, qui essayait d'attirer son attention. Elle soupira, se dirigea vers lui.

« Tu as parlé avec Ginny Jones, ce matin ? » lui demanda son père.

Elle lui répondit que non, curieuse, pendant que Rainie traversait la route pour les rejoindre.

« J'ai une question, dit Quincy. Que j'aimerais lui poser. Ça pourrait nous aider à éclaircir certaines choses. »

Kimberly haussa les épaules. Pendant que les saint-hubert travaillaient, eux poireautaient. Ils n'avaient rien de mieux à faire.

« Okay, on l'appelle. » Kimberly composa le numéro des services du shérif, mit son portable sur haut-parleur et le tint entre elle-même, Quincy et Rainie, réunis en un petit groupe.

Lorsqu'on décrocha, elle donna son nom et demanda à parler à l'agent chargé du dossier Ginny Jones. Il fallut quelques minutes, puis un adjoint anxieux prit l'appareil.

« C'est à quel sujet ? demanda-t-il.

– Kimberly Quincy, agent spécial du FBI. Je vous appelle suite à la récente arrestation de Virginia Jones. Je me demandais quand sa mise en accusation était prévue…

– C'est déjà fait.

– Pardon ? dit-elle en lançant un regard interloqué vers son père et Rainie, qui semblaient tout aussi surpris.

– La lecture de l'acte d'accusation a eu lieu à neuf heures trente ce matin. On l'a emmenée, on a fixé une caution et elle a été relâchée à dix heures quinze…

– *Pardon ?* »

Son exclamation furieuse fit sursauter Rainie et Quincy, tandis qu'à l'autre bout du fil, l'adjoint s'interrompait.

« Ben, la caution était fixée à dix mille dollars, recommença-t-il.

– *Pour complicité dans une tentative de meurtre sur agent fédéral ?*

– Ben, c'est lui-même que l'individu en question a tué, pas vous, alors ça semblait retirer l'essentiel de ses arguments au procureur.

– Ginny n'avait aucun moyen de savoir ce qu'Aaron choisirait de faire.

– Je ne fais que vous répéter ce qu'a dit le juge. La caution a été fixée à dix mille dollars. Elle a été payée…

– Par qui ?

– Heu… » Ils entendirent le choc d'un combiné qu'on reposait, puis une voix qui criait vers le fond de la pièce : « Hé, Rick. Tu sais qui a payé la caution pour Jones ? Une agence de cautionnement, la famille ? Humm. Okay. » L'adjoint revint. « Pas une agence. Un type du coin. Il avait un chèque de banque pour dix briques. Rick pense qu'il la connaissait parce qu'elle l'a pris dans ses bras sur le parking. »

Kimberly ferma les yeux. « Dites-moi qu'il ne portait pas une casquette.

– Hé, Rick… » Un instant plus tard : « Exact, une casquette rouge.

– *Bordel !* »

Et c'est à ce moment qu'elle comprit. Et, ne sachant pas s'il fallait en rire ou en pleurer, elle referma violemment le téléphone et donna un coup de pied dans une touffe d'herbe. « *Comment on a pu être aussi cons ? Bon sang, elle nous a fait marcher comme des bleus !* »

Son père et Rainie la regardaient avec des yeux ronds, alors elle leur mit les points sur les i sans cesser de donner des coups de pied dans l'herbe, à moitié folle de rage. « *Il faut tuer celui qu'on aime.* C'est la règle. *Il faut tuer celui qu'on aime.* Aaron Johnson est mort. Qu'est-ce que ça signifie en réalité ? »

Quincy comprit le premier. « Elle a réussi son examen de passage. Ginny Jones a tendu un piège à Aaron pour réussir son examen.

– Oui, et c'est nous les crétins qui la laissons s'en sortir. Dinechara a déposé la caution et est allé chercher Ginny. On les a vus enlacés sur le parking. Ils sont dans la nature, ensemble, et on est baisés.

– Tu ne crois tout de même pas… », commença Rainie.

Mais leur conversation fut soudain interrompue par les aboiements bruyants d'un chien, suivis d'un cri d'excitation. Tous trois assistèrent à un mouvement de foule, puis à d'autres exclamations excitées. Les chiens avaient repéré la piste et entraînaient Skeeter et le reste de la troupe dans la forêt.

38

« L'araignée sauteuse possède d'immenses yeux qui détectent les plus petits mouvements des insectes de passage. Elle commence par se rapprocher sans bruit de sa proie, puis s'élance et ouvre les mâchoires en plein vol pour infliger une morsure fatale à sa victime en atterrissant sur elle. »

Tiré de *Freaky Facts About Spiders*,
C. Morley, 2007

ILS MARCHÈRENT DES HEURES. LuLu et Fancy tiraient sur leurs laisses dans leur impatience de suivre la piste. Harold, derrière Skeeter, parcourait avec aisance le sentier escarpé et cahoteux qui serpentait entre souches d'arbres, affleurements rocheux et ravines creusées par la pluie. À intervalles réguliers, il s'arrêtait pour nouer un ruban de géomètre orange autour d'un tronc et signaler le chemin pour ses collègues plus lents, plus humains. Rachel lui avait également confié l'appareil photo, pensant qu'il serait sur place avant tout le monde et qu'il pourrait commencer les constatations.

Plusieurs membres de l'équipe de recueil d'indices, restés en faction au véhicule d'intervention, gardaient le contact par radio. Au cas où ils auraient besoin de matériel supplémentaire, Rachel pouvait le faire venir et l'agent suivrait les nœuds orange pour monter. Conformément au règlement, tout le monde portait un gilet pare-balles et s'était muni d'une trousse de secours ainsi que d'une arme à feu personnelle. La sécurité était toujours une priorité, même quand on courait après des cadavres.

Kimberly fut distancée plus tôt qu'elle ne l'aurait souhaité. La tête voulait, mais le corps ne suivait pas. Elle ressentait des tiraillements dans l'aine, sous son abdomen toujours plus volumineux : ses tendons et ses ligaments distendus avaient déjà assez de mal comme ça à s'adapter au changement de son corps sans devoir, en prime, gravir une montagne au pas de course. Quincy et Rainie marchaient à ses côtés. Kimberly supposait que Sal était plus loin devant, là où ça se passait.

« Besoin d'une pause ? demanda son père.

– Non.

– Moi, j'ai besoin d'une pause, déclara Rainie.

– Oh, ça va. Je suis enceinte, pas stupide. »

Rainie sourit et ils continuèrent, même s'il était bien possible que Kimberly ait encore un peu ralenti l'allure. Elle entendait les chiens au loin, de temps à autre un murmure de voix. À part ça, la forêt s'était refermée sur eux, voûte verdoyante et humide qui sentait les feuilles moisies et les troncs en décomposition. À cette altitude, la piste décrivait une série d'épingles à cheveux serrées, et des grosses racines formaient des marches rudimentaires sous leurs pieds. La pente était forte, la progression lente. L'effort les faisait tous haleter.

« Mac a appelé ? » demanda son père.

Kimberly hocha la tête, trop essoufflée pour parler.

« Comment s'est passée sa soirée ? continua Quincy.

– Belle saisie de drogue. » Elle s'interrompit. « Il est… content.

– Tu lui as raconté ce qui s'est passé ? demanda son père avec douceur.

– Il arrive, parvint-elle à lâcher, ce qui était suffisant.

– Tu dis que Dinechara a payé la caution de Ginny ? reprit son père. Une idée de la raison ?

– Peut-être qu'ils quittent la ville », suggéra Rainie.

Elle s'arrêta au sommet d'un virage, sortit de l'eau. Kimberly profita de cette pause pour inspirer quelques grandes goulées d'air.

« Il a besoin d'elle, répondit-elle enfin. Sinon, pourquoi prendre le risque de se pointer au tribunal du comté après avoir mis le feu chez lui ? Pourquoi sacrifier dix mille dollars ? Il a payé sa caution parce qu'il a un plan. Mais je veux bien être pendue si je sais lequel.

– Tu penses qu'elle est complice ? demanda Quincy.

– Je ne sais pas. Tu vois, à entendre Ginny, Dinechara l'a enlevée et forcée à se prostituer. C'est une victime. Et pourtant... Elle vivait toute seule à Sandy Springs. Imaginez toutes les occasions de s'enfuir. Au lieu de ça, elle est restée deux ans dans les parages, alors même qu'elle savait qu'il avait tué sa mère et manigancé le meurtre de Tommy Mark Evans. Elle est assez maligne pour prendre un agent du FBI comme cible, mais pas pour décamper quand elle en a l'occasion ? Je ne marche pas. J'ignore ce qui se passe, mais elle ne fait pas ça simplement parce que Dinechara le lui a dit. Elle aime ça. Le danger, la manipulation, la violence. Elle est carrément tordue, cette fille.

– Syndrome de Stockholm, conclut posément Quincy.

– Plus tordue que ça.

– Tu ne l'aimes pas.

– Elle a quand même organisé mon assassinat.

– Mais tu n'accuses pas Aaron, qui tenait le pistolet. »

Kimberly piaffa, plus agacée par ces questions qu'elle ne l'aurait dû, elle le savait. « Hé, d'après ce qu'on sait, il a dû vivre avec Dinechara. Il a été enlevé plus tôt, il a souffert davantage.

– Mais s'il avait été enlevé plus tard, s'il avait moins souffert ? Où se trouve exactement la limite entre les victimes et ceux qui n'ont pas été assez martyrisés ?

– Ça, c'est la question à un million de dollars, non ? »

Kimberly décocha à son père un regard qui signifiait la fin de la conversation. Il pouvait jouer sur les mots autant qu'il voulait : dans l'esprit de Kimberly, Aaron et Ginny, c'était différent, un point, c'est tout.

Ils reprirent leur marche. Le bruit des chiens se fit plus fort. Ils atteignirent finalement le sommet d'une petite butte et découvrirent le reste de l'équipe attroupé au bord d'une clairière. Les chiens exploraient la zone, flairaient les buissons, revenaient en arrière, avançaient, revenaient en arrière. Skeeter les suivait patiemment pas à pas, ils tiraient sur son bras en avant, en arrière, d'un côté, de l'autre.

« Ils ont perdu la piste, expliqua Harold en venant se poster à côté d'eux. Vous voyez, ils la retrouvent à peu près ici, mais ensuite ils la perdent à nouveau, d'où les allers-retours. »

Rachel balayait la clairière du regard avec une expression que Kimberly connaissait bien.

« Tu crois que c'est ici », dit Kimberly. C'était une affirmation, pas une question.

« Je le sens bien. Qu'est-ce que tu en dis ? »

Kimberly examina les alentours. Ils étaient sans doute aux deux tiers de l'ascension, dans une clairière délimitée d'un côté par une corniche rocheuse. La deuxième partie ressemblait à un pré, une étendue herbeuse à l'abri d'un vaste parapluie d'arbres à feuilles persistantes. Vers l'avant, un énorme rocher saillant formait un siège. Par une belle journée, ces grosses pierres offraient sans doute une belle vue, peut-être même avec des petits louveteaux en train de gambader. L'un dans l'autre, un chouette endroit pour avaler un casse-croûte.

Ou creuser une tombe.

« Tu as apporté le matériel de relevé topographique ? demanda Kimberly à Rachel.

– Comme si j'allais oublier. Harold ? »

Harold se retourna docilement pour lui présenter un sac à dos avec de longs piquets orange sanglés sur le côté. Il leur donna son sac, puis partit discuter de la situation avec Skeeter et le shérif Duffy. Kimberly commença à disposer le matériel sous le regard intéressé de Rainie et Quincy.

« Vous avez déjà assisté à une récupération de cadavres en extérieur ? » leur demanda Kimberly.

Ils firent signe que non. De par son rôle de profileur, Quincy était voué à intervenir après coup. Rainie aurait pu avoir l'occasion lorsqu'elle était shérif adjointe d'une petite ville, mais elle n'avait apparemment pas eu cette chance. Kimberly, en revanche, participait au bas mot à une demi-douzaine de ces opérations tous les ans. Comme tous ses collègues, elle avait suivi une semaine de formation à la récupération de cadavres en extérieur au centre d'anthropologie médico-légale de l'université du Tennessee, plus connu sous le nom de « Ferme des Cadavres ».

« Voilà comment ça se passe, expliqua-t-elle en brandissant le premier piquet fin. On se met en rang d'oignons pour former une ligne qui va d'un bout à l'autre de la clairière. On fait un pas, on sonde le sol, on attend que ses voisins en fassent autant et ensuite on avance à nouveau en bloc. Si vous sentez, disons, une poche de terre plus molle où le sol a manifestement été remué, voire un objet dur qui mérite qu'on y revienne, vous signalez l'endroit avec un fanion.

« Quand on aura fini la recherche en ligne, on fera un quadrillage et on dressera une carte de toute la zone. Ensuite, une deuxième équipe reviendra sur les fanions et travaillera carré après carré pour explorer le site.

– En quoi ça consiste, de revenir sur un fanion ? demanda Rainie.

– On se couche à plat ventre et on creuse à la truelle. Chaque pelletée de terre est déposée dans un seau, chaque seau plein est emporté à proximité où il sera renversé sur un crible et tamisé par une autre équipe qui aura pour mission de rechercher des petits fragments d'os, des projectiles, des dents, etc. Certains os humains sont étonnamment petits, surtout ceux des mains. Si on ne tamise pas, on peut carrément passer à côté. »

Rainie semblait quelque peu horrifiée. « On va passer au crible tous les seaux de terre qu'on va enlever ?

– C'est la procédure.

– On va rester là des jours, dit Rainie en regardant la clairière autour d'elle.

– Possible, confirma Kimberly. Ça dépend du nombre de zones où on plante un fanion. Les tombes clandestines se présentent inévitablement comme une juxtaposition de creux et de bosses. La bosse, c'est la terre que le tueur a dû enlever pour creuser la tombe ; le creux, c'est la tombe elle-même, car lorsque le corps se décompose, le remblais s'affaisse. Inutile de s'approcher du pied des grands arbres : trop difficile à creuser avec les racines, même pour un fou dangereux. Et pour finir, on peut essayer de repérer les zones avec beaucoup de mauvaises herbes, qui viennent bien dans la terre meuble d'un sol fraîchement retourné. Le hic, c'est que les anciennes chutes d'arbres créent la même alternance de bosses et de cuvettes. La règle d'or, c'est : "On creuse et on voit."

– Pourquoi à plat ventre ? demanda Quincy. Ça ne doit pas être pratique. Pourquoi ne pas se contenter de creuser à la pelle jusqu'à tomber sur quelque chose ?

– Parce que la plupart des tombes clandestines se trouvent à faible profondeur. Si le corps est complètement réduit à l'état de squelette, on peut faire de gros dégâts en l'écornant avec une pelle. La récupération de cadavres suit la même procédure qu'une fouille archéologique – autrement dit, il faut toucher le moins possible au squelette tout en enlevant toute la terre autour. Vous allez nous voir nous servir de pinceaux, tout ce que montre History Channel. Et avant de déplacer le plus petit os, on notera toutes les informations possibles et imaginables sur le squelette *in situ*, on fera des photos, des cartes, des diagrammes. C'est indispensable parce qu'il n'y a aucun moyen d'enlever un squelette en bloc. Au contraire, quand on sera enfin prêts, on mettra les os les uns après les autres dans des sacs pour qu'un anthropologue judiciaire le réassemble plus tard.

– Tu as beaucoup plus de patience que moi, constata Rainie.

– Pas franchement. »

Harold était de retour avec le shérif Duffy et Sal sur ses talons. « Skeeter dit que ses chiens ont besoin d'une pause. Il ne sait pas bien s'ils ont perdu la piste ou s'ils sont juste fatigués, mais d'une manière ou d'une autre, c'est un bon moment pour se reposer. Il va les éloigner un peu et on pourra commencer à fouiller la clairière. »

Duff se racla la gorge. « Très bien, je vais rassembler mes hommes. Vous nous direz quoi faire ?

– Absolument. »

Duff se dirigea vers ses adjoints, qui secouaient leurs imperméables et sifflaient des bouteilles d'eau. En cinq minutes, il forma le groupe et Rachel leur fit le topo officiel sur la recherche de tombes clandestines. Puis Harold les aligna, en intercalant les volontaires inexpérimentés entre les pros du relevé d'indices. Sal se retrouva à côté de Kimberly, ni l'un ni l'autre ne dirent mot et ils s'apprêtèrent à faire le premier pas en avant.

L'orage était finalement passé, les rochers fumaient sous le soleil de l'après-midi qui perçait derrière les nuages noirs. Sous son poncho imperméable, Kimberly s'agitait, sentant la température monter, l'inconfort poisseux d'un tissu qui ne respirait pas. Elle ne pouvait pas se résoudre à regarder Sal et s'apercevait qu'il lui rendait la pareille.

Il aurait fallu qu'elle dise quelque chose, qu'elle brise la glace avant que Mac débarque, pose les yeux sur eux deux et se fasse des idées.

Deuxième pas. Troisième. Quatrième. Quelque part sur la ligne, un des adjoints poussa une exclamation et Harold l'aida à ficher un fanion jaune. Mais la plupart des agents échangeaient des regards inquiets. Est-ce que c'est un cadavre que je viens de sentir ? Mais à quoi ça ressemble, un cadavre ? Difficile à savoir tant qu'on n'a pas participé à la manœuvre plusieurs fois.

Kimberly trouva une poche meuble. Planta un fanion. À côté d'elle, Sal jura dans sa barbe.

« Quoi ? demanda-t-elle.

– Je ne sais pas. C'est… quelque chose. Mais ce n'est peut-être qu'un bout de caillou, ou un bout de racine ou une motte de terre. C'est dur, mais trop petit pour être un os.

– Les os peuvent être tout petits, répondit-elle avec indulgence. Si tu n'es pas sûr, mets un fanion. Mieux vaut en faire trop que pas assez.

– Je ne sais pas comment tu peux faire ça pour gagner ta vie, murmura Sal en plantant un fanion.

– Parce que de temps en temps on trouve une preuve irréfutable. Ou le corps d'une petite disparue dont les parents ont attendu quatre ans pour pouvoir l'enterrer. Ou peut-être juste une alliance en or. Ça ne paraît pas grand-chose, mais quand celui que tu aimais était dans l'avion qui a frappé le Pentagone, une alliance, c'est tout ce qui reste. Alors, tu la prends. Tu prends tout ce à quoi tu pourras t'accrocher pour faire ton deuil. »

Sal ouvrit la bouche, parut vouloir répondre quelque chose, mais à ce moment-là un autre cri retentit, on réclamait un fanion jaune. La ligne attendit les ordres et, sur le signal d'Harold, fit un pas en avant, progressant plus vite à présent que tout le monde prenait le coup de main.

Lorsqu'ils eurent traversé la clairière, trois douzaines de fanions jaunes se dressaient comme des pissenlits dans la prairie. Ça ne plaisait pas à Kimberly. Les espacements ne collaient pas. Les fanions étaient disposés de manière trop désordonnée, trop aléatoire. Vu la taille d'une tombe, on aurait dû trouver des fanions regroupés là où plusieurs personnes, ou une même personne, sur plusieurs pas, avaient rencontré un objet. Ce n'était pas le cas.

Kimberly voyait, à trois mètres, que Rachel était du même avis. La rouquine, les deux mains sur les hanches, faisait la moue.

« Qu'est-ce que tu veux faire ? demanda Harold.

– Un quadrillage, bien sûr, répondit brusquement Rachel. Pas vraiment le choix, à vrai dire. Quand on a un doute, on creuse. » Elle se passa la main dans les cheveux. « On a à la fois trop et pas assez de fanions. Fait chier.

– On pourrait faire monter un chien spécialisé dans la recherche de cadavres, suggéra Kimberly. Voir si on a une touche.

– On aurait pu employer des chiens de recherche de cadavres ? demanda Sal.

– Il faut d'abord sonder, expliqua distraitement Rachel en se mordillant la lèvre. Les sondages libèrent les gaz de décomposition. Tu attends trente à quarante minutes pour que tout ça décante et ensuite tu fais venir le chien. Ça marche à merveille.

– Il nous a fallu quatre heures pour gravir ce sentier, fit remarquer Sal. Pas moyen de faire venir un chien dans la prochaine demi-heure. Et les saint-hubert ?

– Ce sont des pisteurs, ils suivent déjà une trace. Ça ne ferait que les désorienter, intervint Harold. On pourrait couper l'équipe en deux, suggéra-t-il à Rachel. Tu en laisses la moitié ici pour commencer à travailler sur ces fanions et tu envoies l'autre moitié avec LuLu et Fancy, à supposer qu'ils retrouvent la piste. Autant aller vérifier au sommet. Comme ça on aura au moins une meilleure idée de l'endroit où reprendre demain.

– La montagne n'est pas infinie, ajouta Kimberly. Ça ne peut pas être bien loin. »

Rachel hocha distraitement la tête. « Ouais, d'accord. Trouvez-moi Skeeter, voyez ce qu'il en dit pour ses chiens. On va faire deux groupes. Les plus fatigués (son regard se dirigea vers Kimberly) resteront ici. Les plus acharnés (regard vers Harold) peuvent continuer jusqu'au sommet, chercher un meilleur site. »

Kimberly trouva plutôt saumâtre d'être rangée dans le même sac que ses collègues les moins en forme. D'un autre côté, elle avait mal au ventre et une faim de loup. Harold partit chercher Skeeter. Sal annonça à l'ensemble du groupe que le moment était bien choisi pour casser la croûte.

Il suivit Kimberly jusqu'à l'endroit où Rainie et Quincy s'étaient installés sur un tronc d'arbre. Quincy mangeait une barre de céréales ; Rainie, des biscuits fourrés au beurre de cacahuètes, le grand format. Kimberly s'assit à côté de Rainie.

« Un biscuit au beurre de cacahuètes ? lui offrit Rainie.

– Et comment ! Une crème dessert ?

– Je ne dis pas non. »

Sal mangea un sandwich au jambon rapidement jugé trop ennuyeux par les femmes. Silencieux et détendus, ils enlevèrent leurs imperméables et mangèrent leurs en-cas jusqu'à ce que Sal regarde vers Kimberly, ouvre de grands yeux et blêmisse.

« Ne bouge pas, murmura-t-il.

– Quoi ? demanda-t-elle, surprise, en bougeant immédiatement.

– NE BOUGE PAS ! »

Cette fois-ci, elle s'immobilisa et regarda Sal avec inquiétude. « Quoi ? souffla-t-elle.

– Rainie, ordonna-t-il à voix basse, tu es plus près. Là, sur son épaule, tu la vois ?

– C'est une araignée, dit Rainie sans comprendre. Pourquoi tout ce cirque pour une petite araignée brune ?

– Oh non, dit Kimberly en regardant Sal avec effroi. Une araignée violoniste ? »

Il confirma.

« Je croyais qu'elles étaient craintives », dit-elle faiblement, très consciente à présent de la peau dénudée de son cou, du col échancré de sa chemise, de la sueur salée qui séchait à la base de sa gorge.

« Peut-être qu'elles aiment les biscuits au beurre de cacahuètes. » Sal avait posé son sandwich. Il se leva, fit un pas, les yeux rivés sur l'épaule gauche de Kimberly. « Je vais essayer de faire ça vite.

– Elle est sur ma chemise ?

– Pas tout à fait. »

Elle ferma les yeux. « Mets-y de la conviction, Sal. Dès que tu bouges, tu m'enlèves ce sale truc. Si tu hésites... elle va paniquer et mordre.

– Je sais, je sais. »

Rainie et Quincy s'étaient levés, manifestement très inquiets. Puis Rainie regarda Quincy, cria « merde » et lui donna une claque sur la clavicule. Il n'en était toujours pas revenu lorsque Rainie le frappa à l'épaule et en haut de la cuisse.

« Un, deux, trois », compta rapidement Sal avant de taper sur l'épaule de Kimberly. Dès que ce fut chose faite, elle se leva d'un bond du tronc d'arbre et se retourna.

« Putain de merde, cria Sal en lui assénant trois grands coups dans le dos.

– Qu'est-ce qu'il y a ? Qu'est-ce qu'il y a ?

– Des araignées. Il y en a... partout. »

Tous quatre s'écartèrent du tronc. Et alors Kimberly les aperçut, ces fins et délicats corps bruns qui couraient sur l'écorce friable en cherchant désespérément un refuge.

Rainie dansait sur place en essayant de vérifier son ventre, son dos, ses flancs pendant que Quincy lui ordonnait de se tenir tranquille pour pouvoir l'aider. Sal tournait sur lui-même pour vérifier ses chaussures et ses chaussettes, la peau à nu de ses mollets.

Kimberly les observait tous, et son regard allait de ses compagnons au tronc couvert d'araignées et *vice versa.* Crawford-Hale leur avait expliqué que les araignées violonistes sont craintives. Elle avait dit qu'on les rencontrait rarement et, pourtant, il y avait là une véritable infestation.

Au bout d'un sentier qu'avaient emprunté Dinechara et son prisonnier. Dans une clairière qui serait l'endroit idéal pour se débarrasser de cadavres, sauf que la disposition des fanions n'était pas cohérente.

Et ce fut alors qu'elle se rappela. Ce qu'on lui avait dit dès le début. Ce dont elle aurait dû se souvenir d'emblée.

Elle s'approcha du tronc.

Et leva les yeux.

39

*P*ENDANT MES PREMIÈRES SEMAINES DE LIBERTÉ, *je n'ai pas su quoi faire. Plein aux as, impatient de mener la grande vie, j'ai pris une chambre dans un Best Western. Je me suis acheté mon premier jeu vidéo, j'ai passé quatre-vingt-seize heures les yeux rivés sur l'écran jusqu'à ce qu'ils soient injectés de sang et je me suis évanoui tellement j'avais mal au crâne.*

J'ai fait huit kilomètres à pied jusqu'au magasin pour m'acheter un nouveau jeu et, pendant que j'étais là-bas, j'ai eu un coup de cœur pour un vélo Huffy. Alors je l'ai acheté aussi, et puis des nouveaux vêtements et des dessous propres. Et ça m'a donné une telle sensation de bien-être que j'ai acheté à Henrietta son terrarium en verre rien qu'à elle avec des cailloux colorés et un petit abreuvoir. Je l'ai installée au-dessus de la télé, d'où elle pouvait me regarder jouer aux jeux vidéo toute la nuit, les mains tremblantes de manque de sommeil, le teint de plus en plus terreux.

Pas moyen de me reposer, pas moyen de me détendre, pas moyen de quitter la porte des yeux. J'attendais qu'on frappe à la porte. Que la porte s'ouvre sur le Burgerman qui se dessinerait dans l'embrasure avec son crâne sanguinolent défoncé.

« Eh, petit, criait-il dans mes rêves. Tu croyais vraiment pouvoir tuer un monstre comme moi ? » Et là, il se mettait à rire, mais à rire, jusqu'à ce que je me réveille trempé de sueur et appelant, absurdement, ma mère.

J'ai joué à beaucoup de jeux vidéo pendant ces premières semaines.

Vers la troisième, le gérant me tenait à l'œil chaque fois que je venais prendre les bagels gratuits du petit-déjeuner. Un matin, il m'a demandé s'il pouvait voir une pièce d'identité. Paniqué, j'ai bafouillé comme un imbécile et je me suis repris, le temps de lui répondre qu'il fallait que j'aille la chercher dans ma chambre.

J'ai couru tout du long jusqu'au magasin pour acheter trois sacs de voyage bien costauds. De retour à la chambre d'hôtel, j'ai tout mis dans les sacs, y compris Henrietta. Dès qu'il a fait noir, on s'est tirés. Connard de gérant.

J'ai trouvé une auberge de jeunesse, où je me disais que je me ferais moins remarquer au milieu d'autres adolescents solitaires. C'était pas terrible. Chambre spartiate, pas de télé commune. La première nuit, on m'a piqué mon vélo. La deuxième, ma console.

On est repartis, Henrietta et moi. On allait d'un endroit à l'autre, peu de sommeil, peu de nourriture, peu de temps pour se reposer. Il fallait bouger en permanence. Le Burgerman venait.

J'avais souhaité une vie meilleure. Je croyais que je vivrais dans un appartement propre dans un joli quartier de la ville. Je croyais qu'après avoir enfin terrassé le dragon, je pourrais de nouveau être normal.

Je me suis retrouvé précisément dans les rues dont le Burgerman avait fait son terrain de chasse, à fumer du crack et à faire ce que je pouvais pour ne jamais toucher terre.

Ensuite, l'argent s'est épuisé. Je suis brutalement redescendu. Je me suis réveillé dans une mare de vomi, et on m'avait tout volé sauf le sac dans lequel vivait Henrietta.

Alors, j'ai compris pour la première fois que le Burgerman était vraiment mort. Plus question de courir se réfugier dans un appartement miteux. Plus question d'exiger dix dollars parce que je les avais « gagnés ». Plus de petits gâteaux qui apparaissaient comme par magie dans les placards.

Le Burgerman était mort et j'étais seul.

Inconsolable, j'ai pleuré comme un veau pendant des heures, roulé en boule près d'une benne à ordures, terrifié par ma solitude, écœuré par mes larmes inutiles. J'ai sorti Henrietta du sac de voyage et je l'ai posée sur mon épaule. Je l'ai suppliée de me mordre, d'abréger mes souffrances. De s'en donner à cœur joie.

Elle s'est contentée de rester là, à me caresser le cou d'une patte velue jusqu'à ce que je me calme enfin et que je m'endorme en frissonnant. Quand je me suis réveillé, Henrietta était à dix centimètres de moi, en train de dévorer un cafard. Je l'ai observée un moment, admirant sa précision et sa délicatesse pendant qu'elle arrachait la tête du cafard, aspirait ses entrailles juteuses et commençait à réduire toute la carcasse en bouillie.

Un autre cafard est passé par là. J'ai attrapé son gros corps entre mon pouce et mon index et je me le suis fourré dans la bouche. J'ai croqué une première fois et un ignoble liquide chaud et salé a jailli sur ma langue. J'ai recraché la bestiole, le cœur au bord des lèvres, et je me suis essuyé la bouche du dos de la main. Je laisserais les cafards à Henrietta. J'avais envie d'un gâteau.

Seulement je n'avais ni argent, ni adresse, ni pièce d'identité valide. J'étais passé du statut de jouet du Burgerman à celui de voyou des rues. Alors j'ai fait ce qui s'imposait : des propositions malhonnêtes aux six premiers passants. Rapidement, j'ai eu l'argent pour me payer l'hôtel cette nuit-là.

N'avais-je que cela comme horizon ? Des journées interminables à baisser mon froc devant des obèses poilus qui ne jouissaient qu'en baisant des gamins ? Dans les bons jours, peut-être obtenir un joint ou une dose d'acide gratuite pour rendre tout ça moins réel, plus gérable ?

C'était Henrietta qui vivait dans une cage, mais c'était moi qui ne pouvais pas me libérer.

Et c'est là que je me suis souvenu : j'avais encore les films du Burgerman, bien à l'abri sous le regard vigilant d'Henrietta dans ce dernier sac de voyage. Des heures et des heures de vidéo. Ces hommes-là adorent ce genre de merde.

J'ai vendu la première cassette pour cinquante dollars. Ça a tellement plu au gars qu'il s'est repointé quatre heures plus tard en me proposant un millier de dollars pour le tout ; il avait les yeux trop brillants, la bave aux lèvres. À cet instant précis, j'ai su que je tenais quelque chose. Je lui en ai vendu une autre pour cinq cents dollars et je me suis rendu d'un pas décidé au magasin d'électronique le plus proche pour investir dans ma toute nouvelle occupation.

Le directeur du magasin s'est montré très aimable, surtout quand il a compris qu'il s'agissait de « films amateur ». D'un seul coup, il fallait qu'il me montre sa réserve. Sauf que cette fois, c'était lui qui était à genoux et moi qui avais le pouvoir. Ça m'a plu. Ça m'a vraiment, vraiment plu.

Bob m'a appris des trucs. Comment monter, découper et mélanger trois heures de vidéo pour en faire huit films amateur différents que je pouvais tous revendre. Il m'a acheté mon premier ordinateur. Il m'a fait entrer dans les bons forums, où des utilisateurs qui se faisaient appeler Défonceman ou Jeveuxdelachatte m'ont donné les tuyaux pour démarrer ma nouvelle activité à domicile : la pornographie enfantine.

J'ai appris à exploiter le grand marché international, où les sites commerciaux comme le mien peuvent stocker leurs précieuses images sur toute une série de serveurs, si bien qu'on peut difficilement remonter jusqu'à eux. Ou alors, quand les policiers sont devenus plus dégourdis, comment fragmenter une image et disperser ses composantes aux quatre coins du monde. L'ère du numérique nous rend la vie toujours plus facile.

La pornographie enfantine s'adresse à tout un éventail de clients. À une extrémité, les « consommateurs à la petite semaine », qui se contenteront de la photo coquine d'un enfant tout habillé mais pris dans une pose provocatrice. Et puis il y a les accros purs et durs. Les gros acheteurs. Ceux-là veulent des enfants de moins de douze ans, des filles, en train de hurler.

Comme n'importe quel business, la pornographie va là où est l'argent. Il y a plus de dix mille sites Internet en activité. Et quatre-vingt-onze pour cent d'entre eux montrent des enfants prépubères en train de hurler.

Il s'est avéré que Bob aimait ça. Et quand il a découvert que rien ne pouvait me choquer, ça lui a fait très plaisir. Tellement plaisir qu'il a commencé à me faire vraiment chier.

Alors un jour, je suis allé à son appartement et je l'ai tabassé à mort avec une batte Louisville. Je ne sais pas pourquoi. Peut-être parce que c'était le printemps et que je sentais partout l'odeur de la terre fraîchement retournée. Ou peut-être parce qu'il avait plu la nuit précédente et que ça m'avait donné des envies de meurtre.

J'ai pris son ordinateur, son matériel d'enregistrement et les faux papiers qu'il m'avait gracieusement procurés. Et nous avons de nouveau taillé la route, Henrietta et moi.

Nous avons erré. J'étais plus âgé maintenant, moins voyant. J'ai acheté une voiture et trouvé un appartement bon marché, un de ceux où les voisins ne remarquent jamais rien. Je passais mes journées sur Internet, sur des forums, YouTube, MySpace. Je me suis aperçu qu'on y trouve plein de gosses qui se sentent seuls et qui s'imaginent vraiment que je veux être leur ami. Et je me suis aperçu que beaucoup de parents sont encore plus naïfs que les miens.

Dans la journée, je dormais par tranches d'une heure ou deux et, la nuit, je rôdais sur Internet. J'ai gagné beaucoup d'argent et je m'en suis servi pour faire des provisions de tequila, comme ça quand je traversais une mauvaise passe, que l'obscurité descendait pendant des jours entiers et que je n'entendais plus que des hurlements d'enfants, les grognements du Burgerman ou le raclement d'une pelle qui creusait une terre bien tassée, je pouvais m'enfiler des bouteilles entières de tequila. J'offrais les vers à Henrietta, mais elle n'en voulait pas.

Une nuit, alors que j'en étais à une demi-bouteille et que j'essayais d'expliquer à Henrietta à quel point j'avais besoin de sommeil, j'ai eu l'idée du siècle. Henrietta était là le jour où c'était arrivé. Elle m'avait aidé à tuer le Burgerman. Et pourtant, elle dormait tout le temps. Pourquoi ? Parce qu'avec ses huit yeux, elle pouvait voir dans toutes les directions.

Alors je me suis rendu au salon de tatouage le plus proche, avec Henrietta sur mon épaule, qui jouait avec mes cheveux. J'ai expliqué au gars ce que je voulais exactement. Et quand il a blêmi et tenté de me dissuader, j'ai largué cinq mille dollars en liquide et je me suis assis, la bouteille de tequila toujours à la main. J'ai hurlé pendant les cinq heures qui ont suivi, jusqu'à ce qu'il ait fini. Ça m'a fait un mal de chien pendant un mois ; j'avais le front enflé et chaud au toucher.

Le premier jour où l'inflammation a régressé, j'ai dormi quatre heures d'affilée. J'ai dit à Henrietta qu'elle était géniale. Et, à partir de ce moment-là, j'ai su que j'allais vivre. Que j'allais gagner. Henrietta m'avait sauvé.

Et puis un jour, je l'ai vu. Il jouait au basket dans le parc. Petit, mais nerveux. Le gosse chétif qui a appris à compenser son manque de centimètres par la vitesse. Il a voulu faire un double pas et j'ai surpris son mouvement du coin de l'œil. Un instant, j'ai eu une sensation de déjà-vu tellement forte que ça m'a coupé le souffle.

Le gamin me ressemblait trait pour trait. Vingt ans plus tôt. À l'époque où j'avais un nom. Une famille. Un avenir.

Et j'ai su ce que je devais faire.

Vous vous croyez en sécurité. Classe moyenne, banlieusard, la bonne voiture, la jolie maison. Vous croyez que les malheurs n'arrivent qu'aux autres – par exemple aux abrutis qui vivent dans des villages de mobile homes où la proportion de délinquants sexuels fichés par rapport au nombre d'enfants est parfois de un sur quatre.

Mais pas à vous, jamais à vous. Vous êtes trop bien pour ça.

Est-ce que vous avez un ordinateur ? Parce que dans ce cas, je suis dans la chambre de votre enfant.

Est-ce que vous avez un profil personnel en ligne ? Parce que dans ce cas, je connais le nom de votre enfant, son animal de compagnie et ses loisirs préférés.

Est-ce que vous avez une Webcam ? Parce que dans ce cas, j'essaie en ce moment même de persuader votre fils ou votre fille d'enlever son tee-shirt en échange de cinquante dollars. Juste un tee-shirt. Où est le mal ? Allez, c'est cinquante dollars.

Écoutez-moi. Je suis le Burgerman.

Et je viens vous prendre.

40

« L'araignée portia est une véritable cannibale. Elle se faufile discrètement sur la toile d'une autre et tire sur la soie. Croyant avoir capturé un insecte, la propriétaire de la toile s'approche de l'intruse, qui passe alors à l'attaque, tue et dévore sa proie surprise. »

Tiré de *Freaky Facts About Spiders*,
C. Morley, 2007

AU DÉBUT, Kimberly ne vit rien. Puis le vent se mit à souffler et elle aperçut la forme, qui oscillait doucement à quinze mètres au-dessus d'elle, presque comme une pomme de pin, mais en beaucoup plus gros.

« Rachel ! Harold ! s'exclama-t-elle avec animation. Tout le monde, regardez au-dessus de vous ! Les corps sont dans les arbres ! Ils sont *suspendus* aux branches. »

Elle eut vaguement conscience que d'autres gens se levaient d'un bond avec des cris de surprise et prenaient du recul pour examiner les branchages au-dessus d'eux. Mais, surtout, elle ne quitta pas des yeux une forme tout en longueur emmaillotée dans un tissu chiné vert et brun. Elle distinguait à présent l'extrémité mince de pieds ligotés et, au-dessus, les épaules plus larges, la forme arrondie d'une tête. On aurait dit une momie égyptienne, enveloppée dans du tissu et de la corde puis suspendue pour l'éternité.

Le vent souffla à nouveau et la longue forme élancée se balança avec une quiétude sinistre qui hérissa les poils des avant-bras de Kimberly.

« Qu'est-ce que c'est que ce truc ? » murmura Sal à côté d'elle. Derrière eux s'éleva un autre cri, puis un autre, à mesure qu'ils repéraient les silhouettes macabres pendues au-dessus d'eux.

« Il se prend pour une araignée, tu te souviens ? murmura Kimberly. Alors il les a enveloppées dans un cocon et accrochées dans sa toile. Bon sang, ce n'est pas étonnant que personne ne les ait jamais trouvées. Qui pense à regarder en l'air ?

– De la soie, indiqua Quincy derrière eux. Des vieux parachutes de l'armée, à vue de nez. De la soie parce que c'est cohérent, du camouflage militaire parce que ça se confond mieux avec les arbres.

– Du Nylon, corrigea Kimberly. Aaron me l'a dit. Pour des raisons pratiques : la soie est fragile, elle se décompose complètement en moins de trente-cinq mois. Pareil pour la laine. Le coton fait un peu mieux, il résiste jusqu'à quarante-huit mois, mais le Nylon ne présente aucun signe de détérioration même au bout de quatre ans. C'est ce qu'on fait de plus solide comme tissu. »

Son père la regardait avec un petit sourire. « Un point pour toi. Beau travail, agent.

– Oh, attends encore un peu avant de t'attendrir sur moi. Je n'ai toujours aucune idée de la manière dont nous allons descendre ces cadavres. »

Harold était revenu au centre de la clairière. Rachel aussi. Kimberly et Sal les rejoignirent, se regroupant pour un conseil de guerre pendant que les adjoints et les membres de la brigade de relevé d'indices continuaient à scruter les branches.

« On a au moins une dizaine de corps ! s'exclama Harold. Je vais planter un fanion jaune au pied de chaque arbre, du côté où le corps est suspendu.

– Il va nous falloir le tachéomètre électronique, déclara Rachel, qui se mordillait la lèvre en réfléchissant à la suite des opérations. C'est la seule manière de cartographier une scène de crime qui se trouve littéralement dans les airs. J'appelle en bas, je demanda à Jorge et Louise de le monter. Mais il va nous falloir une balise pour nous servir de référence. Harold ?

– Je peux regarder sur la carte de l'Institut de géologie que j'ai dans mon sac. Sinon, le poste de commandement peut aller voir sur leur site Internet la balise la plus proche. Je suis sûr qu'elle est relativement accessible ; les gars de l'Institut n'aiment pas plus que nous crapahuter dans les broussailles.

– Bien. On fait monter le tachéomètre électronique, on se cale sur le point de référence et ensuite on commence à cartographier le site dans son ensemble avant de faire les relevés pour chaque corps considéré comme une mini-scène. À ce propos, il va nous falloir des rouleaux de papier de boucherie, des sacs mortuaires, des sacs à pièces à conviction pour les cordes et des civières pour descendre les corps de la montagne. On devrait aussi passer un coup de fil au cabinet du légiste pour qu'ils organisent le transport. Voyons, ça nous laisse encore… le groupe électrogène, les projos… Est-ce que je peux faire monter un Green Gator par la piste qu'on vient d'emprunter ?

– Non, répondit Harold.

– Un autre chemin ?

– Non.

– Merde, dit Rachel en recommençant à se mordiller la lèvre. Je demande deux autres équipes en renfort. Si on doit monter tout ça à pied, il va nous falloir plus de main-d'œuvre…

– Hé, hé, HÉ ! » Nouveau cri montant des profondeurs des sous-bois. « Ça bouge. Je vous jure : celui-là est *vivant.*

– Nom d'un chien ! » dit Rachel et ils se mirent tous à courir.

« Il nous faudrait une échelle, disait un adjoint.

– Non, attends, je peux le faire tomber avec une balle », déclara un autre.

Rachel s'interposa entre les deux agents en uniforme et se posta résolument sous un pin touffu. « On recule. Les corps, ça me regarde. »

Les adjoints reculèrent.

Les mains sur les hanches, Rachel examina la forme enveloppée au-dessus d'elle. Kimberly aperçut le mouvement en même temps que son chef d'équipe. Un renflement en bas. Puis une légère ondulation plus haut.

Un nouveau frisson lui parcourut la nuque et elle devina à l'air soucieux de Rachel que sa supérieure non plus ne croyait pas que le corps était vivant.

« Harold ? interrogea simplement Rachel.

– Je ne sais pas, dit-il d'une voix sourde que Kimberly ne lui connaissait pas.

– Il faut qu'on vérifie, murmura Rachel. Juste au cas où. On ne sait jamais. »

Mais elle n'avait pas l'air enchantée. Elle avait l'air très inquiète.

La responsable d'équipe prit une grande inspiration. « Bon, on étale une bâche, juste ici. » Elle dessina une zone avec son doigt, à peu près en dessous du cocon suspendu. « Il va falloir qu'on descende l'objet sur la bâche pour pouvoir le déballer en toute sécurité. Harold ? »

Il s'était approché du tronc, qu'il effleurait maintenant du bout des doigts. « Tu vois ces trous ? À intervalles réguliers ? Je crois que notre individu a des chaussures à pointes, peut-être comme celles que portent les ouvriers de maintenance pour escalader les poteaux téléphoniques. Il s'en est servi pour grimper à l'arbre et lancer la corde par-dessus les hautes branches. Ensuite, il pouvait redescendre et tirer sur l'extrémité de la corde. Il faudrait être assez costaud, mais il y a peut-être un système de poulie là-haut. Ou alors il avait de l'aide. Ou les deux.

– Tu saurais dire quel genre de corde ? demanda Rachel.

– Voyons ça, dit Harold, qui sortit une paire de jumelles et commença à les régler. On dirait du... Nylon. Merde ! Tout le truc se trémousse maintenant. Rachel, je ne crois pas...

– Je sais, je sais. Mais il faut qu'on soit certains, Harold. C'est le seul moyen. »

Harold prit une inspiration pour se calmer. « Je vais grimper. » Il testa quelques branches avec sa main. « Je crois que je peux monter suffisamment haut pour me pencher et couper la corde sans toucher au nœud.

– Et comme ça, la malheureuse pourra venir s'écraser au sol ? demanda Rachel.

– Ouais, bon. Hmmm. Je vais grimper, reprit Harold, m'approcher de la corde et voir ce qu'on peut faire.

– D'accord, fais ça. »

Harold enfila une paire de gants de protection en cuir et commença l'ascension, progressant avec précaution de branche en branche.

Sal s'approcha de l'endroit d'où Kimberly observait l'opération. « Comment on descend un corps d'un arbre ? demanda-t-il.

– Aucune idée, murmura-t-elle. La question n'a jamais été abordée pendant mes cours de récupération de cadavres.

– Ce corps n'est pas en vie, si ?

– J'en doute.

– Alors qu'est-ce qui le fait bouger ?

– On le saura bien assez tôt. »

Harold était à dix mètres du sol et, à présent couché sur une branche, il se rapprochait peu à peu du corps. La branche ployait dangereusement. Harold siffla avec nervosité.

« J'ai trouvé le bout de la corde, dit-il. Il a toute une... installation élaborée là-haut. À ce que je vois, la corde fait le tour de plusieurs branches, presque comme un système de poulie. Je crois que si j'entaille la corde ici, que je monte sur la branche la plus haute et que je tire d'un coup sec, je pourrais peut-être récupérer assez de mou pour descendre le corps jusqu'au sol. Pas trop loin, en tout cas.

– Pas loin comment ? demanda Rachel.

– Mais j'en sais rien, putain ! », s'exclama Harold avec exaspération. L'étonnement se peignit sur les visages de Rachel et Kimberly : c'était la première fois qu'elles l'entendaient jurer. Il parut se reprendre, s'obstiner courageusement. « On pourrait essayer avec une échelle, commença-t-il à dire, et puis : Oh, merde. »

Le corps bougeait à nouveau. Le Nylon se gonflait sous les croisillons de la corde qui entourait la forme momifiée. Ça ne ressemblait pas à des bras et des jambes qui lutteraient pour se libérer. Cela semblait... extraterrestre. Une nouvelle forme de vie, qui ondulait sous la surface.

« Rachel ? appela Harold d'une voix tendue.

– D'accord. Fais au mieux. Mais préserve le nœud.

– Sans blague, Sherlock », marmonna Harold, ce qui lui valut d'autres mimiques étonnées.

Il y eut le bruit de cisaillement lorsque Harold entailla la corde. Puis un profond soupir anxieux avant qu'il reprenne son ascension vers le point le plus haut du système de poulie.

Cette branche était sensiblement plus fine que la précédente et pendant qu'Harold se couchait à nouveau à plat ventre, elle commença à fléchir. Puis plusieurs choses se passèrent en même temps.

La corde cassa net à l'endroit où elle avait été cisaillée et remonta dans l'arbre avec un mouvement de fouet cinglant. Harold cria, attrapa le fil de Nylon avec ses mains gantées et tout le corps descendit brutalement de cinq mètres avant de s'immobiliser d'un coup.

« Putain de... s'exclama Harold. Je ne peux pas... Ça va... *Merde !* »

Il lâcha l'extrémité et le corps descendit encore de cinq mètres avant que la corde ne s'emmêle et que le corps ne s'immobilise avec une embardée. Harold ne perdit pas une seconde et se laissa glisser le long du tronc dans un déluge d'aiguilles vertes. Il rejoignit les plus basses branches et rampa vers la corde pour s'en saisir à nouveau.

« Chaud devant ! » Il démêla la corde. Le corps tomba et deux adjoints se précipitèrent pour le recevoir et le déposer en douceur sur la bâche qui attendait.

D'aussi près, on distinguait aisément la silhouette bien ligotée d'un corps humain, enveloppée dans un tissu de camouflage et ficelée avec de la corde marron. La toile de Nylon ondula à nouveau et un des agents recula avec un petit cri.

« Bien. » Rachel prit le contrôle de la situation pendant qu'Harold descendait de l'arbre et que chacun se rassemblait autour de la forme agitée de mouvements. « Tous ceux qui ne sont pas moi reculent. On va faire ça lentement et sans s'énerver. » Elle enfila des surchaussures, une charlotte, un masque, des gants. La bâche était une scène de crime, destinée à recueillir tout indice qui tomberait de l'enveloppe en Nylon. La mission de Rachel consistait à limiter les contaminations de la scène.

« Je vais le faire, dit immédiatement Harold en voulant lui prendre le couteau des mains.

– Ça va, Harold. C'est pour ça que je suis grassement payée. »

Malgré ses rodomontades, Rachel s'approcha de la forme avec circonspection. Pour la première fois, Kimberly sentit l'odeur. Une odeur de décomposition, légère mais pénétrante.

Harold s'accroupit au bord de la bâche. Kimberly se rapprocha de lui. Sal aussi. Ils regardèrent Rachel avancer prudemment sur le plastique bleu en examinant la corde épaisse qui partait des chevilles et s'enroulait jusqu'en haut du corps.

Elle cherchait les nœuds, Kimberly le savait. Il est toujours important de les conserver. Demandez donc aux policiers qui ont enquêté sur le BTK, le tueur du Kansas.

Rachel trouva le premier nœud aux chevilles. Elle se plaça quelques centimètres au-dessus, glissa la lame de son couteau sous la corde et coupa soigneusement le Nylon épais. Il lui fallut un moment. Puis la corde céda et tomba des pieds. Rachel tira doucement, dégagea la corde de sous le corps et commença lentement à la dérouler.

La forme tout entière bougea insensiblement, parut soupirer. Rachel se domina, continua. Elle était accroupie au-dessus de la tête à présent, la majeure partie du corps loin d'elle, pour lui permettre de fuir plus rapidement.

Elle retira le dernier bout de corde autour du cou. Kimberly voyait maintenant les plis du tissu en Nylon, la façon dont il s'enroulait autour du corps.

« Bien, dit tranquillement Rachel. Je vais commencer par le milieu. Regardez bien, tout le monde. »

Elle se leva. Se pencha. Attrapa à la taille le premier ourlet de tissu, tira d'un coup sec.

La forme explosa. *Comme du pop corn*, pensa Kimberly, éperdue. Le tissu détaché s'éventra et un flot d'araignées s'en déversa, des noires, des brunes, des grosses, des petites, créatures à huit pattes qui fuyaient désespérément leur prison de Nylon pendant que Rachel reculait en hurlant et qu'Harold se levait d'un bond en disant : « Qu'est-ce que c'est que ça ! »

Puis un coup de fusil retentit dans les arbres, une fleur rouge s'épanouit sur l'épaule d'Harold qui s'exclama une seconde fois : « Qu'est-ce que c'est que ça ! »

Avant de s'effondrer.

« Tous aux abris ! » cria Rachel qui courait déjà vers les fourrés.

Cependant que Sal tombait sur Harold blessé, que Kimberly se précipitait vers son père et Rainie, pelotonnés derrière un gros rocher.

Et que tous apprenaient à connaître ce que le Burgerman savait faire le mieux.

41

« Les expériences menées avec le venin de l'araignée violoniste montrent que les deux sexes sont capables d'infliger des morsures venimeuses aux mammifères. »

Tiré de *Biology of the Brown Recluse Spider*,
Julia Maxine Hite, William J. Gladney,
J.L. Lancaster Jr. et W.H. Whitcomb,
Service d'entomologie, département d'agriculture,
université d'Arkansas, Fayetteville, mai 1966

La pluie cessa, le soleil perça fugitivement avant d'être une nouvelle fois remplacé par la grisaille du crépuscule. D'un commun accord, Rita et le garçon n'allumèrent aucune lampe. Ils montèrent la garde depuis l'abri relatif de la cuisine plongée dans l'ombre, dînant de fromage et de biscuits salés, d'une gorgée de jus d'orange de temps à autre.

Ensemble, ils avaient tant bien que mal traversé la maison avec une vieille armoire pour la caler contre la porte du jardin, que Rita percevait comme le point faible de leur ligne de défense. Ensuite Rita avait descendu de vieux draps et les avait tenus en place pendant que le garçon les punaisait devant les fenêtres du rez-de-chaussée. Elle ne voulait pas que l'homme regarde chez elle, épie leurs mouvements, prépare son attaque. Et au cas où il briserait la vitre, elle espérait que l'enchevêtrement de vieux tissus leur gagnerait de précieuses minutes. Trois, quatre ? Elle n'était pas sûre et, lorsqu'elle fit le tour des pièces avec le garçon, pour renforcer, remanier, elle s'avisa que leurs défenses érigées à la hâte et censées empêcher un homme d'entrer les piégeaient inévitablement tous les deux à l'intérieur.

Elle n'en parla pas au garçon. Il avait attaché son couteau sur sa cuisse avec un lambeau de tissu arraché à une vieille taie d'oreiller. Elle se disait qu'il se faisait déjà assez de souci.

Elle n'avait pas appelé police secours ni pris la peine de contacter le shérif du coin. Essentiellement parce qu'elle savait que le garçon prendrait ses jambes à son cou plutôt que de parler à des hommes en uniforme. Et puis, qu'y avait-il à dire ? Le garçon et elle étaient en guerre. Ils connaissaient leur ennemi. Ils savaient quelle bataille devait être menée. Mais concrètement, elle n'avait rien à signaler.

Elle n'avait jamais rencontré l'homme qui vivait dans la vieille demeure victorienne. Elle ne lui avait jamais parlé, ne l'avait jamais regardé dans les yeux. Elle craignait à présent que le premier regard qu'elle poserait sur lui ne soit aussi le dernier. Mais elle était forte, elle avait son Colt. Elle se plaisait à croire que le garçon et elle auraient encore le dernier mot.

À cinq heures du soir, alors que le soleil déclinait et que les ombres s'étiraient, elle bâilla ostensiblement. La nuit avait été longue, le jour suivant plus long encore. Elle rêvait de s'allonger sur la causeuse du salon, de reposer ses os fatigués.

Ils devraient dormir à tour de rôle. N'était-ce pas ce que des sentinelles étaient censées faire ? Elle aurait voulu que le fantôme de Joseph puisse parler parce qu'elle n'avait encore jamais fait la guerre et qu'elle aurait eu bien besoin de conseils.

Le garçon l'observait, attendant de voir ce qu'elle allait faire.

« Tu devrais faire un somme, dit-elle. Dormir jusqu'à minuit, ensuite il faudra qu'on ouvre l'œil tous les deux.

– Ça va.

– Ne dis pas de sottises, mon enfant. Même les soldats se reposent. Qu'est-ce qu'on fera demain si aucun de nous ne dort ce soir ?

– Il va venir.

– Mais il n'est pas encore là. Alors dors, mon enfant. Tant que tu peux. »

Il fit la tête, mais les arguments de Rita durent lui paraître logiques, ou alors il était encore plus fatigué qu'elle ne l'avait deviné, car il acquiesça à contrecœur et se traîna vers les escaliers.

« Je vais mettre un réveil, souffla-t-elle derrière lui. Je te réveille dans six heures.

– Trois, répondit-il, buté. Ensuite, ce sera ton tour.

– Six. À mon âge, on ne dort pas. C'est comme si le corps savait que le repos éternel arrivera bien assez tôt. »

Le garçon ne protesta plus. Elle songea que ses épaules étaient plus voûtées que dans son souvenir, ses pas traînants comme ceux d'un mort vivant. Il s'attendait au pire, comprit-elle. Tous les soirs, en allant se coucher, il s'attendait à ne jamais se réveiller.

Elle se demanda depuis combien de temps cette situation durait. Et même s'ils survivaient à cette nuit, que signifiait au juste le matin pour un garçon comme lui ? Elle se dit que si jamais il choisissait de parler, il raconterait des histoires que Joseph lui-même n'aurait pu imaginer.

Et elle aurait voulu être plus jeune parce que, pauvre d'elle, elle aurait aimé garder cet enfant. Elle l'aurait serré bien fort dans ses bras, lui aurait caressé les cheveux lorsqu'il se serait réveillé en hurlant au milieu de la nuit, lui aurait tenu la main les mauvais jours, quand il n'avait que des souvenirs tragiques et qu'il oubliait qu'il était encore innocent, digne d'être aimé et bon. Qu'il n'était pas responsable des malheurs. Qu'il y avait des gens sur cette terre, des gens comme elle, qui étaient fiers de le connaître.

Rita n'avait jamais été très portée sur la prière. Dans son monde, quand on voulait quelque chose, on se mettait en situation de l'obtenir. Pourtant elle priait, en cet instant. Parce que la nuit tombait. Parce qu'elle aimait cet enfant. Et parce qu'elle savait, tout au fond d'elle-même, qu'une femme de presque quatre-vingt-dix ans n'avait pas la moindre chance face à un individu comme l'homme de la colline.

Le destin venait la prendre. Elle pria pour être forte et, plus que tout, pour sauver ce garçon.

Rita s'assoupit. Ce n'était pas son intention, mais elle avait dû le faire parce que, tout à coup, la sonnette retentit et elle se redressa en sursaut, manquant tomber de sa petite chaise en bois à côté de la table de cuisine.

Après la sonnette, il y eut de petits coups frappés à la porte, alors Rita posa ses mains sur la table et se leva tant bien que mal. La curiosité, plus qu'autre chose, la conduisit dans l'entrée, le Colt coincé dans la ceinture du vieux pantalon de Joseph, caché sous sa volumineuse chemise à carreaux verts préférée.

Le méchant homme aurait-il l'audace de tout bonnement se pointer et frapper à la porte ? Tout occupée à ses stratagèmes, peut-être n'avait-elle pas vu la pièce la plus importante du puzzle : le gamin n'était pas à elle et si l'homme se présentait avec des policiers pour exiger qu'elle le rende, elle ne pourrait rien faire.

Elle se débattait avec cette idée lorsqu'elle arriva à la porte d'entrée et écarta avec précaution le coin d'un drap tendu pour regarder par la fenêtre de côté. Pas de colosse effrayant, en fin de compte. Juste la fille du bas de la rue, qui mastiquait un morceau de chewing-gum en tenant le gros matou noir du voisin par la peau du cou.

Midnight avait dû faire des dégâts dans le jardin de la jeune fille. Peut-être avait-il enterré quelques cadeaux ou mangé son écureuil préféré. Rita ne voyait pas de quoi la fille pouvait se plaindre, étant donné qu'elle vivait dans un mobile home et que son jardin était essentiellement composé de mauvaises herbes. Rita ne lui avait jamais vraiment parlé, elle l'avait juste vue aller et venir aux petites heures de la nuit ; elle occupait sans doute Dieu sait quel emploi dans un bar du coin.

La fille frappa à nouveau, l'air impatient à présent, alors Rita commença à pousser les verrous.

À peine avait-elle ouvert la porte que la fille lui mit le chat sous le nez. Le chat miaula. La fille le secoua impatiemment.

« Il est à vous ?

– C'est Midnight. Le chat des voisins.

– Si c'est le chat des voisins, qu'est-ce qu'il fout sur votre terrasse ? J'ai plutôt l'impression qu'il se sent comme chez lui, ici.

– Midnight est un chat. Il se sent comme chez lui partout. »

La fille fit la moue comme si elle ne la croyait pas, entra dans la maison, toujours en brandissant le chat.

« Je vais vous dire, j'en ai jusque-là de ce connard de chat. Si vous tenez un peu à lui, vous feriez mieux de le garder à la maison parce que la prochaine fois que je le surprends à creuser dans mon jardin, je lui troue la peau.

– Pour la dernière fois…

– Rita. »

La voix venait de derrière elle, si fluette qu'elle l'entendit à peine. Rita se retourna à moitié, vit le garçon sur le pas de la porte. Et elle comprit en voyant son expression qu'elle avait commis une erreur, une terrible, terrible erreur.

« Salut, Scott, dit la fille avec flegme. Tu as le bonjour du Burgerman. »

Elle jeta le chat sur Rita, qui recula et se prit les pieds dans le pantalon trop large de Joseph. L'instant d'après, elle tombait violemment au sol et sa vieille hanche fragile cédait avec un craquement, pendant que Midnight lui labourait l'avant-bras de ses griffes et sautait dans l'entrée.

« Cours, cria-t-elle faiblement au garçon. Cours ! »

Le garçon détala. La fille prit le temps de gifler Rita et de sortir une poignée de liens de serrage en plastique.

« Je m'occuperai bientôt de lui. » Elle passa froidement un lien autour des frêles poignets de Rita et serra fort. « Ça va vous occuper un peu, mémé. »

Puis la fille referma violemment la porte d'entrée et se mit en quête du garçon.

Rita resta au sol et la douleur de sa hanche se répandit inexorablement dans son corps, la clouant sur place. Elle était incapable de bouger les jambes. Et les mains. Son premier face-à-face avec le mal, et elle n'avait pas tenu trente secondes.

Elle avait les yeux qui piquaient. Elle crut qu'elle allait pleurer et cela la contraria à tel point qu'elle roula sur le ventre, serra les dents pour lutter contre la douleur étourdissante et se mit à ramper.

« Joseph, murmura-t-elle. Ne sois pas trop impatient d'avoir mon âme. Aide-moi ce soir. Une dernière fois. Ensuite je ne serai pas longue à te rejoindre. »

42

« L'évolution des araignées, cependant,
a des visées essentiellement meurtrières. »

Tiré de l'article « Spider Woman »
Burkhard Bilger, *New Yorker*, 5 mars 2007

DES COUPS DE FEU. Plein. Dans toutes les directions. Les adjoints du shérif avaient pris peur. Et les agents fédéraux peut-être aussi. La plupart avaient dégainé leur arme de poing et tiraient comme des fous vers les arbres pour essayer de couvrir Sal le temps qu'il traîne Harold hors de la clairière vers le gros rocher derrière lequel Kimberly, Rainie et Quincy avaient trouvé refuge.

Rachel Childs était à quinze mètres de là, accroupie derrière un arbre, Glock dans une main, radio dans l'autre. Elle criait de toutes ses forces : « Officier à terre, officier à terre. Nous essuyons une fusillade. Je répète : demandons renforts et assistance médicale immédiate. Je veux des hélicos, les brigades spéciales, la Garde nationale, je m'en fous, mais trouvez-moi *tout de suite* des hélicos militarisés et une évacuation médicale. Nous sommes sur Blood Mountain. Demandons assistance *immédiate.* »

Kimberly, le Glock dégainé, encourageait Sal intérieurement tout en scrutant les bois alentour à la recherche d'un tireur. Sal réussit à faire deux mètres. Trois. Un autre coup de fusil retentit au loin. Sal se laissa tomber sur le corps d'Harold, protégeant de ses bras le visage de l'agent à terre pendant qu'un éclat d'écorce sautait de l'arbre à côté de lui.

« Là, souffla Quincy. Là-bas. Sur la gauche. »

Il désigna l'endroit du doigt et Kimberly ouvrit docilement le feu, ce qui permit à Sal de se relever prestement, d'attraper Harold sous les bras et de le tirer. Il n'y arriverait pas. Un homme traînant un poids mort de quatre-vingt-dix kilos sur une telle distance ne pouvait y arriver seul. Il fallait que quelqu'un l'aide.

Elle contracta immédiatement ses jambes, prête à jaillir, et là…

Elle s'arrêta.

Elle n'irait pas. Elle ne pouvait pas.

Elle était enceinte. Elle pouvait risquer sa vie, mais n'avait aucun droit de risquer celle de son enfant. Bon sang, elle allait devenir mère et l'un de ses premiers actes en tant que telle serait de rester derrière ce foutu rocher en regardant son coéquipier se faire descendre.

Le fusil tira à nouveau, une détonation distante mais aux conséquences proches. Sal se laissa tomber à terre. Kimberly ouvrit le feu. Ses collègues l'imitèrent, baroud d'honneur contre un ennemi invisible.

À côté d'elle, Quincy respirait bruyamment, une main sur l'épaule de Rainie, l'autre sur le bras de Kimberly, tout en scrutant les arbres avec concentration.

« Kimberly…, commença-t-il.

– Vas-y, dit-elle, les dents serrées. Aide-le, bordel. Il faut que quelqu'un l'aide. »

Quincy s'élança. Et Kimberly recommença à tirer pour le couvrir, consciente de la présence de Rainie, crispée à côté d'elle, et des larmes qui coulaient maintenant sur leurs joues à toutes les deux.

Un autre tir retentit juste au moment où Quincy arrivait près de Sal. L'agent du GBI tressaillit, mais ne tomba pas. Quincy prit Harold par le bras droit. Sal attrapa le gauche. Ils se mirent à courir, le corps tout mou d'Harold brinquebalant sur le sol inégal.

Juste au moment où Kimberly pensait qu'ils allaient peut-être y arriver, que l'héroïsme allait bel et bien l'emporter, un autre tir retentit et Sal tituba vers la gauche avant de s'effondrer.

Kimberly vit vaguement le shérif Duffy se lever de derrière un tronc d'arbre couché. Crosse du fusil calée contre l'épaule, viser un éclair qui avait miroité au loin, appuyer sur la détente. Le coup de fusil, le sursaut de son corps massif qui absorbait le recul.

Puis Quincy tira Harold en sécurité et Rainie prit Sal par les épaules pour le guider jusque derrière le rocher.

Duff se remit à l'abri.

Enfin le silence, inquiétant, retomba sur la forêt.

L'épaule d'Harold était mal en point ; Kimberly déchira sa chemise pour essayer d'enlever la terre et les débris des chairs déchiquetées. Le pouls d'Harold était irrégulier, ses yeux révulsés. S'il ne recevait pas des soins sans délai, il allait y rester.

Sal s'adossa au rocher en se tenant le côté. Rainie avait écarté sa chemise blanche et découvert une profonde entaille sur le flanc gauche de sa cage thoracique. La plaie semblait douloureuse, mais, tout étant relatif, il allait bien et le savait.

« Il nous faut le matériel de premiers secours, murmura Kimberly. Des bandages, du sérum physiologique, une solution antiseptique. Tout est dans les sacs.

– Où sont-ils ? » demanda tout de suite Quincy.

D'un signe de tête, Kimberly désigna l'autre côté du rocher ; son père évalua la situation et grimaça.

« Ça ne va pas être facile », observa-t-il. La plupart des sacs se trouvaient encore dans la clairière, à une bonne vingtaine de mètres de là, à découvert.

« Il faut faire quelque chose parce que l'état d'Harold empire à vue d'œil et qu'on ne peut pas s'attendre à ce qu'une ambulance déboule dans la forêt.

– J'y vais, dit Sal qui cherchait déjà à se relever.

– Oh, tais-toi et assieds-toi. Tu t'es déjà assez couvert de gloire pour cet après-midi. Il faut en laisser aux autres. »

Sal essaya de prendre l'air vexé, mais – ce qui prouvait à quel point il avait mal – resta assis. « Tu ne vas pas...

– Non, moi, je joue les Florence Nightingale. Ce qui laisse le rôle de John Wayne à papa ou Rainie.

– On va y aller ensemble, décréta Rainie. Avec un peu de chance, le gars ne sait pas se décider et ça le ralentira d'avoir deux cibles. »

Kimberly haussa un sourcil pour lui faire savoir ce qu'elle pensait d'un tel raisonnement, mais ne protesta pas. Elle roula son imperméable pour en faire un coussin qu'elle cala sous les pieds d'Harold, puis mit deux doigts dans sa bouche et siffla. Docilement, Rachel sortit une tête de derrière l'arbre. Kimberly l'informa de leur stratégie par une série de gestes de la main. Rachel hocha la tête et, peu à peu, le plan fut communiqué d'un agent à l'autre.

Lorsque Rachel reparut, Kimberly compta à rebours sur une main. Au moment où son poing se ferma, Quincy et Rainie s'élancèrent à découvert et les agents dans la forêt ouvrirent à nouveau le feu.

Cinq, six, sept, huit. Rainie et Quincy arrivèrent aux sacs. En attrapèrent un avec chaque main. *Dix, onze, douze, treize.* Coururent vers la sécurité du rocher, la tête dans les épaules, les jambes pliées, essayant de faire des cibles plus petites.

Quatorze, quinze, seize...

Rainie et Quincy déboulèrent derrière le rocher, se jetèrent au sol et le silence retomba dans les bois.

Kimberly recommençait à respirer lorsqu'elle s'aperçut que Sal avait perdu connaissance. Alors elle ouvrit une lingette antiseptique prise dans la trousse de premiers secours et la posa sur son côté ensanglanté.

Sal revint à lui avec un cri et, quelque part au loin, Kimberly aurait juré entendre le rire d'un homme.

« Il faut que je bouge, ne cessait de marmonner Sal. Il faut que je redescende de cette montagne. Je le dois à ma mère… Pas juste. »

Rachel avait réussi à rejoindre le rocher. Elle avait pris en main les soins d'Harold et lavé la blessure de l'agent avec du sérum physiologique avant de la recouvrir de gaze stérile. Levant les yeux, elle s'inquiéta en voyant le visage luisant de sueur de Sal.

« État de choc ? murmura-t-elle à Kimberly.

– Non, répondit Sal au responsable d'équipe en grimaçant, les dents serrées. C'est juste… du bon sens. Perdre un fils… c'est déjà assez dur comme ça. »

Il se redressa pour s'adosser au rocher, le souffle court.

« Tiens-toi tranquille, le gronda Kimberly à voix basse. Tu fais un malade épouvantable.

– Il est encore… dans les parages, tu crois ?

– On va dire les choses comme ça : quand les hélicos se pointeront avec leurs gros fusils, je serai un peu plus rassurée. »

Elle gardait un ton enjoué, mais Rachel et elle échangeaient des regards inquiets. La radio avait continué à crépiter jusqu'à ce que Rachel finisse par l'éteindre de peur qu'elle ne guide le tireur vers eux. Dix minutes s'étaient écoulées sans nouvel événement, mais difficile de savoir si c'était bon signe ou non. Le tireur avait-il renoncé ou bien était-il en train de décrire un cercle dans les bois et était-il susceptible de surgir d'un instant à l'autre, juste dans leur dos ?

Quincy avait pris le Glock .40 de Kimberly et, avec Rainie, ils faisaient de leur mieux pour monter la garde. Mais il n'y avait pas à s'y tromper : ils étaient vulnérables, car, ils le savaient, ils se trouvaient sur le terrain du tireur et non le leur.

Sur la bâche là-bas, le corps décomposé avait enfin arrêté de bouger. Même les araignées avaient fui et il ne restait plus à présent que le cadavre partiellement momifié, rappel muet de ce dont Dinechara était capable.

Kimberly reporta son attention sur Sal et lui donna à boire une petite bouteille d'eau. Il semblait aller plus mal qu'elle ne s'y serait attendue avec une telle blessure, mais Rachel avait raison : c'était peut-être le choc de l'incident et la chute du taux d'adrénaline alors qu'ils restaient dans une situation périlleuse.

« Ta mère vit toujours ? demanda-t-elle à Sal ; elle voulait continuer à le faire parler pendant qu'elle épongeait son front et inspectait son côté.

– Oui. » Elle appuya un peu trop fort sur la plaie irrégulière et il haleta. « Hé !

– Désolé, de l'herbe. Et ton père ?

– Je… ne sais pas. » Elle enleva encore un morceau de terre, il serra les dents. « Elle l'a foutu dehors… il y a des années. Elle a finalement… fait ce qu'il fallait… ce n'était pas de sa faute à elle.

– Qu'est-ce qui n'était pas de sa faute ?

– Si mon frère a disparu.

– Il a fugué ? »

Sal secoua la tête. « Kidnappé. Il n'avait que neuf ans. Trop jeune… pour vivre à la rue. »

Kimberly le dévisagea. Elle se rappela vaguement avoir déjà discuté de la famille de Sal avec lui. « En même temps, répliqua-t-elle avec douceur, tu m'as déjà laissé entendre que ton père avait plutôt la main leste… »

Sal secoua à nouveau la tête, changeant sans arrêt de position pour essayer de soulager la douleur de son côté. « Ça a empiré… après. Le vieux ne retrouvait pas son fils… il a commencé à forcer sur la bouteille.

– Désolée.

– Ouais, bon, ces choses-là… arrivent. Ça fait longtemps maintenant. On sent la cicatrice… mais on ne pense pas à la blessure en dessous. Et puis de petits détails la rouvrent. Une réplique de film. La photo d'un gamin sur un vieux vélo Huffy. Cette foutue photo d'Aaron Johnson dans le sac de Ginny.

– Pourquoi la photo d'Aaron Johnson ?

– Tu veux rire ? Les cheveux bruns, le visage en triangle, les yeux enfoncés ? Ça pourrait être une photo de famille, tu ne trouves pas ? »

Kimberly haussa les épaules. Elle ne s'était jamais vraiment attardée sur l'image d'Aaron Johnson vivant. Elle était trop occupée à le revoir mort sur le sol de sa chambre d'hôtel.

« Tu veux en entendre une bonne ? reprit Sal, qui semblait se remettre un peu et avait repris des couleurs. L'enlèvement de mon frère : c'est pour ça que je suis entré dans la police. Ron Mercer, le chargé d'enquêtes, il avait l'air d'un dur, tu vois ? Tranquille, calme et serein. Je me suis dit que si je pouvais être aussi dur qu'un flic, il n'arriverait plus de malheurs. » Il sourit, grimaça de douleur et ajouta avec un rictus ironique : « Raté. »

Quincy s'était accroupi à côté d'eux, l'air grave. « Sal, vous êtes certain d'ignorer ce qu'est devenu votre frère ?

– Trente ans après, ouais, ma mère et moi n'avons pas trop de doutes sur son sort.

– Non, murmura Quincy, je ne suis pas de cet avis. »

Alors enfin, oh merveille, ils entendirent le ronronnement des rotors au-dessus d'eux : le premier hélicoptère qui franchissait la crête de Blood Mountain.

Les minutes qui suivirent furent tendues : l'hélicoptère de la brigade d'intervention essaya de faire descendre une civière, puis plusieurs officiers en armes, à l'aide de cordes, tandis que Duff et les autres ouvraient l'œil pour parer une attaque qui pouvait venir de n'importe où.

Puis, lorsqu'il sembla que le tireur avait renoncé à sa partie de chasse, tout le monde se précipita pour installer Harold sur la civière et l'évacuer. Après quoi, ils attendirent une demi-heure l'hélicoptère suivant qui transportait une civière pour Sal, lequel n'accepta qu'à contrecœur de s'y laisser sangler. Kimberly fut embarquée avec lui, faveur implicite à une policière enceinte qui la laissa à la fois soulagée et pleine d'un sentiment de culpabilité.

Son père et Rainie montèrent dans le troisième hélicoptère alors que, un à un, les agents fédéraux et les policiers du comté étaient cueillis sur la clairière et descendus au poste de commandement.

La première chose que vit Kimberly, ce fut Mac, à l'intérieur du périmètre, pâle et inquiet. Puis, lorsqu'il l'aperçut, un sourire transfigura son visage et, même à trente mètres de distance, ce sourire la toucha en plein cœur.

Elle jeta un regard vers Sal, toujours sanglé sur la civière. Il leva la main en signe d'adieu.

« Va le rejoindre », articula-t-il en silence.

Et elle le fit. Elle courut sans hésitation, se jeta dans les bras de son mari, sentit son étreinte se refermer sur elle et sur leur bébé ; il lui murmura à l'oreille qu'il l'aimait et, pour un instant au moins, plus rien d'autre n'exista.

La nuit tomba finalement autour d'eux tandis qu'au loin retentissaient les sirènes de l'ambulance qui emportait Harold.

Rita était arrivée jusqu'à la cuisine. Elle était essoufflée, pantelante à vrai dire, comme un chien qu'elle avait vu un jour essayer de se relever sur la route après s'être fait percuter par un camion lancé à pleine vitesse. L'animal avait réussi à faire deux mètres avant de tomber raide.

Il fallait qu'elle en fasse deux de plus.

Elle avait un objectif en vue : le téléphone. Elle pourrait déclarer un cambriolage, un incendie, un viol, n'importe quoi. Si seulement elle parvenait à faire tomber ce téléphone pour composer le numéro des secours… Elle était vieille. Ils viendraient pour elle.

Et peut-être qu'ils pourraient sauver le garçon.

Pas de bruit à l'étage. Juste de temps à autre le craquement d'un vieux plancher qui gémissait sous des pas furtifs. La fille, se dit Rita, en train de traquer le gamin qui s'était mis à l'abri. Elle espéra qu'il avait choisi une bonne cachette, une qui leur permettrait de gagner du temps.

Elle progressa péniblement de vingt centimètres, en se tortillant à plat ventre, sa bonne jambe la propulsant maladroitement vers l'avant tandis que son côté blessé restait inutile. Elle sentait le lourd Colt s'enfoncer dans sa cuisse. Au train où allaient les choses, elle allait probablement se tirer dessus. Mais ses doigts, privés de sang par les liens efficaces de la fille, étaient bleus depuis un moment. Elle ne pouvait rien faire pour le pistolet à l'heure qu'il était.

Alors elle se contorsionna, centimètre après centimètre, les yeux rivés sur son but.

Elle venait d'atteindre le bord du plan de travail, et le téléphone était comme un rêve inaccessible au-dessus d'elle. Si seulement elle pouvait trouver une chaise, peut-être s'y hisser sur les coudes et ensuite donner un grand coup dans le téléphone avec ses mains ligotées…

Une voix masculine retentit derrière elle :

« Où vous croyez que vous allez comme ça ? »

Rita sursauta, se retourna maladroitement vers le bruit. Elle voulait croire que c'était un voisin venu à la rescousse, mais se doutait déjà qu'elle n'aurait pas cette chance.

L'homme se tenait devant elle, avec une lampe torche. Et, lorsqu'il releva le bord de sa casquette rouge, elle découvrit son front, couvert de plusieurs rangées d'yeux jaunes luisants.

43

« Les araignées sociales collaborent en équipes d'ouvrières pour bâtir d'énormes colonies. [Elles] se nourrissent aussi en groupes afin de pouvoir capturer et partager de plus grosses proies. »

Tiré de *Freaky Facts About Spiders*,
C. Morley, 2007

« VOUS ÉTIEZ DEBOUT à côté d'Harold quand le premier coup de feu a été tiré, expliquait Quincy à Sal. Si Harold ne s'était pas relevé brusquement, c'est vous que la balle aurait atteint, pas lui. »

Assis à l'arrière d'une ambulance, Sal tenait sa chemise relevée pour recevoir à contrecœur les soins d'un ambulancier. Il avait déjà refusé d'être emmené à l'hôpital. Quincy, Rainie, Kimberly et Mac restaient avec lui en attendant le verdict officiel de l'ambulancier qui évaluait les dégâts.

Sal jeta un regard mauvais au jeune homme qui sondait son côté avec des pinces. « Aïe !

– Je vous avais dit que vous devriez aller à l'hôpital, répondit l'ambulancier avec indulgence tout en recommençant à retirer des fibres de la plaie avec ses pinces.

– D'après Ginny, Dinechara voulait que les enveloppes contenant les permis de conduire vous soient remises, à vous précisément. Pourquoi vous, Sal ? Vous ne vous êtes pas posé la question ?

– Les disparitions… c'est ma marotte. Je vous l'ai… déjà expliqué. »

Au tour de Kimberly d'adresser un regard réprobateur à l'agent spécial du GBI. « Dinechara t'a pris pour cible à cause de ta "marotte" ? Qui est-ce qui est têtu, là ?

– C'est à peu près aussi logique que de laisser ses trophées sur le pare-brise de ma voiture. Voyons, s'il voulait vraiment m'appâter, il y avait plus simple.

– L'efficacité n'est pas ce qui motive les tueurs en série, assura Quincy. Leurs rituels, souvent très complexes, se fondent sur un besoin émotionnel. Dans le cas présent, il s'agit un homme qui, dans sa vie de tous les jours, se sent impuissant. Toute sa vie fantasmée tourne donc autour de la notion de contrôle. Il se complaît dans le secret et la manipulation. Il est une araignée qui tisse sa toile pour capturer sa proie. Ce type de méthode – vous pousser à vous impliquer grâce à un appât – répond certainement à son besoin émotionnel de se voir comme un superprédateur, même si, par ailleurs, ce n'est pas très pragmatique. Comprendre sa motivation émotionnelle permettra de coincer le tueur.

– *Il faut tuer celui qu'on aime*, murmura Kimberly en regardant Sal. Peut-être qu'après toutes ces années, il t'aime encore. Et peut-être qu'après toutes ces années, il veut réussir son examen de passage. »

Sal se tenait enfin tranquille à l'arrière de l'ambulance. « Mon frère est mort ! » affirma-t-il avec brusquerie, mais tous devinaient à sa voix qu'il n'en était plus aussi certain.

Comme la nuit tombait sur la montagne, Rachel déclara la scène de crime zone interdite. On ne s'approcherait plus du sommet tant qu'une unité tactique n'aurait pas sécurisé les lieux et disposé des tireurs d'élite afin d'assurer une protection permanente.

L'équipe devait se reposer. Elle-même partit pour l'hôpital ; elle appellerait dès qu'elle aurait des nouvelles d'Harold.

Quincy et Rainie se retirèrent à l'hôtel pour une nouvelle nuit. Mac et Kimberly proposèrent à Sal de le conduire car il n'était manifestement pas en état de prendre le volant. Il monta derrière Kimberly et resta silencieux, le côté enveloppé de gaze blanche, sa chemise ensanglantée sortie du pantalon.

Tous les agents des forces de l'ordre du pays avaient maintenant connaissance des rares informations dont on disposait sur Dinechara. Ses méfaits lui avaient valu d'être aussitôt placé sur la liste des dix personnes les plus recherchées par le FBI et, à l'heure qu'il était, les autorités préparaient un communiqué pour les grandes chaînes d'information.

Au matin, Dahlonega et ses environs grouilleraient de tous les agents d'État et unités de la Garde nationale disponibles. La journée d'aujourd'hui avait été un film d'horreur, mais celle du lendemain serait un vrai cirque. Dans ce genre de situation, Kimberly espérait simplement qu'il n'y aurait pas de blessés.

Pour sa part, elle ne croyait pas que Dinechara essaierait de fuir le comté. Elle le voyait plutôt comme une sorte d'Eric Rudolph – l'homme qui, après avoir placé une bombe dans le parc olympique d'Atlanta, s'était terré pendant cinq ans dans les Great Smoky Mountains en se nourrissant de gibier et de glands. D'après ce qu'on savait, Dinechara possédait la même connaissance de la vie en extérieur et le même tempérament solitaire.

Et puis il y avait encore la question de Ginny Jones et du garçon disparu. D'ailleurs, Kimberly se demandait…

Son portable sonna. Elle jeta un œil à l'écran, vit qu'il s'agissait d'un appel local, ouvrit le téléphone. « Agent spécial Quincy.

– Adjoint Roy à l'appareil. Nous nous sommes parlé cet après-midi à propos de la détenue Jones.

– Ah oui, la détenue Jones que vos services ont réussi à relâcher alors qu'elle s'était rendue complice d'une tentative de meurtre sur agent fédéral. Je me souviens. »

Roy ricana. « Je savais que vous diriez ça. Cela dit, techniquement, c'est au juge que vous devriez vous en prendre…

– J'y compte bien dès que je serai de retour en ville.

– Je vous fais confiance. Écoutez, Rick et moi, on regrette vraiment la façon dont les choses se sont passées, surtout après ce qui est arrivé sur Blood Mountain.

– Surtout.

– Alors on a réfléchi et Rick s'est souvenu qu'il avait vu Ginny Jones enlacer le type à côté d'une voiture. Alors il est allé au tribunal cet après-midi et il a récupéré la cassette de la caméra de surveillance du parking.

– Et ?

– Et effectivement, l'homme repart à pied, mais on voit Ginny monter dans la voiture. C'est une Nissan bleue, immatriculée en Géorgie, numéro… »

Kimberly attrapa un stylo pour noter fiévreusement l'information. « Beau boulot, messieurs !

– Évidemment, on envoie aussi un message à toutes les patrouilles. Mais j'ai pensé que vous aimeriez avoir l'info en direct. On ne se contente pas de manger du gombo frit et de chasser l'opossum par ici, vous savez.

– Vous chassez l'opossum ?

– Laissez tomber.

– Merci. Sincèrement. Merci beaucoup. »

Kimberly raccrocha. Elle regarda Mac, puis Sal dans le rétroviseur.

« Hé, dit-elle, j'ai une idée. »

« Nous sommes partis de l'hypothèse que le jeune enfant n'accompagnait pas Dinechara et Aaron pendant leurs randonnées, pas vrai ? expliqua Kimberly avec animation en guidant Mac vers l'ancien quartier de Dinechara. Essentiellement parce que la serveuse du Smith House a dit n'avoir jamais vu Dinechara qu'avec un seul adolescent. Et puis un enfant les aurait ralentis pendant qu'ils transportaient du matériel sur une pente aussi raide.

– D'accord, convint Mac, même si c'était la première fois qu'il entendait parler de tout cela.

– Bon, et s'il ne laissait pas le gamin tout seul ? Si Dinechara avait une baby-sitter pour le surveiller ? Quelqu'un de confiance pour s'assurer qu'il ne filerait pas ?

– Comme Ginny Jones, conclut Sal à l'arrière.

– Exactement ! Et c'est peut-être pour ça qu'il était prêt à allonger dix mille dollars pour sortir Ginny de la prison du comté. Comme il voulait s'en prendre à nous (ou plutôt à toi, Sal), il avait besoin de quelqu'un pour jouer les nounous.

– Je te suis jusqu'au moment où on arrive dans ce vieux quartier, murmura Mac en suivant la direction que Kimberly montrait du doigt pour prendre la petite route vallonnée dudit quartier.

– Tout en haut de la côte, lui indiqua-t-elle. À environ quatre kilomètres, la dernière maison sur la droite.

– Tu peux aussi chercher le gros tas de décombres fumants, ajouta Sal avec humour.

– C'est ce que je voulais dire : tu m'as expliqué que la maison avait brûlé de fond en comble. Donc le gamin ne peut pas y être.

– Non, mais d'après les voisins, Ginny Jones n'y était pas non plus. Aucun d'eux n'a dit avoir vu une fille dans la maison et, pourtant, elle passait manifestement beaucoup de temps avec Aaron et Dinechara. Donc, je me demande si elle n'avait pas elle aussi une maison dans le coin.

– Mais elle travaille à Sandy Springs, protesta Sal. On a vu son appart.

– Un deux-pièces pourri, reconnut Kimberly, pratique pour les nuits où elle se prostitue. Mais souviens-toi de ce qu'a dit Ginny : le deuxième gagne-pain de Dinechara est la pornographie sur Internet et Aaron et elle ont tous les deux tourné pour lui. Donc, il devait y avoir des moments où elle était là-haut pour l'aider dans cette activité. Alors pourquoi aucun des voisins ne l'a-t-il vue ? Nous savons qu'elle fréquentait Aaron, nous pensons qu'elle gardait le plus jeune. Elle avait forcément un chez-elle. C'est la seule explication. Je pencherais pour un endroit proche. Où Dinechara pouvait la tenir à l'œil. Comme ici, par exemple. Stop ! Attends. Tu vas jusqu'à la prochaine allée et tu t'arrêtes. »

Mac relança la voiture sur quelques dizaines de mètres, jusqu'à la maison suivante, puis se rangea. « Qu'est-ce qu'on cherche ?

– Une Nissan bleue. Comme celle qui est garée devant cette maison avec la grande galerie couverte. Mesdames et messieurs, je crois que nous avons trouvé Ginny Jones. »

D'un commun accord, ils décidèrent que Kimberly allait attendre dans la voiture. Mac et Sal agiraient. Elle appellerait des renforts. Elle vit que son ton de consentement joyeux éveillait à lui seul les soupçons de Mac. Il l'embrassa, violemment. Elle le prit par les épaules et l'embrassa à son tour.

Sal se détourna.

Puis Mac et Sal allèrent vers le coffre et ouvrirent la cantine où Mac entreposait son matériel, notamment des gilets pare-balles, un fusil, une réserve de munitions.

Kimberly alluma la radio, indiqua au central qu'ils avaient découvert un véhicule correspondant à un appel à toutes les patrouilles en cours et qu'ils agissaient avec prudence. Renforts demandés, prière d'être discrets. Ni gyrophares, ni sirènes. Avec un peu de chance, Mac et Sal pourraient attirer Ginny à l'extérieur et tout serait fini avant même d'avoir commencé. Ils arrêteraient la fille, sauveraient l'enfant. Après la journée qu'ils avaient passée, un happy end ne serait pas de refus.

Les deux hommes commencèrent à descendre la rue et ne tardèrent pas à être engloutis par l'obscurité.

L'homme retourna Rita sur le dos. Elle cria, car le mouvement exacerba la douleur de sa hanche. Pour la peine, il la gifla. C'était un dur, celui-là. Meilleur que la fille. Il explora les replis volumineux des vêtements de Rita, trouva rapidement le Colt et le tira de la ceinture de son pantalon.

Il se redressa, et ses dents blanches brillaient dans l'ombre. « Vous vous êtes armée contre moi ou contre le gamin ? Je parie que vous ne savez pas à quel point il est perturbé. Faut dire qu'il a déjà fait de ces trucs... »

Il ricana tout seul, comme à une plaisanterie qui lui était personnelle et qu'elle ne comprendrait jamais. Puis il la souleva à bras-le-corps et la flanqua en position plus ou moins assise sur une des chaises de la cuisine. Cette fois, elle se mordit les lèvres pour ne pas crier, mais cette nouvelle vague de douleur lui fit tourner la tête. Elle pensa qu'elle allait peut-être défaillir.

Il dut le penser aussi, car il la gifla à nouveau et elle se remit au garde-à-vous avec un sursaut. Elle crut apercevoir un léger mouvement derrière lui. Une ombre qui dansait sur le mur.

Joseph, pria-t-elle intérieurement. *Je t'en prie, Joseph, c'est le moment ou jamais de faire du ramdam...*

Mais l'ombre se matérialisa : c'était la fille qui descendait les escaliers en traînant le garçon à sa suite.

« Ah, te voilà ! C'est pas trop tôt ! » dit-elle. Elle poussa le garçon en avant. Celui-ci trébucha et tomba aux pieds de l'homme. Ses joues étaient couvertes de traces rouge vif, et sur certaines le sang perlait déjà.

Il ne s'était pas rendu sans résistance ; les bras de la fille portaient les mêmes égratignures, mais elle tenait maintenant le couteau du garçon dans son poing.

« Je l'ai trouvé au grenier, expliqua-t-elle. Petit con. »

L'homme se pencha, attrapa l'enfant par la peau du cou et lui rejeta la tête en arrière jusqu'à ce qu'il soit obligé de le regarder dans les yeux.

« Qu'est-ce que je t'avais dit, petit ? Pas moyen de t'enfuir. Tu es à moi. »

Le garçon ne répondit rien, le visage fermé, impénétrable. Rita voyait qu'il plongeait quelque part tout au fond de lui-même. Qu'il sauvait le peu qu'il pouvait sauver de lui-même.

L'homme semblait le savoir aussi. « Bon, petit, tu sais ce qui doit arriver. »

Le garçon ne dit rien, ne bougea pas.

« Tu m'as désobéi. Maintenant il faut que tu sois puni.

– Je peux le faire ? demanda immédiatement la fille.

– Toi, ta gueule. Tu crois pas que tu m'as assez créé d'emmerdes pour aujourd'hui ? »

Elle se tut.

L'homme observait le garçon. Rita s'attendait à un geste violent. Qu'il frappe du poing, qu'il balance un coup de pied. Au lieu de ça, il commença à inspecter la pièce. Puis son regard se posa sur le Colt qui trônait sur la table de cuisine.

Il le prit. « Viens là, petit », dit-il.

Le garçon se releva docilement, avança.

L'homme désigna Rita, assise, ligotée et folle de douleur sur la chaise en bois dur.

« Tu ne peux t'en prendre qu'à toi-même, petit. Je t'avais dit qu'il ne pouvait y avoir personne de l'extérieur. Je t'avais dit ce qui arriverait si jamais tu demandais de l'aide. Tu te souviens de ce que j'ai dit ? »

Le garçon baissa les yeux. L'homme lui asséna une gifle retentissante. « Regarde-moi quand je te parle, petit ! Tu te souviens de ce que j'ai dit ? TU TE SOUVIENS ?

– Oui, monsieur, murmura le garçon.

– Je ne mentais pas. Je ne mens jamais. »

Puis l'homme se retourna et braqua le pistolet sur le front de Rita.

« Dis-lui adieu.

– Adieu », murmura le garçon.

Et juste au moment où Rita fermait les yeux, où elle se raidissait avant l'impact de la balle qui lui fracasserait le crâne, une nouvelle claque retentit et elle ouvrit les yeux pour découvrir que l'homme avait frappé le garçon avec une telle violence qu'il l'avait jeté à terre.

« TU CROIS QUE JE TE LAISSERAIS T'EN TIRER COMME ÇA ? TU CROIS QUE JE SUIS AUSSI GENTIL ? OU AUSSI STUPIDE ?

– Non, non, non, murmura, supplia, implora le garçon.

– DEBOUT. »

Le garçon se leva.

« PRENDS CE PISTOLET. »

Il prit docilement le Colt.

« DESCENDS-MOI CETTE CONNASSE ! »

Le garçon se tourna et pointa le pistolet sur Rita.

Elle ne ferma pas les yeux cette fois-ci. Elle voulait qu'il voie son visage. Elle voulait qu'il sache qu'elle lui pardonnait.

Derrière lui, une porte de placard s'ouvrit brusquement.

L'homme fit volte-face. « Qui va là ? »

Joseph, pria Rita en son for intérieur. *S'il te plaît, Joseph.*

Un tiroir trembla, s'entrouvrit.

« Mais qu'est-ce que c'est que ce bordel ? »

Puis les casseroles se mirent à vibrer dans le placard, la bouilloire à glisser sur la cuisinière, le robinet à laisser couler de l'eau. Debout au milieu de la cuisine, l'homme hurla à pleins poumons vers Rita : « Qui est-ce qui fait ça ? »

Elle eut cette idée – peut-être le simple souvenir de ce qu'avait dit la fille ou peut-être avec l'aide de Joseph – de répondre : « Vous avez le bonjour du Burgerman. »

L'homme éclata de rire.

Le garçon appuya sur la détente.

Devant la maison, Mac et Sal gravissaient les marches à pas feutrés. Ils s'approchèrent de la porte, courbés en deux pour ne pas être vus par les fenêtres. Ils se redressèrent de part et d'autre des vitres, se livrèrent à une brève inspection et reprirent leur position, le dos collé au mur.

« Les fenêtres sont obstruées », murmura Mac.

En face de lui, Sal confirma : « J'imagine que Ginny ne veut pas que les voisins voient à l'intérieur. »

Mac se pencha en avant, essaya la poignée, découvrit qu'elle tournait.

« Ouvert », articula-t-il en silence.

Sal s'étonna de cette chance, puis haussa les épaules : « Okay, on y va. »

Mac venait de tourner le bouton lorsqu'il entendit un grand cri, immédiatement suivi d'un coup de feu.

Sal sortit sa radio, débita l'adresse. « Fusillade, fusillade. Demandons renforts immédiats. Appel à toutes les unités... »

Puis Mac et lui se baissèrent et s'engouffrèrent dans le salon.

« Police. Lâchez vos armes ! »

Kimberly se penchait pour régler le volume de la radio lorsqu'un coup frappé à sa fenêtre la fit sursauter. Sa main se dirigeait déjà vers son étui d'épaule lorsqu'elle aperçut le visage couronné de bigoudis de l'autre côté de la vitre. C'était la voisine de la veille au soir, à moins que ça n'ait été le matin même. Celle avec qui Sal et elle avaient discuté en regardant la maison de Dinechara partir en fumée.

Kimberly ouvrit la portière, descendit.

« Vous êtes de la police, n'est-ce pas ? demanda la femme, manifestement dans tous ses états.

– Je peux vous aider ?

– Il se passe quelque chose d'anormal chez les voisins. Je regardais par hasard par la fenêtre de ma chambre quand j'ai aperçu de la lumière dans le grenier. Quelqu'un a scotché quelque chose à une des fenêtres. On dirait le numéro des secours. »

Kimberly désigna d'un signe de tête la maison en question.

« Vous parlez de cette maison, celle de la jeune fille ? »

La voisine parut perplexe. « La jeune fille ? Rita n'est pas une jeune fille. Voyons, elle a quatre-vingt-dix ans bien sonnés. La maison est dans sa famille depuis des générations. »

Au tour de Kimberly de ne pas comprendre. « Je croyais que vous parliez de la maison d'à côté, celle avec la grande galerie qui fait le tour…

– C'est celle-là.

– Il n'y a pas de jeune fille qui habite là ?

– Pas que je sache.

– Est-ce que… est-ce qu'il y en a une qui vient de temps en temps ?

– Non. En tout cas, pas que j'aie vu. Cela dit, un homme est arrivé il y a une vingtaine de minutes. Avec une casquette rouge. »

Il commença par ressentir de la douleur. Il en fut surpris. Il y avait si longtemps qu'il n'avait rien ressenti en rapport avec son propre corps qu'il croyait ses terminaisons nerveuses fichues, finies, hors d'usage. Sa peau n'était plus qu'un exosquelette et ça lui plaisait comme ça.

Mais c'était comme si son côté s'était embrasé. Il le soutint, surpris d'éprouver encore davantage de douleur, puis éprouva l'atroce humidité de son sang.

Il se tourna vers le garçon, qui tira encore.

La balle le toucha plus haut, à l'épaule. Il se détourna, toujours debout, et entendit une nouvelle détonation, ressentit une nouvelle douleur cuisante, entendit encore une détonation, puis une autre encore.

Ses jambes cédèrent sous lui. Il tomba lentement au sol en regardant le linceul gris du plafond. Était-ce son imagination ou y avait-il des ombres qui bougeaient là-haut ? Il crut voir le visage du Burgerman et gémit.

La fille criait. Pourquoi est-ce qu'elle criait, cette abrutie, si c'était sur lui qu'on tirait ? Il aurait voulu qu'elle se taise. Il voulait que le monde entier se taise. La fille, le pistolet, la terrible violence qui s'insinuait dans sa tête.

Et là, il entendit de nouveaux cris, graves et pleins d'autorité, ceux-là.

« Police, police. Les mains en l'air. Lâchez votre arme. »

La fille se remit à crier, la vieille femme dit au garçon : « Pose ça, mon enfant. Tout va bien, pose ça. »

Il sentait son sang s'écouler de lui, sur le sol. Il se sentait mourir et il était bien placé pour le savoir, il avait vu ça assez souvent. La façon dont le corps de ce premier garçon s'était affaissé, puis écroulé, il y avait des années de cela. Et les filles, les unes après les autres, le sang qui coulait de leurs veines dans le siphon de la baignoire sous son regard excité, jusqu'à ce que la dernière goutte soit partie, qu'elles soient réduites à l'état de poupées de chiffon et que, lui qui s'était senti si puissant, se fasse simplement l'effet d'un enfant dans un corps d'adulte, qui jouerait avec des jouets surdimensionnés. Jusqu'à ce qu'il kidnappe la suivante, naturellement. Et encore la suivante.

C'était la fille qui tenait le pistolet à présent. Il le savait parce que les policiers lui criaient des ordres et que la vieille femme répétait au garçon de se baisser. Cette fille était une teigne. Il l'avait toujours su. C'était pour ça qu'il ne s'était jamais vraiment résolu à la tuer. Parce que c'était une teigne et que c'était d'autant plus enivrant de la faire marcher droit.

Peut-être qu'elle allait lui tirer dessus, elle aussi. Elle aimerait ça.

Il se demanda, pour le bébé. Est-ce que c'était le sien ? Celui d'Aaron ? Celui d'un autre ? Et il se dit, dans les toutes dernières secondes qui lui restaient, qu'il était content de mourir. Avant d'avoir jamais vu ce bébé. Avant d'avoir foutu sa vie en l'air.

Puis une fenêtre se brisa soudain au fond de la cuisine. Du coin de l'œil, il vit la fille se retourner pour faire face à cette nouvelle attaque. Une silhouette traversa les airs, attrapa la fille aux genoux et la plaqua au sol.

Un instant plus tard, un enquêteur maculé de sang se releva, le Colt à la main.

« Mon frère », murmura l'homme.

Et Sal le regarda enfin dans les yeux.

Comme elle ne pouvait pas passer par la fenêtre, Kimberly dut attendre que Mac déplace l'armoire pour ouvrir la porte du jardin. Elle avait fait le tour de la maison en courant, aperçu le faisceau de la seule lampe torche dans la cuisine et en avait entendu assez pour comprendre ce qui se passait. Elle avait lancé une pierre vers Ginny et prié pour que cette diversion suffise à Sal et Mac pour prendre le contrôle de la situation.

Maintenant que Mac avait allumé le plafonnier, elle découvrait une vieille femme, recroquevillée, suffoquée de douleur, coincée sur une chaise de cuisine, et un jeune garçon, le regard vide, à genoux à ses pieds. Ginny Jones était à plat ventre à trois mètres de là, pieds et poings liés.

Et Sal était penché sur le corps d'un homme qui gisait dans une mare de sang.

« Vincent, murmura Sal. Vinny. »

Il toucha le visage de l'homme avec une telle douceur que ça faisait mal à voir.

« Je suis désolé, murmura Sal. Désolé, désolé, désolé.

– Je t'ai vu… ce jour-là.

– Je suis désolé.

– Je voulais… voir maman. Rentrer… à la maison. Je t'ai vu.

– Chut… chut… chut.

– Le bon… fils. Dans ton uniforme. Pas moi. Tu avais raison… pour le Burgerman… qui broie les méchants garçons.

– Chut… chut… chut.

– Pas fort… pas comme toi. Blessé. Fatigué. Très fatigué.

– Tout va bien maintenant. Je suis là, Vinny, je suis là.

– Une azalée. Faut retrouver… une azalée.

– Ça va. Tout ira bien.

– J'aurais voulu, dit-il d'une voix entrecoupée. J'aurais voulu. »

Il expira. Sal, en larmes, berça le corps de son frère.

Épilogue

IL FALLUT HUIT JOURS pour évacuer tous les cadavres de Blood Mountain. Chacun des corps fut précautionneusement déposé sur un drap propre, puis enveloppé et descendu de la montagne sur une civière spécialement prévue à cet effet. Une équipe d'anthropologues judiciaires débarqua pour faire face à la charge de travail et s'installa dans la morgue du comté, où elle pouvait s'extasier à voix basse sur l'état de conservation extraordinaire de ces restes momifiés. Ce n'était pas souvent qu'on retrouvait des corps restés longtemps suspendus en forêt. Cela ouvrait de fantastiques perspectives d'études de cas.

Les familles des disparues furent informées de la procédure à suivre pour fournir des échantillons d'ADN qui seraient comparés avec ceux des dépouilles. Une base de données fut établie. Les tests commencèrent. Il fallait compter six à neuf mois avant d'avoir les résultats.

Ginny Jones donna son ADN en affirmant vouloir identifier la dépouille de sa mère. Kimberly n'était pas sûre qu'elle le ferait. Quelle importance Ginny avait-elle accordée à la mort de sa mère ? En tout cas, ça ne l'avait pas empêchée de former une alliance perverse avec un pervers.

Le procureur retint six chefs d'accusation pour complicité dans une affaire de meurtre contre Ginny. Pour lui, elle avait sciemment attiré d'autres prostituées dans un piège mortel et participé à l'enlèvement d'un enfant de sept ans, Joshua Ferris, alias Scott.

Ginny joua la carte de la victime. Elle avait été kidnappée par Dinechara, violée, molestée, torturée. À un moment donné, elle avait dû l'aider, c'était sa seule chance de survie. Écoutez donc les cassettes, ces enregistrements interminables de tout ce qu'il avait fait, y compris à sa mère.

Bizarrement, le seul enregistrement qui subsistait était celui que Kimberly avait fait du premier appel anonyme d'Aaron. Tout le reste semblait avoir été détruit dans l'incendie de la maison de Dinechara. Mais les corps restaient, minces silhouettes momifiées qui disaient mieux que des mots ce dont un seul individu avait été capable.

Sal avait pris un congé exceptionnel. Kimberly l'avait appelé à deux reprises. Il n'avait jamais rappelé. Elle apprit par la bande qu'il passait beaucoup de temps avec sa mère. Le tollé avait été tel dans les premiers temps, quand des détails sensationnels sur cette série de meurtres s'étalaient partout en gros titres, que sa mère et lui avaient dû se retirer du monde.

D'après la rumeur, Sal avait rempli des demandes pour que des tests génétiques soient pratiqués sur le bébé de Ginny. Si l'enfant était de Dinechara, sa mère et lui comptaient en demander la garde exclusive.

Kimberly se demanda si cela leur suffirait ou s'ils resteraient éveillés, nuit après nuit, dans la crainte qu'un drame se produise au bout du couloir.

La vie continua. Harold se remit de sa blessure, retourna au travail sous les hourras avec une médaille du gouverneur. Lorsque la brigade de relevé d'indices de Kimberly lui offrit sa propre paire de chaussures Limmer sur mesure, il rougit comme une jeune fille. Et Rachel le serra si fort dans ses bras que les parieurs spéculaient déjà sur la date du mariage.

Et pendant ce temps, Kimberly grossit. Énormément, au point de ne plus voir ses pieds. Comme elle l'avait prédit, Mac dut lui lacer ses chaussures. Ce qui n'arriva plus si souvent, étant donné qu'elle était officiellement en congé. Deux semaines avant terme, il lui fallut préparer une chambre d'enfant dans leur appartement de Savannah pendant que Mac faisait de longues journées à son nouveau poste pour essayer de se mettre dans le bain avant la naissance du bébé.

Kimberly fit donc des histoires à propos de froufrous en vichy, de pochoirs en forme de nounours et toutes ces choses qu'une femme comme elle avait autrefois jugées ridicules, mais qui étaient maintenant devenues le centre de tout son être. Elle repassa les rideaux, épousseta les ventilateurs et lava le dessus du réfrigérateur. Après quoi, elle acheta une armoire à pharmacie et exigea que Mac l'installe le soir même parce qu'il était hors de question qu'elle donne la vie alors que leur petite réserve de médicaments était encore stockée dans un tiroir de la salle de bains, à portée d'un bébé.

De temps à autre, quand elle n'était pas en train de faire le nid avec la frénésie irrépressible d'une femme enceinte de neuf mois, des idées lui traversaient la tête. Elle tombait sur une araignée de jardin et passait l'heure suivante à penser à Dinechara, au petit garçon qu'il avait été et à l'homme qu'il était devenu. Et elle se souvenait d'Aaron et de son expression avant d'appuyer sur la détente.

Il s'avéra qu'Aaron s'appelait Randy Cooper. Il avait été enlevé dix ans plus tôt, alors qu'il rentrait à pied de son école de Decatur. La famille avait réclamé le corps et sa sœur, Sarah, vingt-deux ans, à présent étudiante en droit à Harvard, était revenue pour l'enterrement. Au nom de la famille, elle avait remercié les quelques voisins et policiers rassemblés. Ils étaient heureux que cet enterrement leur permette de tourner la page. Ils savaient qu'ils avaient de la chance de connaître ce moment qui, pour tant de familles, n'arrivait jamais. Et ils choisiraient, ce jour-là comme tous les autres, de conserver de Randy le souvenir du petit garçon heureux et gai qu'ils avaient connu et non de la victime qu'il était devenu.

Kimberly se demanda si Sal s'efforçait de faire le même choix. Jour après jour après jour. Quelle image garder de son frère ?

Kimberly installa des verrous supplémentaires à toutes les fenêtres des chambres. Elle commanda une alarme avec une fonction d'appel des secours. Elle acheta une caméra de surveillance pour voir en permanence ce qui se passait dans la chambre de son bébé.

Peut-être bien qu'elle était peureuse et névrosée. Mais peut-être aussi que c'était ce dont avait besoin une femme qui travaillait dans la police et qui avait déjà enterré deux membres de sa famille. Mac ne la contraria pas. Il la laissa faire et lorsqu'elle trouva le courage de parler, à la fois de sa peur dévorante et de son timide espoir, il prit le temps d'écouter.

Une semaine avant terme, Kimberly commença à avoir des contractions. Avec Mac à ses côtés, et alors que Rainie et Quincy arrivaient en avion, elle donna naissance à une petite fille, Elizabeth Amanda McCormack.

Trois jours plus tard, Mac et elle ramenèrent leur petite fille à la maison. Mac prit quelques semaines de congé et ils passèrent des moments de bonheur à changer des couches ridiculement petites et à s'émerveiller devant dix doigts et dix orteils parfaits. Après bien des discussions, ils conclurent que la petite Eliza avait les cheveux bruns de Mac, mais le visage en triangle de Kimberly. Il allait de soi qu'elle possédait l'intelligence de sa mère, ainsi que la force de son père. Quant aux crises de colère, ils considéraient tous les deux que c'était l'autre qui avait transmis le gène.

Mac reprit le travail. Kimberly resta à la maison et découvrit... que ça allait. Pouponner n'était pas la condamnation à mort qu'elle avait redoutée, mais plutôt une nouvelle série de défis à relever. Elle pouvait s'en accommoder quelque temps. Six mois, pensait-elle. Un an, peut-être. Quelque chose dans ce goût-là.

Elle prit donc son temps. Serra fort sa fille contre elle. L'emmena en promenade dans le parc. Se leva toutes les trois heures et berça son bébé au milieu de la nuit.

Et pendant ces mois, la petite Eliza blottie sur la poitrine, Kimberly se dit que si la vie n'était pas parfaite, elle offrait au moins des instants qui, eux, frisaient la perfection.

« Je t'aime, Eliza », jura-t-elle, et elle sourit en écoutant ronfler son nouveau-né.

C'est framboise, mon parfum de glace préféré.

Ma maman me l'a dit en m'en donnant le premier soir où je suis rentré à la maison. J'ai hoché la tête comme si je me souvenais et puis j'ai mangé tout le bol, en regrettant que ce ne soit pas du chocolat.

Tout va revenir à la normale. C'est ce que tout le monde dit. J'ai de la chance. Je suis un rescapé. Quelque chose de terrible s'est passé, mais maintenant Tout Va Revenir À La Normale.

Je suis comme Pinocchio, impatient de découvrir un matin à mon réveil que je suis un vrai petit garçon.

En attendant, je fais semblant de dormir sur mon lit, et non recroquevillé dessous, d'où je peux voir les gens entrer dans ma chambre sans être vu de personne. Je fais semblant de ne pas remarquer que mes parents ne me laissent jamais seul avec ma petite sœur. Semblant de ne pas entendre ma mère pleurer tous les soirs au bout du couloir.

Tout Va Revenir À La Normale.

Mais je ne crois pas que moi, *je redeviendrai un jour normal.*

Certains jours, quand ça va vraiment mal, mon père m'emmène chez Rita, à deux heures de route. Je fends du bois, j'arrache les mauvaises herbes, je tonds sa pelouse. Elle ne se déplace plus trop bien à cause de sa hanche, alors un peu d'aide n'est jamais de refus. Et le mieux, c'est qu'elle ne me pose jamais de questions. Elle me confie des travaux, me houspille.

Rita est toujours Rita ; peut-être qu'elle n'est pas normale, elle non plus, et ça me plaît.

Parfois, pendant que je fiche la raclée aux pissenlits, je m'aperçois que je suis en train de parler, que plein de choses sortent. Alors je travaille plus dur, je parle plus vite, Rita me donne plus de citronnade et tout va bien quand Rita est là. Quand elle est là, je me sens en sécurité.

Des fois, je suis encore en train de déblatérer quand mon père revient. Alors il fend du bois, arrache les mauvaises herbes, repeint les barreaux de la balustrade et je peux bien dire que Rita a la plus jolie maison du quartier. C'est le moins qu'elle mérite, vous savez. J'aimerais pouvoir rester toujours avec elle.

Mais tôt ou tard, il faut rentrer à la maison. Tout Va Revenir À La Normale.

Je ne dors pas. Derrière mes paupières fermées, je vois des choses que je ne pense pas que les autres garçons voient. Je sais des choses que je ne pense pas que les autres garçons savent. Aller à l'école est inimaginable. Traîner avec mes anciens copains est inimaginable.

Je joue à la poupée avec ma petite sœur. Je fais tout ce qu'elle me dit. Je vois ça comme un entraînement. Un jour ou l'autre, je saurai être une petite fille de six ans. Ça paraît une bien meilleure idée que d'être moi.

Ma maman m'emmène chez un thérapeute. Je dessine des arcs-en-ciel et des fleurs et il me regarde d'un air profondément déçu. Alors je dessine des petits zoziaux et des chatons. Des poissons rouges et des licornes. Quand je raconte ça plus tard à Rita, ça la fait rigoler, mais je vois bien qu'elle est inquiète.

Parfois, quand ça va vraiment mal, on se contente de faire de la balancelle sur sa terrasse et elle me tient la main.

« Tu es fort, mon enfant, me dit-elle. Tu es solide, malin et débrouillard. Ne le laisse pas te prendre ça. Ne lui donne pas ça. »

Je promets à Rita et nous nous pardonnons tous les deux ce mensonge.

Rita a vécu jusqu'à un âge avancé. Elle est morte en janvier. Je suis venu ce samedi-là et je l'ai trouvée assise dans le salon, un bras passé dans le vieux manteau de sa mère. Joseph était assis à côté d'elle. C'était la première fois que je le voyais. Dès que j'ai ouvert la porte, il a levé les yeux vers moi, a souri et disparu.

Je n'ai pas pleuré à l'enterrement. Rita a eu une belle mort. Paisible. Ça m'a donné ma première lueur d'espoir. Un jour, je veux mourir comme ça, assis dans mon canapé, juste sur le point de franchir la porte.

J'aime penser que Rita gambade avec Joseph maintenant, qu'ils tournent en rond autour du vieux pommier. J'aime penser qu'elle veille sur moi.

Je n'ai pas réussi à l'école publique. J'ai essayé d'être un vrai petit garçon, mais je n'en suis pas un, vous savez. Un élève a commencé à s'en prendre à moi. À me traiter de pédé. À dire à tout le monde que j'aimais sucer les bites. Et puis il a fait des bruits avec sa langue chaque fois que je passais dans les couloirs.

Il était costaud. Je suis trop petit pour m'attaquer à quelqu'un de sa taille et il le savait.

J'en ai parlé à mon père. Il a fait tout un foin. L'autre a été suspendu. Ça m'a valu cinq jours de répit avec un élève et plein d'ennuis avec un paquet d'autres. Bientôt toute l'école a fait des bruits de succion chaque fois que j'entrais dans la cantine.

Les enfants ne m'aiment pas. Je le sais. Ils me regardent en se demandant ce qui s'est passé. En se demandant si ça va leur arriver.

Je leur fais peur et aucun adulte n'y changera jamais rien.

Maintenant, je vais dans une école privée. Avec des classes réduites. De nombreuses figures d'autorité pour que nous filions droit. Je ne me donne pas la peine de me faire des amis. J'attends juste que la journée se passe. C'est la seule chose pour laquelle je suis doué, attendre que ça se passe.

Ma sœur m'adore. C'est la seule personne au monde qui me prenne dans ses bras sans s'arrêter d'abord pour se demander si elle doit le faire. Elle se jette direct sur moi. « Joshi, s'écrie-t-elle. Joshi est rentré. » Et il y a des jours où je me dis que j'ai survécu à tout ça rien que pour l'entendre dire ces mots.

*J'ai mes bons moments. Pas beaucoup, mais quand même. Des fois où c'est presque acceptable d'être moi. Alors je m'accroche à ça parce qu'il faut bien que je m'accroche à quelque chose. Il faut que j'essaie d'*être *quelque chose ou alors Rita a raison : Il a gagné. Même dans la tombe, il m'a dépossédé de moi-même. Je ne l'accepterai pas. Jamais.*

Je l'ai tué une fois. J'espère bien qu'il est mort pour toujours.

Et puis une nuit, j'ai eu une révélation. Je n'arrivais pas à dormir. Des pensées sanglantes me rendaient fou. Je détestais mes vêtements, ma chambre, la sensation de la moquette contre ma peau. Je détestais les murs de la maison et la fenêtre qui me regardait comme un œil aveugle.

Je détestais ma mère et mon père, qui ne cessaient de m'observer, comme si j'allais être rétabli d'un instant à l'autre, alors que, s'ils avaient fait leur boulot correctement, jamais je n'aurais été détraqué.

Alors je suis allé chercher des allumettes dans la cuisine. Mais en chemin, au milieu du salon, je l'ai vu : l'ordinateur.

Je me suis souvenu de choses. Des choses que je n'avais jamais racontées à la police.

Je me suis assis.

Il ne m'a pas fallu longtemps pour les trouver. Ou plutôt pour leur faire croire qu'ils m'avaient trouvé. Je suis resté trois heures devant le clavier, à faire ce qu'il fallait faire, à dire ce qu'il fallait dire. Je sais comment fonctionnent ces types.

À cinq heures du matin, j'ai entendu mon père se lever pour aller aux toilettes, alors j'ai éteint l'ordinateur, je suis retourné discrètement dans ma chambre et je me suis effondré sur mon lit. Quand je me suis réveillé, je savais ce que j'allais faire.

J'ai pris quelques cours. J'ai fait quelques recherches et ça a suffi pour le reste.

Je vais sur le Net trois nuits par semaine maintenant, toujours après minuit.

Et je pars à la chasse.

L'agent spécial Salvatore Martignetti. Il a réintégré le GBI, dans une brigade de lutte antidrogue. Je peux trouver des citations de lui au sujet de ses dernières arrestations, de ses heures de gloire. Je peux trouver sa photo, le visage grave, les yeux enfoncés. Parfois, si la pose est la bonne, il ressemble tellement à Dinechara que j'ai envie de balancer mon poing à travers l'écran. Mais je ne le fais pas.

L'agent spécial Kimberly Quincy. Elle a repris le travail, mais ses missions sont plus difficiles à suivre – le FBI a plus de jugeote pour ces choses-là. Alors j'ai retrouvé sa fille à la place. La petite Eliza Amanda McCormack, inscrite à la maternelle Montessori de la ville. Toute la liste des élèves est accessible en ligne. Sur la page, on lit réservé aux parents, *mais il ne m'a fallu que trois essais pour deviner le mot de passe : les initiales de la directrice. C'est fou le nombre d'organismes qui croient se « protéger » alors qu'en réalité ils font juste rigoler les gens comme moi.*

Ginny Jones. Elle est à la prison d'État où elle finit de purger sa peine de douze ans de réclusion. Les jurés ne résistent pas à une jeune victime enceinte et ils ne l'ont jugée coupable que de complicité d'enlèvement. Je ne sais pas où est allé le bébé, mais laissez-moi un peu de temps, je vais trouver. En attendant, Ginny a couché avec suffisamment de gardiens de prison pour avoir accès à un ordinateur. Alors je me suis fait passer pour son tout nouveau correspondant sur Internet. Il lui tarde de me rencontrer un jour. Croyez-moi, c'est réciproque.

Je suis patient, attentif, observateur.

Juste une araignée sur le mur, vous voyez, qui tisse lentement sa toile.

Après m'être rencardé sur mes anciens acolytes, je passe au vrai clou de la soirée : je vais sur les sites, les blogs, les forums. Je me fais de nouveaux « amis » et je raconte à ces types tout ce que je sais faire. Je leur promets de l'action. Je leur promets du direct. Il me faut juste une petite information pour commencer. Et quand je l'ai, je frappe.

Je vide leurs comptes en banque. Je tire au maximum sur leurs cartes de crédit et j'en prends de nouvelles à leur nom. Je souscris des hypothèques de second rang auprès de banques en ligne et j'ouvre des lignes de crédit. Je deviens eux, j'usurpe leur identité. Et je vire tout leur argent au Centre pour les Enfants Disparus et Exploités. Des milliers de dollars, des dizaines de milliers de dollars, des centaines de milliers de dollars. Je prends tout ; c'est tout ce qu'ils méritent.

Ils pourraient porter plainte, bien sûr. Il leur suffirait d'ouvrir leurs archives financières (y compris en ce qui concerne leurs activités en ligne) à leur épouse, leurs associés, la police.

Je me demande ce que ça leur fait quand ils comprennent enfin ce qui se passe. Que ces débits sur leur carte de crédit ne sont pas une erreur. Que ces messages de leur compte PayPal signalant une activité inhabituelle ne sont pas des canulars. Que leur compte courant est vide et que le plafond de cette nouvelle ligne de crédit, là, a déjà été atteint.

Je me demande ce que ça leur fait quand ils comprennent qu'ils n'ont aucun recours. Que leur maison va être saisie, leur toute nouvelle voiture confisquée. Que leurs comptes en banque sont gelés, leurs cartes de crédit plafonnées, quant à leurs activités sur Internet… hé, personne ne va laisser un connard fauché télécharger de la pornographie enfantine.

Je me demande ce que ça leur fait quand ils comprennent qu'ils sont finis, foutus, lessivés. Quand ils comprennent qu'ils seront pour le restant de leurs jours un spécimen de la collection.

REMERCIEMENTS

Il faut beaucoup de gens pour écrire un roman. À commencer par mon adorable fillette : celle-ci a contribué à inspirer ce livre, essentiellement en se prenant de passion pour les araignées. Son intérêt fut éveillé par nos voisines Pam et Glenda, qui lui offrirent des lampes en forme d'araignées aux couleurs rigolotes, puis entretenu par Paul et Lynda, qui lui donnèrent une mygale à peu près aussi grosse qu'un fox-terrier. Ma fille a instantanément décrété que la mygale était la maman araignée et l'a installée dans notre salon.

Quand on commence à cohabiter avec une mygale de la taille d'un chien, un roman à suspense ne se fait généralement pas attendre.

Il y eut ensuite ma collègue Sheila Connolly qui, apprenant que je travaillais sur un livre mettant en scène des araignées, me proposa le concours de son mari entomologiste. Dave Williams est le genre de type qui a un jour élevé une veuve noire en guise d'animal de compagnie et il m'a donc été d'une aide précieuse. Non seulement il m'a envoyé des photos de morsures d'araignée violoniste, mais il m'a aussi donné un coup de main pour retrouver un excellent article sur la décomposition des cadavres en cas de pendaison en extérieur. Tout le monde n'apprécie pas ce genre de choses, mais j'ai beaucoup appris. Merci, Dave !

Il y a encore mon cher ami Don Taylor, qui fut si enchanté par la marotte de ma fille qu'il lui envoya plusieurs livres sur les arachnides. Nous avons toutes les deux adoré les romans, sauf qu'après avoir lu le *Journal d'une araignée* de

Doreen Cronin, ma fille s'est aussi entichée des mouches et des vers. Merci, Don !

Vient ensuite ma chère Lisa Mac. Un soir où j'étais enlisée à essayer de trouver sur Internet des méthodes insolites pour cacher des cadavres (note aux lecteurs : la recherche « bonnes manières de se débarrasser de cadavres » conduit sur des forums de discussion à faire peur), j'ai appelé Lisa pour l'informer que je prenais du retard et elle s'est littéralement mise à hurler dans le combiné : « Attends, j'ai l'idée parfaite. J'arrive tout de suite. » Tu sais quoi, Lisa ? Tu avais raison.

Il me faut ensuite remercier mon ami et partenaire de longue date, le docteur Greg Moffatt. Lorsque j'ai mentionné le fait que j'avais besoin de me rendre en Géorgie pour me documenter en vue d'un roman, sa famille et lui ont déroulé le tapis rouge. Bon, la plupart des hôtes vous feront faire le tour de la ville, mais combien vous emmèneront choisir une scène de crime sur Blood Mountain ? Une fois encore, Greg, tu t'es mis en quatre. Merci pour cette merveilleuse, quoique peu classique, visite de la Géorgie.

Je dois également remercier le divisionnaire Stephen Emmett du FBI d'Atlanta, qui m'a aidée à comprendre les rouages de cette antenne du FBI ; l'agent spécial Paul Delacourt, qui m'a fait un point sur le FBI de l'après 11 septembre et, mieux encore, m'a signalé que faire partie des brigades de relevé d'indices serait une activité complémentaire idéale pour Kimberly ; et enfin l'agent spécial Roslyn B. Harris, responsable des brigades de relevé d'indices à Atlanta, ainsi que le divisionnaire Rob Coble, qui ont ensuite accepté de bonne grâce de répondre à ma multitude de questions sur ces brigades et l'emploi du tachéomètre électronique. Il va de soi que toutes les erreurs sont miennes et uniquement miennes.

L'anthropologue judiciaire Lee Jantz, qui travaille à la célèbre Ferme des Cadavres de l'université du Tennessee, eut la gentillesse de m'apprendre le b.a.-ba en matière de recherche et de récupération de corps en extérieur. Merci également, Lee, pour vos recherches sur la décomposition des textiles et autres détails croustillants qui auront, je l'espère, contribué à créer une scène de crime vraiment angoissante. Là encore, toutes les erreurs (et licences romanesques !) sont miennes.

À la rubrique attentions et aliments prodigués à l'auteur :

merci à ma brillante éditrice, Kate Miciak, et à toute l'équipe éditoriale de la maison Bantam – vous êtes de vrais magiciens ; à Meg Ruley et à toute l'équipe de l'agence Jane Rotrosen, qui comprennent les auteurs névrosés et qui, grâce à leur dur labeur, leur permettent de l'être en fait un peu moins ; à Michael Carr, mon premier lecteur, dont les analyses au scalpel ont mis la première version en lambeaux, m'ont rendue grincheuse au-delà de l'exprimable et ont bien évidemment permis d'améliorer ce roman (pour la peine, j'emmène sa femme en thalasso et je le laisse seul avec quatre enfants, na !) ; à Kevin Breenky et autres aimables employés de chez Jif Peanut Butter pour les colis de soutien au moral des troupes, les gentils messages et les sourires échangés. À John et Genn du traiteur J-Town Deli, dont les ravitaillements quotidiens en petites douceurs à la framboise m'ont permis de tenir le coup pendant les longs après-midi ; à Larry et Leslie du restaurant Thompson House Eatery, qui ont gracieusement ouvert leur maison pour la photo de la couverture américaine et, mieux encore, nous ont servi à déjeuner. Et à Brandi et Sarah pour toutes ces raisons qu'elles connaissent mieux que personne.

Enfin, je dois un immense merci à mon mari. Voilà des années que je fais l'éloge des somptueux gâteaux au chocolat dont il me comble pendant mes charrettes. Mais cette fois-ci, il s'est surpassé : il m'a trouvé un bureau en dehors de la maison. Je lui ai dit qu'il était fou : le travail reste du travail, peu importe où on le fait. Mais j'ai plaisir à dire que, en l'occurrence, avoir un bureau a changé ma vie. Alors, mon amour, voici les trois mots que tous les maris rêvent de lire noir sur blanc : Tu avais raison !

(Nous reprenons maintenant le cours normal de nos émissions.)

J'espère que Kathy Ransom, lauréate du quatrième concours annuel *Kill a Friend, Maim a Buddy* est contente de voir sa fille, Nicole Evans, immortalisée sous forme de cadavre exquis. J'espère de même que Beth Hunnicutt, lauréate du concours lancé par l'*Oregonian* (« Pourquoi je devrais être un cadavre dans le prochain roman de Lisa Gardner »), est satisfaite de sa mort fictive, étant donné les authentiques épreuves qu'elle a dû surmonter dans la vraie vie. Enfin, je remercie Lynn Stoudt qui, grâce à son don généreux à la

Gwinnett County Library, a gagné le droit de devenir un des personnages de ce roman (un de mes premiers personnages vivants baptisés d'après quelqu'un de réel !).

Pour ceux d'entre vous qui voudraient entrer dans la danse, pas d'inquiétude : le concours *Kill a Friend, Maim a Buddy* recommence chaque année en septembre sur www.lisagardner.com. Allez y jeter un œil et peut-être que, dans mon prochain roman, vous pourrez vous aussi connaître une fin spectaculaire.

Pour conclure, je voudrais dédier ce roman à Jackie Sparks et à tout le personnel de l'association Children Unlimited. De tous mes romans, celui-ci est de loin le plus violent et, oui, j'ai eu du mal à l'écrire. J'aimerais pouvoir vous dire que le Burgerman est un personnage de fiction, que ses agissements ne sont que le fruit morbide de mon imagination perverse. Malheureusement, la plupart des informations données dans ces scènes proviennent d'affaires réelles. Les Burgerman de ce monde existent et les ravages qu'ils provoquent sont bouleversants.

C'est pourquoi je suis infiniment reconnaissante à ces héros ordinaires qui nous côtoient. Des gens comme Jackie, qui, grâce à des services d'intervention rapide, de défense des enfants et autres programmes, consacrent leur existence à venir en aide aux enfants. Ils prodiguent le soutien, la présence et les soins thérapeutiques nécessaires à la convalescence de ces jeunes êtres. Ils sont la voix de ces enfants dont les peurs sont souvent indicibles.

Merci, Jackie, de mener ce juste combat. Et merci à tous les services d'intervention rapide et les défenseurs des enfants qui comprennent que tout enfant doit pouvoir se sentir en sécurité, estimé et aimé.

Sincèrement,
Lisa Gardner

Post-scriptum
30 janvier 2008

J'ai commencé à me documenter pour *Derniers adieux* à l'automne 2006 et j'ai mis la dernière main au manuscrit en août 2007. Comme la plupart des écrivains, j'étais heureuse d'avoir enfin mené à bien un projet d'un an et j'ai refermé mes dossiers sans un regard en arrière. C'est donc avec consternation que, durant la première semaine de janvier 2008, j'ai appris aux informations la disparition d'une jeune femme, Meredith Emerson, lors d'une randonnée sur Blood Mountain. Son corps fut malheureusement retrouvé quelques jours plus tard, ce qui mettait un terme tragique à une vie pleine de promesses. J'espère que les lecteurs comprendront que les scènes de crime fictives décrites dans *Derniers adieux* n'ont jamais été écrites dans le but de singer de véritables assassinats ni d'exploiter une authentique tragédie. Mes pensées vont aux amis de Meredith Emerson, à sa famille et son entourage, qui doivent aujourd'hui se reconstruire.

DU MÊME AUTEUR

Aux Éditions Albin Michel

DISPARUE, 2008.

SAUVER SA PEAU, 2009.

LA MAISON D'À CÔTÉ, 2010.

« *SPÉCIAL SUSPENSE* »

MATT ALEXANDER
Requiem pour les artistes

STEPHEN AMIDON
Sortie de route

RICHARD BACHMAN
La Peau sur les os
Chantier
Rage
Marche ou crève

CLIVE BARKER
Le Jeu de la Damnation

INGRID BLACK
Sept jours pour mourir

GILES BLUNT
Le Témoin privilégié

GERALD A. BROWNE
19 Purchase Street
Stone 588
Adieu Sibérie

ROBERT BUCHARD
Parole d'homme
Meurtres à Missoula

JOHN CAMP
Trajectoire de fou

CAROLINE CARVER
Carrefour sanglant

JOHN CASE
Genesis

PATRICK CAUVIN
Le Sang des roses
Jardin fatal

JEAN-FRANÇOIS COATMEUR
La Nuit rouge
Yesterday
Narcose
La Danse des masques
Des feux sous la cendre
La Porte de l'enfer
Tous nos soleils sont morts
La Fille de Baal
Une écharde au cœur

CAROLINE B. COONEY
Une femme traquée

HUBERT CORBIN
Week-end sauvage
Nécropsie
Droit de traque

PHILIPPE COUSIN
Le Pacte Pretorius

DEBORAH CROMBIE
Le passé ne meurt jamais
Une affaire très personnelle
Chambre noire
Les larmes de diamant

VINCENT CROUZET
Rouge intense

JAMES CRUMLEY
La Danse de l'ours

JACK CURTIS
Le Parlement des corbeaux

ROBERT DALEY
La nuit tombe sur Manhattan

GARY DEVON
Désirs inavouables
Nuit de noces

WILLIAM DICKINSON
Des diamants pour Mrs Clark
Mrs Clark et les enfants du diable
De l'autre côté de la nuit

MARJORIE DORNER
Plan fixe

RYCK EDO
Mauvais sort

FRÉDÉRIC H. FAJARDIE
Le Loup d'écume

FROMENTAL/LANDON
Le Système de l'homme-mort

STEPHEN GALLAGHER
Mort sur catalogue

LISA GARDNER
Disparue
Sauver sa peau
La maison d'à côté

CHRISTIAN GERNIGON
La Queue du Scorpion
Le Sommeil de l'ours
Berlinstrasse
Les Yeux du soupçon

JOSHUA GILDER
Le Deuxième Visage

MICHELE GIUTTARI
Souviens-toi que tu dois mourir
La Loge des Innocents

JOHN GILSTRAP
Nathan

JEAN-CHRISTOPHE GRANGÉ
Le Vol des cigognes
Les Rivières pourpres
Le Concile de pierre

SYLVIE GRANOTIER
Double Je
Le Passé n'oublie jamais
Cette fille est dangereuse
Belle à tuer
Tuer n'est pas jouer
La Rigole du diable

AMY GUTMAN
Anniversaire fatal

JAMES W. HALL
En plein jour
Bleu Floride
Marée rouge
Court-circuit

JEAN-CLAUDE HÉBERLÉ
La Deuxième Vie de Ray Sullivan

CARL HIAASEN
Cousu main

JACK HIGGINS
Confessionnal

MARY HIGGINS CLARK
La Nuit du Renard
La Clinique du Docteur H.
Un cri dans la nuit
La Maison du guet
Le Démon du passé
Ne pleure pas, ma belle
Dors ma jolie
Le Fantôme de Lady Margaret
Recherche jeune femme aimant danser
Nous n'irons plus au bois
Un jour tu verras...
Souviens-toi
Ce que vivent les roses
La Maison du clair de lune
Ni vue ni connue
Tu m'appartiens
Et nous nous reverrons...
Avant de te dire adieu
Dans la rue où vit celle que j'aime
Toi que j'aimais tant
Le Billet gagnant
Une seconde chance
La nuit est mon royaume
Rien ne vaut la douceur du foyer
Deux petites filles en bleu
Cette chanson
que je n'oublierai jamais
Où es-tu maintenant ?
Je t'ai donné mon cœur
L'ombre de ton sourire
Quand reviendras-tu ?

CHUCK HOGAN
Face à face

KAY HOOPER
Ombres volées

PHILIPPE HUET
La Nuit des docks

GWEN HUNTER
La Malédiction des bayous

PETER JAMES
Vérité

TOM KAKONIS
Chicane au Michigan
Double Mise

MICHAEL KIMBALL
Un cercueil pour les Caïmans

LAURIE R. KING
Un talent mortel

STEPHEN KING
Cujo
Charlie

JOSEPH KLEMPNER
Le Grand Chelem
Un hiver à Flat Lake
Mon nom est Jillian Gray
Préjudice irréparable

DEAN R. KOONTZ
Chasse à mort
Les Étrangers

NOËLLE LORIOT
Le tueur est parmi nous
Le Domaine du Prince
L'Inculpé
Prière d'insérer
Meurtrière bourgeoisie

ANDREW LYONS
La Tentation des ténèbres

PATRICIA MACDONALD
Un étranger dans la maison
Petite Sœur
Sans retour
La Double Mort de Linda
Une femme sous surveillance
Expiation
Personnes disparues
Dernier refuge
Un coupable trop parfait
Origine suspecte
La Fille sans visage
J'ai épousé un inconnu
Rapt de nuit
Une mère sous influence
Une nuit, sur la mer

JULIETTE MANET
Le Disciple du Mal

PHILLIP M. MARGOLIN
La Rose noire
Les Heures noires
Le Dernier Homme innocent
Justice barbare
L'Avocat de Portland
Un lien très compromettant
Sleeping Beauty
Le Cadavre du lac

DAVID MARTIN
Un si beau mensonge

LISA MISCIONE
L'Ange de feu
La Peur de l'ombre

MIKAËL OLLIVIER
Trois souris aveugles
L'Inhumaine Nuit des nuits
Noces de glace
La Promesse du feu

ALAIN PARIS
Impact
Opération Gomorrhe

DAVID PASCOE
Fugitive

RICHARD NORTH PATTERSON
Projection privée

THOMAS PERRY
Une fille de rêve
Chien qui dort

STEPHEN PETERS
Central Park

JOHN PHILPIN/PATRICIA SIERRA
Plumes de sang
Tunnel de nuit

NICHOLAS PROFFITT
L'Exécuteur du Mékong

PETER ROBINSON
Qui sème la violence...
Saison sèche
Froid comme la tombe
Beau monstre
L'été qui ne s'achève jamais
Ne jouez pas avec le feu
Étrange affaire
Le Coup au cœur
L'Amie du diable
Toutes les couleurs des ténèbres
Bad Boy

DAVID ROSENFELT
Une affaire trop vite classée

FRANCIS RYCK
Le Nuage et la Foudre
Le Piège

LEONARD SANDERS
Dans la vallée des ombres

TOM SAVAGE
Le Meurtre de la Saint-Valentin

JOYCE ANNE SCHNEIDER
Baignade interdite

THIERRY SERFATY
Le Gène de la révolte

JENNY SILER
Argent facile

BROOKS STANWOOD
Jogging

WHITLEY STRIEBER
Feu d'enfer
Billy

MAUD TABACHNIK
Le Cinquième Jour
Mauvais Frère
Douze heures pour mourir
J'ai regardé le diable en face
Le chien qui riait
Ne vous retournez pas
Désert barbare

THE ADAMS ROUND TABLE PRÉSENTE
Meurtres en cavale
Meurtres entre amis
Meurtres en famille

Composition Nord Compo
Impression Transcontinental Gagné, septembre 2011
Éditions Albin Michel
22, rue Huyghens, 75014 Paris
www.albin-michel.fr
ISBN : 978-2-226-22980-9
ISSN : 0290-3326
N° d'édition : 18375/01 – N° d'impression : [illegible]
Dépôt légal : septembre 2011
Imprimé au Canada